95.

Felix M.T. Wong

目 錄

蕭　序

　　基督教護教學有兩個相關目的：一個是要答辯非信徒對基督信仰所提出的質疑；另一個是要闡揚基督信仰的原委，在時代文化氛圍中，把基督的福音情理兼容地宣示出來。前者是防守性的，後者是進攻性的。賈斯樂博士透過其豐富的學養、縝密的思考、中肯有力的辯解，在這本內容扎實的《當代護教手冊》中，儼然達到了護教學的兩個相關目的。

　　第一，本書作者強調非信徒所提出來的真誠問題，我們應該設法提供合理的答案。當然這也是聖經的教導，提醒我們：「有人問你們心中盼望的緣由，就要常作準備，以溫柔敬畏的心回答各人。」（彼前三15）猶大書第3節也鼓勵我們，「要爲從前一次交付聖徒的真道，竭力地爭辯」，我們要慎思明辨，清楚知道自己信仰的原委，不但盡心愛主，也要盡意（mind：思想、理智）愛主。我們多作信仰的反省，好學深思，在社會學術文化氛圍中涉獵各學科，才能知己知彼百戰百勝。

　　本書作者在這辯道的目標上，討論了八個非信徒經常提出的棘手質疑——有關神存在的問題、有關各種不同神觀的問題、有關惡的根源問題、有關神蹟之可能性問題、有關真理是否絕對的問題、有關道德標準的問題、有關科學和進化論的問題，有關輪迴轉世的問題。面對這些重要的護教課題，作者均層次分明的推理陳述，有條不紊的分析答辯。因此，這本《當代護教手冊》很能幫助讀者瞭解問題之所在，同時又能幫助他們掌握思想脈絡和辯證根據，以溫柔真誠的態度回答質疑。

　　第二，護教學不單是防守的答辯，同時也是進取性的宣揚福音。誠如章力生教授所說：「辯道學卻須針對時代思潮，機動應

戰，要採取攻勢，向『人學』進攻！辯道學者不能『抱殘守缺』，『故步自封』，閉門空想，坐而論道；貴能『明體達用』，『因時制宜』，使萬古不變的真道，歷久常新。」（見《總體辯道學：基要篇》，天道，1982，頁14）。使徒保羅曾說，我們「可以攻破堅固的營壘，將各樣的計謀，各樣攔阻人認識神的那些自高之事，一概攻破了，又將人所有的心意奪回，使他都順服基督。」（林後十4～5）

　　護教學從這方面的目標來看，可說是一種「戰鬥的神學」。它拒斥自十八世紀啟蒙運動(The Enlightenment)以來那囂張專橫的「理性主義」，但卻維護基督信仰是合乎那真正的理性。護教學的積極任務乃運用理智心思，釐定思想作戰方略，揭發其他異端學說的謬誤，持之有據的證明基督信仰乃獨一真神在人類歷史中的命題性真理，耶穌基督乃是道成肉身拯救世人的真主。我們要真誠而肯定的說，「除祂以外，別無拯救，因為在天下人間，沒有賜下別的名，我們可以靠著得救。」（徒四12）〔《沒有其他福音！》(*No Other Gospel,* Minneapolis: Fortress Press, 1992)〕

　　於此，作者用了頗長的篇幅來論述耶穌是誰以及聖經是一本什麼樣的經書。常有人問：證明聖經是神的話是不是掉進循環論證的錯誤中？（循環論證乃指邏輯上一種兜圈的錯誤推理——我相信聖經是神的話，因為聖經說聖經是神的話。）我們要指出，除非單用聖經的內證作為最後的依據，我們便犯了循環論證的錯誤。但若用聖經內證作為其中一種考據的資料，又加上其他客觀外在的證據如：用考據其他歷史文獻的原則與方法來考據聖經史實的真確性，又從考古學的發現來研判，又加上耶穌從死裡復活的歷史真確性來推論，以證實聖經乃是神的話，是無誤的。這種推理過程就不會掉進循環論證的錯誤中，這方法正是賈斯樂博士所採用的。

　　從事護教工作不能不依靠聖靈。祂是真理的聖靈，祂要引導人

明白並且進入真理（約十六13），同時也要多禱告求主賜予愛心。
在辯道中若沒有這些屬靈要素，所作的便付諸厥如，我們可能贏得
那場爭論，但卻失去一個寶貴的靈魂。而對如此一本有高度參考價
值的護教手冊，筆者誠心祈求上主使用，燃起真理火炬，使現代迷
失的人從黑暗中看到甦醒人類的福音真光。

蕭保羅於宣道神學院

1994、5、6

作者簡介

蕭保羅牧師於一九九三年在美國芝加哥三一神學院(Trinity Evangelical
Divinity School)取得哲學博士學位，主修系統神學，論文主要研究當今著名德
國神學家莫特曼(Jürgen Moltmann)的希望神學。蕭牧師曾任加拿大溫城(Win-
nipeg)華人宣道會主任牧師，後被宣道會總會差派來台灣作宣教士，任教於宣
道神學院，現為該院院長。

蘇序

有人說，基督徒的信仰若沒有護教學的裝備，則好像槍沒有子彈一樣。筆者在過去見到無數十分有興趣追求認識真理的知識份子，在真誠地發出心底裡的疑難問題時，所得到的，是難以信服的答案，使他們漸漸失去了追求的熱誠。筆者十分認同司徒德牧師所說過的一句話，「若我們對非信徒所提出的信仰問題不能提供足夠合理的答案，則差不多等於是在宣告，他們的不信是合理的！」護教學一方面是信徒信仰的盾牌，退可以守；另一方面也是我們的利劍，進可以攻。要有效地帶領人歸主，我們的責任，除了將完整的福音傳給他們以外，也包括將他們心裡跟信仰有關的疑難雜症，或一堆一堆攔阻他們決志信主的石頭清除，使他們能回應聖靈的感動，接受救恩。

賈斯樂博士是筆者在唸神學時最欣賞的老師之一，他是護教學的大師。他所著的《基督教護教學》(Christian Apologetics)清楚列出了護教學理論的基礎及依據；而本書《當代護教手册》則爲護教學的應用，是一本內容全面、資料豐富、立論清晰、詞鋒銳利而說服力極強的「信仰難題解答」。

就筆者所知的基督徒護教學者中，有些只通哲學，卻無神學裝備，所以對不信者的問題所提供的答案，很多根本不合聖經(practical but not biblical)；而他們引用古哲學家的答案只不過是另一種形式的問題而已。另外一些學者只通神學，卻無良好的哲學基礎，以致無法與不信者對話。雖然他們的答案很合聖經，但卻無法爲不信者接受或了解(biblical but not practical)。賈博士是極少數的其中一位，能揉合精闢的哲學知識及全備的神學與聖經造詣，以合宜的方法回應不信者的挑戰。

　　本書有十三章，第一章是引論，闡明了信仰難題解答的需要、護教學（福音預工）及傳福音之關係。第二和第三章則爲有關神存在、各種有神論、無神論立場之分析及評論等。第四章轉到絕大多數非信徒甚至信徒均會問及的，有關罪惡的問題。第五章是涉及神蹟方面的各種問題。第六章則爲有關我們信仰之中心——主耶穌基督——的各類非信徒可能會問的問題。接著作者用了三章的篇幅詳細處理護教學主要的根據——聖經——的各種有關難題，當中且包括了解答聖經難題之原則及方法；第十章是處理無神論者不可能不提出的，有關進化論的問題。作者羅列了最具權威的支持及反對派學者之意見，一針見血地道出了進化論的問題癥結所在。第十一章是有關死後去向的問題。賈博士除了列出輪迴（再生）論之不合邏輯、不合理及無根據外，還列出了復活之必需性、歷史性及合理性，說明復活及審判是保證罪惡得到徹底解決的唯一途徑。第十二章則涉到真理的問題。賈博士逐一反駁了不可知論者、唯理主義者、唯心主義及實在主義者的觀點，又本於邏輯及聖經指出真理之絕對性、啟示性、必然性及合邏輯性，同時呼召所有人共進真理中享其筵席。最後一章則與道德問題有關。面對著越來越多因開放、無底線的行爲所帶來的罪惡和社會問題；作者堅定地指出道德是有絕對標準的，人摒棄這絕對標準的結果是自討苦吃。

作者簡介

　　蘇穎智牧師畢業於美國德州休斯頓大學(Houston University)，主修哲學及希臘文，獲榮譽學士學位(B. A. Honor)，繼而在西南浸信會神學院(Southwestern Baptist Theological Seminary)進修，獲榮譽道學碩士學位(M. Div. Honor)；隨後在達拉斯神學院(Dallas Theological Seminary)攻讀系統神學，獲榮譽神學碩士學位(S. T. M. Honor)；同期間，又在西南浸信會神學院完成教牧學博士學位(D. Min.)。蘇牧師現於香港播道會恩福堂事奉。

第一章

有問應答

「你知道嗎？這些有關神是否存在和復活的論證，實在是很有趣，我知道：在神的國度裡它有一席之地，但我從來沒有用得上這些論證。」牧師一面說，一面看著後照鏡改換車道線。坐在他身旁的年輕人默不出聲，心中卻對牧師剛才所說的話微感驚愕。牧師繼續說：「我向人傳福音時，他們從來不會問那些問題。他們對於真理是否客觀、古代歷史學家如何看耶穌和復活、如何解答惡的問題，好像毫無興趣。大部分的人都不會用哲學頭腦來思索他們的信仰。」

年輕人終於衝口而出：「真的嗎？但一向令我困擾的，正是那些問題呢！」他來自一個掛名基督徒家庭，社區鄰居通常將宗教當作取笑的話題。後來，當他在大學裡信主時，需要面對許多信仰上的難題，而且他每天接觸的非信徒都是徹頭徹尾的懷疑論者和不可知論者。他一直都深深感受到，這個世界藉知識敵擋基督教。無論何時當他向其他人傳福音，對方總是會提出一些挑戰，而那些問題都是他曾經問過的。所以從經歷而言，他實在很難想像，一個傳道人怎麼可能從未遇到過那樣的挑戰。

這兩個人從事的是兩種不同的事奉，都有效益，也都有必

要。那位牧師的事奉集中在傳福音方面，而那位年輕人則在另一種事工中蒙神使用，也就是福音預工。他不是開門見山地叫人信主，而是先清除攔阻人相信的障礙。他不是開口閉口只講聖經，而是用許多的時間，理性地解釋：對方的反對為何缺乏根據。他並非叫對方當場進行屬靈委身，而是先在理性方面尋求共識，解決對方在接受福音以前必須澄清的論題。例如，如果對方不相信神存在，也不相信神能行神蹟，則不論如何天花亂墜地向他述說神使耶穌由死裡復活都沒有用，因為耶穌的復活是一個神蹟——一個絕大的神蹟！當然並非所有的人都有這類問題，但當傳福音遇到有這類問題的人的時候，必先解決這樣的問題，對方才會考慮接受福音。因此在我們傳福音以前，有時要削平大小山岡、將高高低低的路改為平坦，解答攔阻對方接受福音的難題。下表列出福音事工和福音預工的差異。

福音事工	福音預工
所有的信徒都應當參與	有需要時任何信徒都應當參與
無論何時／何地	當對方提出問題時
內容是福音	內容是所有基督教教義
以啟示為基礎	以理性為基礎
傳講福音	澄清教義
目標是要對方相信	目標是要對方瞭解

　　由上可見，福音事工和福音預工是不同的。我們都知道聖經吩咐我們每一個人都要傳福音，但福音預工呢？是否只有少數的天才、有特別恩賜的人才能參與，還是我們全都應當有份？我們是否真的需要有問必答？下列有三個簡單的理由，說明我們為何

必須從事福音預工。

非信徒有很好的問題

　　非信徒所提出來的問題，通常都不是雞毛蒜皮的小事，相反的，他們的問題常常正是基督教信仰的關鍵所在，向它存在的根本挑戰。如果神蹟並非可能的，則為何應當相信基督是神？如果神不能控制惡，則祂是否真的配受敬拜？我們必須面對現實，如果不能回應這些非議，則我們還不如去相信神話吧！這些問題合情合理，理應提供合情合理的答案。

我們有很好的答案

　　大多數的懷疑論者只知其一不知其二，他們只聽到過問題，以為沒有答案。其實對那些問題我們有很好的答案。基督教信仰是真實的，真理一定在我們這一邊，我們只需要找出合適的證據，兵來將擋，水來土掩。好在基督徒思想家從保羅的時代便已開始回答這樣的問題，我們可汲取他們豐富的知識，幫助我們回答別人的質疑。

神命令我們回答他們

　　這是最重要的理由：神吩咐我們如此行。彼得前書第三章15節說：「只要心裡尊主基督為聖，有人問你們心中盼望的緣由，

就要常作準備，以溫柔敬畏的心回答各人。」這節經文告訴我們一些極為重要的事。首先，它說到我們應當作好準備。我們可能不會遇到向我們提出信仰方面難題的人，卻仍然應當準備好，以便萬一這樣的人出現時，不致手足無措。同時，作好準備並不止於準備好正確的知識，同時也指態度上已作好準備，心中盼望能有機會與他們分享我們的信仰。第二，這段經文講到對那些詰問的人要能說得出理由。當然，並非每個人都需要福音預工，但當我們遇到需要福音預工的人，我們必須能夠回答他們，也必須願意回答他們。最後，這段經文將福音預工與心裡尊主基督為聖聯繫在一起。如果祂真的是主，則我們應當順服祂的心意，「將各樣的計謀、各樣攔阻人認識神的那些自高之事，一概攻破了，又將人所有的心意奪回，使他都順服基督。」（林後十5）換言之，不論是我們自己心中的問題，還是其他人提出來的問題，只要是攔阻人認識神的，都應當沈著勇敢地面對、迎戰，福音預工講的就是這些。

上述經文並非唯一吩咐我們從事福音預工的經文，還有猶大書第3節：「親愛的弟兄阿，我想盡心寫信給你們，論我們同得救恩的時候，就不得不寫信勸你們，要為從前一次交付聖徒的真道，竭力的爭辯。」猶大寫信的對象面對假師傅的攻擊，所以他必須寫信鼓勵他們，竭力護衛那藉著基督所啟示的信仰。猶大在第22節所說的很重要，提醒我們應當用什麼樣的態度來擔此重任：「有些人存疑心，你們要憐憫他們。」提多書第一章9節將基督教護教學的知識，列為教會領袖必備的資源，教會的長老應當「堅持所教真實的道理，就能將純正的教訓勸化人，又能把爭辯的人駁倒了。」保羅在提摩太後書第二章24至25節同時指出，我們從事這種工作應有的態度：「然而主的僕人不可爭競，只要溫溫和和的待眾人、善於教導、存心忍耐、用溫柔勸戒那抵擋的

人，或者神給他們悔改的心，可以明白真道。」任何想要回答非信徒所提問題的人，都必定會有受委屈、甚至想發脾氣的時候，但我們最終的目的是希望他們能得知真理，知道耶穌已為他們的罪而死。如此重任，豈容我們輕忽不顧？

但是……怎麼辦？

閱讀至此，顯然有些人已開始找藉口，看如何才可明正言順地推卸福音預工的責任。有些人甚至可能找到的是聖經式的理由。我們無暇盡駁，但對於兩三個常見的非難，該略費唇舌。

「聖經說：『不要照愚昧人的愚妄話回答他。』」

我們同意箴言第二十六章4節所說的，也同意第5節的話：「要照愚昧人的愚妄話回答他，免得他自以為聰明。」除非我們認為箴言書的作者頭腦有問題，否則該段經文的目的，便是教導我們必須謹慎選擇，應當如何、何時回應那些錯誤的思想。對於那些根本不講理的人，不要與他辯論，否則你便像他一樣地愚蠢。但如果能夠用對方能理解的方式，指出他思想上的錯誤，他可能會尋求神的智慧，不再倚靠他自己的聰明。

「邏輯是無效的，它不能告訴我們有關神的事。」

請仔細讀，它認為：邏輯不適用眼前這些問題。但請注意這種陳述本身便是邏輯式的，因為它聲稱自己是對的，與它相反的便是錯的。這聲明本身便用到所有邏輯的基礎：非矛盾律(law of noncontradiction)。

為了說邏輯不能應用在神的身上，你實際已在那陳述中，將邏輯應用在神的身上了，可見你無法避免使用邏輯。你不能用你的話否定邏輯，因為你如此否定，已然用你的話肯定了它，它是無可否認的。當你無法否認一真實性時，它必是真的。因此這個藉口不成立。邏輯可以告訴我們一些有關神的事。例如，因為神是真理，祂絕不能說謊（來六18）。邏輯是發現真理的一項有效工具，可以有效地回答那些不相信聖經是神所啟示的非信徒。

「如果福音預工是聖經的教導，為什麼聖經中沒有關於福音預工的記載？」

這個問題問得很好。答案是我們可能根本沒有去聖經中找福音預工，也許我們看到時也沒認出那便是福音預工。摩西曾從事福音預工，創世記頭幾章清楚地對他那個時代流行的創造神話提出答辯。以利亞也曾從事福音預工，他與巴力先知打擂台的整個迦密山事件，都是特別為了要顯示耶和華的優越性而設計的。耶穌也曾從事福音預工，祂在井邊與那婦人的對話，便是如何面對社會、宗教、道德等方面信心絆腳石的好榜樣。

保羅從事許多的福音預工。我們可從四件不同的事件中（徒十四8～18，十七16～34，二十四5～21，二十六1～29），看到保羅如何向不同宗教背景的人打開話題，傳講福音。除此之外，還有我們剛才提及的經文，新約作者在他們的著作中多次與錯誤的教導對抗。聖經中不乏神使用福音預工的例子，好將祂愛的信息傳給世人。

非信徒有很好的問題！基督教信仰有很好的答案！神吩咐我們有問必答！不是每一個人都會提出深奧的哲學性問題，神也從

未保證我們一定能答辯成功。但成功與否根本就是神的事，我們的責任是要作好準備。這本書便是為這目的而寫。

第二章

有關神的問題

　　基督教最基本的信仰，便是一位有位格、道德的神存在。如果沒有一位道德的神(moral God)，我們犯罪就無所謂得罪一位道德存有(moral being)的問題，如此，便不需要救恩。如果沒有神，就不會有神的作為（神蹟），耶穌的故事只能當成是小說或神話來看。因此福音預工必須面對的第一個問題便是：「神是否存在？」第二個問題與第一個有極密切的關係：「如果神存在，祂是怎樣的一位神？」本章將會回答這兩個問題，第三章我們將探討其他信仰中神明的問題。

神是否存在？

神存在的論證

　　傳統上一向以四種途徑，即宇宙論(cosmological)、目的論(teleological)、價值論(axiological)、本體論(ontological)的論

式，來證明神的存在。但這些都是專門術語，不如改稱為創造的論證（cosmos意即創造）、設計的論證（telos意即目的）、道德律的論證（axios意即有價值）、存有的論證（ontos意即存有）。

創造的論證(Argument from Creation)

這種論證最基本的觀念是：既然有一個宇宙，則必定有一個超越它本身的個體造成它的存在；這乃是根據因果律：所有有限之物均由它本身以外的另一個體造成。這個論證兵分兩路，我們將分別討論：首先論及宇宙開始時需要一個成因；其次論及宇宙現在繼續存在需要一個成因。

宇宙開始時需要一個成因

這論證指稱宇宙是有限的，因為它有一個開端，而它之所以能開始，是由超越它本身以外的另一個體造成的。此說可表述如下：

1.宇宙有一個開端。

2.任何有開端的必定由另一個體造成。

3.因此，宇宙是由另一個體造成，而這成因便是神。

有些人為避免上述結論，會說宇宙是永恆的，從未有任何起始點；它一直存在。塞根(Carl Sagan)說：「宇宙便是現在所有、過去所曾有、將來所會有的全部。」(註1)但我們可以兩種方式來回答。第一，科學證據強烈支持宇宙有開端的論點。「宇宙乃永恆的」通常被稱為狀態恆常理論(steady state theory)，相信宇宙不斷地由空無中製造出氫原子。（註2）相形之下，神

由空無中創造的論點實在更具說服力。同時，研究宇宙起源的科學家一致同意：宇宙是在一個突然的、激變的情況下成形的，這便是大爆炸理論(Big Bang)。宇宙有開端的主要證據來自熱力學第二定律，說明宇宙可用的能量在消耗減少之中。果真如此，則它不可能是永恆的；現在正在消滅的東西必定曾經增加過。大爆炸理論的另一證據是我們現在仍然能發現它放射出的東西，同時可以觀察到它造成的運動（詳情見第十章）。美國國家太空暨航空總署的Goddard太空研究協會創始人及主任傑士托(Robert Jastrow)說過：「我們的宇宙爆炸性的誕生或許有一個完美的解釋，但就算真有，科學也無法找出那解釋是什麼。科學家對過去的探索止於創世那一剎那。」（註3）

　　除了科學證據所顯示的，哲學上也有理由相信世界有起始點。這論點指出：時間不可能無窮盡地向過去追溯。宇宙不可能經歷過無限多的時刻。當你將手指由一條線的一端滑向另一端時，可以想像你正在經過線上無限多沒有次元的點。但是時間並非沒有次元的，也不是想像出來的。時間是真實的，每一時刻過去，都消耗掉了真實的時間，那一刻無法重返。正如你的手在數點一間圖書館中無窮盡的藏書一樣，你永遠無法數到最後一本。就算你以為找到最後一本了，但不斷會有另一本在其後，還有另一本……另一本……，你永遠無法在無限的事物當中找到盡頭。過去假使是無限的（這其實是「假設宇宙一直是存在的，沒有一個開端」的另外一種說法），則我們永遠不可能經過時間來到今天。過去假使是一個無限連續的時刻，則現在便是那無限連續終止的地方，那將意謂我們已經過一無限的連續，這是不可能的。如果這個世界真的從未有過開端，則我們不可能到達今天。但我們已經到達今天，所以時間必定在過去的某一點曾經開始，經過一段時間而到達今天。因此，世界應當是一個有限事件，必有成

因造成它開始。

創造論證溯源

保羅說所有的人都知道有關神的事，因為「神的事情，人所能知道的，原顯明在人心裡，因為神已經給他們顯明。自從造天地以來，神的永能和神性是明明可知的，雖是眼不能見，但藉著所造之物，就可以曉得，叫人無可推諉。」（羅一19～20）柏拉圖(Plato)是我們所知第一位以因果關係為基礎發展論證的思想家。亞里斯多德(Aristotle)步其後塵。回教哲學家亞法拉比(Al-farabi)、亞維森納(Avicenna)，以及猶太思想家邁摩尼德斯(Moses Maimonides)都使用這種論據。基督教思想家中，奧古斯丁(Augustine)、阿奎那(Aquinas)、安瑟倫(Anselm)、笛卡兒(Descartes)、萊布尼茲(Leibniz)，以及現代許多基督徒思想家都認為它的論證效力相當有價值，因而使得它成為神存在論證中最廣為人所知者。

兩種無限連續

無限連續有兩種：一是抽象的，另一是具體的。抽象的無限連續是數學上的無限。例如，所有的數學家都知道，一條線任何兩點（點A和點B）之間有無數多的點，無論這條線長或短，都是如此。現在假設這兩點相距如同兩個書檔之間、二呎那麼遠。我們都知道，這兩點之間有無數數學上抽象的點，然而不論書紙多薄，我們都無法將無限數量的書置於這兩點之間！同時，不論我們將這兩個書檔相隔多遠，都無法在其中放置無限多的書。因此，數學上抽象的無限連續雖為可能，實際、具體的無限連續卻不可能。

　　我們由上可知：宇宙開始需要有一成因。現在讓我們邁入這種論證的第二部分，這部分顯示宇宙現在繼續存在需要有一個成因。

宇宙繼續存在需要一個成因

　　現在有某個力量在維持我們的存在，使我們不至於突然消失。這個力量不但造成這個世界開始存在（創一1），同時也繼續保存它存在至今（西一17）。這個世界不但需要源起因，也需要一個保存因。從某個層面來看，這是所有問題中最基本的問題：「為什麼有東西存在，而非空無一物？」這個論證可用下列的方式說明：

　　1.有限的、會轉變的東西存在。例如，我存在。我如果想要否定我存在，我必須存在才能提出否定。因此不論如何，我必定真的存在。

　　2.任何有限、會轉變的東西，必定有另外的存在作為它的成因。該成因本身如果是有限的、會轉變的，則它不可能是獨立存在的東西。但如果它是獨立、必然的存在，則它必定一直存在，不會有任何的轉變。

　　3.不可能對成因作無限回溯。換言之，你不可能不斷地解釋B有限物為A有限物的成因，C有限物為B有限物的成因，如此這般地繼續回溯下去，因為這只不過是無限地拖延，實際上並未提出任何解釋。此外，如果我們問及為何有限之物現在存在，則不論你提出多少有限物為成因，最後你都必須有一個有限物造成它自己的存在——同時是因也是果。這是胡扯，因為它自相矛盾。所以沒有任何無限的回溯，可以解釋為何我現在存在。

　　4.因此，每一個有限的、會轉變的東西存在，都必定有賴本身有成因

的成因，所謂第一因。

　　這個論證顯示為何這個世界必定有一個現行的、保存它存在的成因（神），但不能進一步告訴我們究竟是那一種神存在。我們如何可以得知那便是聖經中所說的神呢？

創造的兩個層面

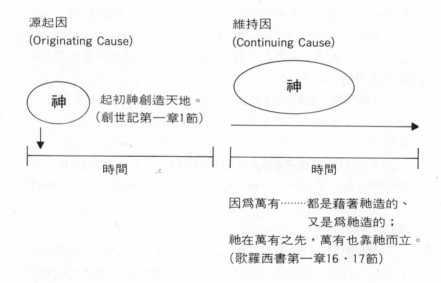

源起因
(Originating Cause)

維持因
(Continuing Cause)

神

神

起初神創造天地。
（創世記第一章1節）

時間

時間

因為萬有⋯⋯都是藉著祂造的、
　　　　又是為祂造的；
祂在萬有之先，萬有也靠祂而立。
（歌羅西書第一章16‧17節）

設計的論證(Argument from Design)

　　這個論證就像其他幾個我們將會略作討論的論證一樣，都是從創造的某一層面推論創造者的存在。本論證是由設計成果證明有一位智慧的設計者。

1.所有的設計成果都暗示設計者的存在。

2.這個宇宙有極偉大的設計成果。

3.因此，這個宇宙必定有一位偉大的設計者。

第一前提是我們可由經驗獲悉的，每當我們見到一個複雜的設計成果時，我們從以往的經驗知道：那是出自一位設計者的精心設計。手錶暗指錶匠，建築暗指建築師，圖畫暗指藝術家，密碼訊息暗指一位智慧的發訊者。一再這樣地經歷，因此我們會一再這樣地預期。這也是因果律的另一表達方式。

同時，設計成果愈偉大，設計者便愈偉大。海狸製造木壩，卻永遠無法建造任何像胡佛水壩一樣的建築物。同樣的，就算有一千隻猴子坐在打字機前，也永遠無法寫出「哈姆雷特」，莎士比亞卻一蹴而成。愈是複雜的設計，便需要愈高的智慧來成就。

值得一提的是，簡單的型式與複雜的設計不同。雪花或石英水晶都有重複的簡單型式，卻完全出於自然。另一方面，石頭上不會自然有字句，必定是某位有智慧的存有將它們寫上去的，這不是自然而然發生的。區別在於雪花和水晶有簡單重複的型式，語言卻傳達複雜的資訊，而非只是不斷的重複。自然因素被賦予某些環境條件時，也會產生複雜的資訊。因此一個搜集石頭的人，見到溪流中有小圓石時，並不會驚訝，因為自然侵蝕的結果是會使石頭變圓。但如果他發現一個箭頭時，他知道有一些智慧的存有，特意改變那石塊的自然型態，因為被發現物的複雜性並非自然力量所能解釋。此處論證所說的是複雜的設計，不是簡單的型式。設計愈複雜，需要的智慧便愈大。

在此自然而然的牽涉到第二個前提。我們所見的宇宙，是一個複雜的設計。宇宙是一個極為複雜的力量系統共同發揮作用，使整體互益。生命是一個非常複雜的發展；一個單一的DNA分子（所有生命的建築磚塊），便包含與一部百科全書等

量的資訊。沒有人在森林中看見一本百科全書，會聯想不到它有一個有智慧的成因。因此當我們看到一個生物，擁有億萬個以DNA為基礎的細胞時，我們該按同理假設：那生物也應當有一個有智慧的成因。特別是當我們所見的這類生物本身便是有智慧的存有時，這個推論就更顯而易見。甚至連塞根都承認說：

「人腦中包含的資訊內容，大概和神經原與神經原間的聯結總數相當，約十的十四次方、一百兆個單位。如果以英文寫出這些資訊，將可寫出二千萬本書，世界上最大圖書館的館藏也不過如此。相當二千萬本書的資訊便置於我們每一個人的頭中，我們腦所占的空間很小，地位卻很重要……腦神經的化學作用極其忙碌，似機器般的電氣回路比任何人造的機器都更奇妙。」（註4）

有些人根據機遇的理由反對此說。他們宣稱：就像擲骰子一樣，任何組合都可能發生。然而，這種反駁很難令人信服。首先，設計的論證並非由機遇，乃是由設計來論證，我們從一再的觀察中，推定任何設計必有一個智慧的成因。第二，科學是以重複的觀察為根據，而非以機遇為根據。因此上述的非議是不科學的。最後，就算這是機遇（即或然率）論證，有位設計者存在的或然率一樣甚高。一位科學家計算過，演變出一個單細胞動物的純機率，為一對十的四萬次方。純靠機遇演變出一個較單細胞動物複雜千萬倍的人類，機率低到無法計算。唯一合理的結論，便是在這個世界的設計後面，有一個偉大的設計者。

設計論證溯源

「我的肺腑是祢所造的，我在母腹中，祢已覆庇我。我要稱謝祢，因我受造奇妙可畏；祢的作為奇妙，這是我心深知道的。」（詩一三九13～14）威廉・佩力(William Paley)對啟蒙運動及科

學方法的回應，便是堅持：如果有人在一塊空曠之處發現一隻手
錶，他會下結論說：因為這明顯的設計，顯然有一位錶匠存在。
我們從在自然界中發現的設計，也應當抽繹出同樣的結論。懷疑
論者休謨(David Hume)甚至在他的著作《與自然宗教對話》(*Dia-logues Concerning Natural Religion*)中述及這論證，另有幾個人也
如是。然而，這種論證的支持者與反對者勢均力敵。代表人物為
威廉‧佩力，反對最力的則為休謨。

道德律的論證(Argument from Moral Law)

　　根據宇宙的道德秩序、而非自然秩序，也能提出近似的論
證。這方面的人士主張，宇宙的成因除了有能力、有智慧以外，
也必定是有道德的。

　　1.所有的人都意識到一個客觀的道德律。

　　2.道德律的存在，意味著一位頒佈道德律者的存在。

　　3.因此，必定有一位最高的道德律頒佈者。

　　從某一種意義上來說，這個論證也是遵循因果原理，但是道
德律與我們前面談論的自然律不同。道德律並非描述實然，乃是
指示應然。道德律並非只是描述人的行為方式，也不是藉著觀察
人的作為而得，否則我們對道德的認識必會大不相同。相反地，
道德律告訴我們人應當如何作，不論我們實際上是否如此行。因
此，任何道德上的「理應如此」源自自然宇宙以外，人無法用這
宇宙內發生的任何事來解釋它，也不能將它化約為這宇宙內人的
作為。它既超越自然秩序，就需要有一個超越的成因。

　　假設有人說，這道德律並非真是客觀的，不過是由社會傳承
衍生而得的主觀判斷。這個觀點忽略了一個事實：所有的人都有
一致的是非（例如謀殺、強姦、偷竊、撒謊等都被視為是錯

的）。同時，這種批評本身便好像是主觀的判斷，因為他們批評說我們的道德判斷是錯的。如果沒有客觀的道德律，則無所謂正確的或錯誤的價值判斷。如果我們對道德律的觀點是主觀的，則他們的也一樣。但他們如果宣稱他們對道德的觀點是客觀的，則他們試圖否定道德律存在這行為本身，實際上已無形肯定道德律確實存在。他們可謂進退維谷。他們說「不過是」的時候，實際上已經假設了「不止如此」的知識，顯示他們暗中擁有某些絕對的標準，是超越主觀判斷的。最後，我們發現那些聲稱沒有道德秩序的人，實際上也期望會得到公平、禮貌、尊嚴的待遇；如果他們中間有人提出意見，我們回之以：「閉嘴！誰在乎你想什麼！」我們可能會發現，對方真的相信有些道德上的「應然」存在。每一個人都期望他人遵行一些道德上的規則，就算是那些企圖否定這論證的人也不例外。因此，道德律是一個無可否認的事實。

道德律論證溯源

一直到十九世紀初期，康德(Immanuel Kant)撰文立說以後，這個論證才開始出名。康德堅持人不可能得到有關神的絕對認識，否定傳統所有有關神存在的論證。然而，他卻認可道德論證，並非用以證明神的存在，而是用以顯示道德生活必須假定(postulate)有神。換言之，我們無法知道神是否存在，但我們必須在假設祂存在的前提之下生活動作，才能合理地解釋道德。後來的思想家將這論證加以改進，顯示在道德律中我們找到神存在的合理基礎。此外，也有根據道德論證來否認神存在的，如貝爾(Pierre Bayle)和卡謬(Albert Camus)。

相同？不同？還是相似？

我們有多像神？一個成果可以告訴我們多少有關它成因的事？有些人說成果必定和它的成因一模一樣，成果中諸如存在、善良等品質，必定和它成因中的品質一樣。果真如此，則我們應當都是泛神論者，因為我們都是神，都是永恆、神聖的。另外有人反對此說，認為我們與神截然不同──神的存有與我們的存在之間毫無相似之處。這將意謂我們對神全無正面的認識，我們只能說神「不是這樣」、「不是那樣」，但永遠無法說神是什麼。中庸之道便是說我們與神相似──以不同的方式相同。存在、善良、愛，這都是我們與神共有的品質，但我們是以有限的方式擁有，而神則是無限的。因此，我們可以在有些地方指出神是什麼，但另外有些地方我們也必須要說，神並非如我們一樣有限，例如「永恆」、「不變」、「不受空間限制」等等。

存有的論證(Argument from Being)

第四種論證試圖證明：就「神」的定義而言，神必定存在。它主張我們一旦有了神是什麼的觀念，那觀念必然涉及存在。本論證有幾個形式，這裡僅針對神為完全的存有這觀念來討論。

1. 如果有最完美的存有，凡能歸屬於最完美存有的完美，都當歸屬於它（否則它便不是最完美的存有）。
2. 必然存在是一種能歸屬於最完美存有的完美。
3. 因此，必然存在必定歸屬於最完美的存有。

首先需要回答的問題便是必然存在的意思。必然存在意為有一樣存在的東西，它是不可能不存在的。當我們說這便是神時，表示神不可能不存在，這是最完美的存在，因為它不可能消失。

這論證成功地顯示我們對神的觀念必須包括必然存在；但它

沒有證明神確實存在。它僅顯示我們如果想像神，就必須以必然存在來想像神，並沒有證明神必然地存在。這模稜兩可的說法曾令許多人大惑不解，因此如果你也有困難，不需要覺得沮喪。問題是它只指出我們如何想像神的方式，而非祂是否真的存在。因此可用下列的方式改述：

> 1.如果神存在，我們相信祂是一位必然的存有。
>
> 2.按定義而言，必然的存有必定存在，不可能不存在。
>
> 3.因此，如果神存在，則祂必定存在，不可能不存在。

這很像是說：如果有三角形，則它們必定有三個邊。當然，可能沒有任何三角形存在。所以你可以看出：這論證從未超越它的起點：「如果」，也無從轉而證明它所提出來的問題。如果要用它來證明神的存在，唯一的方法是將它偷偷地塞進創造的論證中。雖然如此，它仍然大有用處，因為它顯示出：如果真有一位神，則祂的存在是必然的。這使它對神的觀念與其他想像神的方式大異其趣，容後討論。

存有論證溯源

當神向摩西啟示祂的名字時，祂說：「我是自有永有的(I AM WHO I AM)」（出三14）清楚表明存在是祂主要的屬性。十一世紀的英國坎特布里大主教聖安瑟倫便利用這點，不涉及創造的證據，由神這個觀念本身證明神的存在。安瑟倫稱之為一個「禱告中得來的證據」，因為他是在黙想完美存有這觀念時得到這論證的。因此，記述該論證的論文名為"Monologion"（意為「單向的禱告」）。在他的另一篇著作"Proslogion"中，他與神對話，討論自然，也發展出一套創造的論證。近代哲學家中採用這種論證的包括笛卡兒、斯賓諾莎(Spinoza)、萊布尼茲以及赫斯安(Hartshorne)。

條條大路通「成因」

我們已看出所有傳統的論證都以因果觀念為基礎。存有論證需要確認：是有一位兼具完美與存有的存在。設計論證暗指設計成果必有成因。同樣地，以道德、公義及真理為主導的論證，都假設這些是有成因的。這將我們帶回證明神存在最基本的論證，創造論證，因為就像一位學生所說：這是「宇宙成因論」(cause-molo-gical)。

現在大懸賞，請問：如果這些論證都有一定效力，但全依靠因果原理，最能證明神存在的方法是什麼？如果你回答：「創造的論證」，大方向可謂抓對了！不過假如我們可以將上述論證，合併為一個整體一貫的論證，不但證明神是哪一種存有，同時也證明祂的確存在，豈不更美？這就是我們下文嘗試要做的。

哪一種神存在？

如果我們要顯示神存在，祂就是聖經所說的那位，則我們需要顯示：上述所有的論證都是真的。每一論證都幫助我們增加對神的認識，可是當合在一起時，就會形成一幅唯有那獨一真神才適用的畫面。

神有大能

創造的論證證明神不但存在，同時有大能。唯有一位擁有無可限量能力的神，才能夠創造並維持整個宇宙。祂的能量必定超

過受造萬物所有能量的總和，因為祂不但是萬物的成因，同時也維持它們，使它們能繼續存在，在此同時神仍然保持祂自己的存在。那是超過我們所能想像的能力。

神有大智

即使塞根都承認宇宙的設計，遠超過人所能夠設計的。設計的論證顯示，不論造成宇宙的成因為何，它除了有大能之外，同時有大智。祂所知的超過人所知的。由此可推衍神可能知道其他各種事，容後詳述。目前只需要提出，神至少知道我們一切的思想方式，因為是祂設計了我們的頭腦。

神是道德的

那位頒下道德律者，裡面存在著一個道德律，這顯示神是一位道德的存有。祂並非超越道德（有些暴君就如此自認）；祂也並非在道德之下（像塊石頭）；祂的本性便是道德的；這表示祂的智慧中包括對與錯的分別。進一步而言，祂不但是道德的，祂更是良善的。我們知道祂所創造的萬物中包括人類，而人本身便是良善的，從人們總是期望受到比對物件更好待遇這事實可見一斑。就算有人否認人有價值，那人至少會期望你因他是個人而尊重他的意見。不論成因為何，能造出良善成果的成因本身必為良善的（一成因不可能將它所沒有的賦與成果）。因此神不但是道德的，更是良善的。

神是必然的

　　存有的論證可能無法證明神存在，不過一旦我們（經由創造論證）知道神真的存在，它的確能告訴我們許多有關神的事。我們已說過：必然的存在意謂祂不可能不存在，所以祂**沒有開始，沒有結束**。必然存在同時也意謂著，祂不可能以任何其他的方式「形成」，祂必是自有，因為祂是必然的存有；祂也不可能變成另一樣新的個體，這就從祂的存有中排除任何變化的可能，所以祂是**永不改變的**。既然無變化，便不可能有時間，因為時間只不過是衡量變化的一種方式，所以祂是**永恆的**（ eternal中的e意為「無」，tern意為「時間」；eternal即「無時間」）。事實上，因為一位必然的存有不可能不存有，祂不可能有任何限制，限制意謂著在某種程度上「不存有」，而這是不可能的，所以神是**無限的**。同時，祂不可能受限於諸如「這裡或那裡」的範疇，因為無限的存有，必定在所有的時間存在於所有的空間之中，所以，祂是**無所不在的**。上述的屬性都源自對祂是必然存有的認識。

　　但是，祂是必然存有同時也告訴我們有關祂的另外一些屬性。因為祂的必然性，祂所擁有的必須是必然有的，也就是說要具備上述無始無終、無改變、無限制的特點。因此，創造的論證告訴我們祂有能力，存有的論證告訴我們那是種完美、無限的能力；設計的論證告訴我們祂有智慧，而祂的必然性卻告訴我們祂的智慧乃自有、無改變、且是無限的；道德秩序顯明祂是良善的，而祂存有的完美性則意謂著，祂從任何可設想的角度來說都是良善的。祂所有的屬性都必須與祂的本質一致，因此祂的能力、知識及良善都如同祂的存有一樣完美。

改變只有兩種：一是本質改變（例如由一隻狗變為一匹馬），另一種是附質改變（例如由淺黑頭髮變為金髮）。本質改變將一物件全然改變；附質改變僅是細節變化。神不能改變祂的本質，因為這將意謂著祂曾（或將）不存在（請謹記：祂的本質便是存在）。祂也不能改變祂的任何細節，因為祂所有的一切都包括在祂的存在之中。因此，神是全無改變的。

神是獨一的

我們已提到神是全能的、全知的、至善的、無限的、自有的、無改變的、永恆的、無所不在的。世界上能有多少個像這樣的存有？按定義而言，祂是獨一無二的。假設有兩個無限的存有，則你如何能劃分二者？二者在本質上既然都不能有「終結」或「起始」，也就沒有可供劃分彼此的界限。因此只可能有一個無限的存有，沒有另一個。

神是受造萬物之主

創造的論證不單只是證明神存在，它同時也證明祂是創造者。我們無法劃分兩個無限的存有，但神與祂所造的有限宇宙則截然不同。創造論證全部論點在於，宇宙無法解釋它本身的存在，因為宇宙本身不是神。同樣的道理可應用於個人身上。我存在，但我無法就我自己來解釋我的存在。我痛苦，但清楚地知道我的存在不是必然的——任何時刻我都會停止存在，這世界雖沒有了我，仍然會繼續運轉下去。唯有當我找到一位無限的存有、我存在的必然成因（賜下存有給我的那位）時，我才能夠解釋我的存在。祂既是全能、全知的創造者，則祂能夠控制整個宇宙。

神不但存在，同時被造萬物的存在不同於祂的存在。

神是耶和華

上述論證的神，是否便是聖經中描述的神呢？神在燃燒的荊棘中告訴摩西祂的名字時，說：「我是自有永有的。」（出三14）這顯示聖經中描述的神的中心特質便是存在。祂的本性便是存在。大力水手卜派可以說：「我便是我(I am what I am)。」但唯有神可以說：「我是自有永有的(I AM WHO I AM)。」祂便是「我是」。聖經同時也說神是永恆的（西一17；來一2）、不改變的（瑪三6；來六18）、無限的（王上八27；賽六十六1）、至善的（詩八十六5；路十八19）、全能的（來一3；太十九26）。既然各方面都與我們上述論證的神一樣，又不可能有兩個無限的存有，因此上述論證所指向的神，便是聖經中描述的神。

難題解答

如果每一樣事物都需要成因，則神的成因為何？

這是個常見的疑問，問題出在問的人並沒有聽清楚我們上面所說的。我們並沒有說每一樣事物都需要有成因；我們說所有有開端的事物都需要一個成因。唯有有限的、非必然性的事物需要成因。神沒有開始；祂是無限的、必然的。神是所有有限事物的成因，祂的本身沒有成因。如果神需要一個成因，則我們將墮入

一個無限回溯，永無解答。事實上，我們不能夠問：「誰造成神？」因為神是第一因。你不能去追溯第一因的成因。

如果神創造萬物，則祂如何創造祂自己？

同理，唯有有限的、非必然性的存有需要成因；必然的存有不需要成因。我們不能夠說神是一個自我形成(self-caused)的存有，那是不可能的。然而，我們可以將這疑問化為對神存在的論證。唯有三種存有是可能存在的：自我形成的、有成因的、無成因的。我們是哪一種？就存在而言，自我形成是不可能的，我們不可能使自己存在。也不可能是無成因的，因那將表示我們是必然、永恆、無限的存有，那絕非我們的狀態。因此我們必定是有成因的存有。如果我們是有成因的，則成因為何？同理，祂不可能是自我形成的；如果祂也是有成因的，則我們又將墮入無限回溯；因此，祂必定是無成因的。

沒有任何有關存在的陳述是必然的

有些批評者企圖用本體論來反駁神的存在，主張我們不能用必然真理這類詞彙來談論神。然而，這個批評本身便已是有關神的必然陳述。這個陳述要不就是真實的，要不就是非真實的。如果它是真實的，則提出這陳述本身已證明它是錯的，因為它才說不可能作這類的陳述。如果它是非真實的，則有些必然的陳述是可能的，它所提出的異議也就不存在了。讓我們公平點：如果他們可以對存在這課題提出否定陳述（「神不存在」），則為何我們不能提出肯定的陳述？

道德律若不是超越神的，便是神專橫任意而定的

羅素(Bertrand Russell)質問神由何處得到道德律？他認為：道德律若非超越神、以至神也得受它管理（這一來，神便不是終極的良善），便是神根據自己意志專橫訂定的規則。所以神要不就是非終極的，要不就是專橫任意而為的，無論是那種情況，祂都不配受敬拜。然而，羅素並沒有發現面對這問題時還有其他的可能性，我們可以從他自設進退維谷的困境外找到出路。我們的答辯是：道德律根植於神良善慈愛的本性，在神之內，而非在神之上。其次，神不可能定意去做任何與祂本性不合的事，神性既是良善的，神就不可能專橫行事。因此，並沒有他想像的那種困境。

神能否創造一座祂自己移不動的大山？

這又是一個無意義的問題。它實際上是在問：「有沒有比無限更大的東西？」邏輯上而言不可能有超越無限的東西，因為無限是無止境的。同樣的道理，諸如「神能否創造出一個方的圓形？」的問題，實際上就像是在問：「藍色有何味道？」這是範疇上的錯誤——顏色沒有味道，圓也不可能是方的。這些都是邏輯上不可能、自我悖反的詭辭。神無所不能，並不是說祂能做不可能的事，而是說祂有能力可以做任何實際可能發生、而我們做不到的事。祂所造出來的任何山都在祂控制之內，祂能將它安置在祂想要安置的地方，也能隨意將它分崩。你還能要求任何更大的力量嗎？

如果神是無限的，則祂必定同時是善也是惡，是存在也是非存在，是強壯也是軟弱

當我們說神是無限的時候，我們的意思是說：祂在祂的完美上是無限的。惡並非完美，而是不完美。不存在、軟弱、無知、有限、暫時以及任何其他暗示限制或缺憾的特質同樣是不完美。我們可以說神所受的「限制」，是祂不能進入時間、空間、軟弱、罪惡等有限之中，至少不能以神的身分進入。祂唯一的「限制」便是祂無限的完美。

如果神是必然的存有，則這世界也是

這個問題假設一個必然的存有所做的一切都是必然的，但我們的定義則只是祂本身的屬性是必然的。神本性中的一切都是必然的，但祂所做的任何事都在祂的本性之外，是祂按自己的自由意志而做的。我們甚至不能說祂必須創造。祂的愛可能導致祂創造的願望，但是祂並不是非創造不可。祂必定是如祂所是的，但祂可以按祂心意做任何事，只要那不違背祂的本性。

如果神是永恆的，祂何時創造這個世界？

這是一個攪和不清的問題。我們身在時間之中，可以想像時間開始以前的一刻，然而實際上這個時刻並不存在。神並非在時間中創造宇宙，祂創造了時間。在時間「以前」並沒有時間，只有永恆。這正如同問：「那人自橋上跳下去那時刻，他在哪裡？」在橋上？那是他跳下以前。在空中？那是他跳下以後。在

這問題中，「那時刻」是假設一個動作過程當中有一個特定點。跳是一個由橋上到空中的過程。在有關神何時創造的問題中，乃是將神放在時間中，而非承認神為時間的創始者。我們可以問有關創造時間的問題，而非何時創造。

如果神無所不知，祂的知識也不可改變，則萬事都已預定，沒有自由意志

知道人們將會如何用他們的自由意志作決定，並不表示：要違背人們的自由意志註定他們作那樣的決定。神的全知和人的自由意志並沒有水火不容之處。神創造人，賦與人自由意志，讓人可以回應祂對人的愛，雖然祂早知道有些人不會選擇回應祂的愛，並未因此不賦予他們自由。神要為自由這一事實負責，人則要為自由的抉擇負責。祂可能在祂的全知之下企圖說服人作一些決定，但我們並沒有根據說祂摧毀人的自由，強逼人作任何的決定。祂的工作是說服性的，並非強逼性的。

神充其量不過是一個心理上的枴杖、一廂情願的盼望、我們盼望成真之物的投射

這種論證犯了一個嚴重的錯誤。人怎麼可能知道神「不過是」一個投射？除非有更多的知識，他們無法斷言。若要證實人的意識真的便是現實的極限、此外別無一物，則人必須超越人類意識的極限。但如果人可以超越自我的意識，則自我意識那極限並非真的極限。這種非難認為我們心靈以外別無一物，但一人必須超越他的心靈界限才能證明此說。以致此說一旦宣稱獲得證明，實際上等於宣告原主張錯了，它自我撤銷。

　　這是一個艱苦的路程，但我們得到一個堅固的論證：不僅是有一位神存在，而且是照聖經所說，有那樣一位神存在。在此我們或者以為可以高枕無憂，好像沒有任何其他的疑問了。然而，我們只不過證實了那位神存在，尚未顯明聖經中所說祂的每一言行都是真的。本書其餘的部分便將致力於此。同時，我們也尚未將基督教與其他信仰中對神的概念加以區分，這將是下一章的主題。

附註

1. Carl Sagan, *Cosmos* (New York: Random House, 1980), p.4.
2. Robert Jastrow, *God and the Astronomers* (New York: Warner Books, 1978), p.99.
3. Ibid., p.105.
4. Sagan, op. cit. p.278.

第三章

其他的神觀

　　許多不同的「神」在爭相奪取現代人的心。我們對「神是怎麼樣的？」「祂與世界有何關係？」等問題的想法，會決定我們對日常生活中其他事情的觀點。例如，有不同信仰的人對世界的饑荒問題或人權問題，會採取不同的因應方法。東方泛神論者相信萬物都是神的一部分，持此信仰者便會視所有的痛苦或罪惡非真實，因此他可能會舉辦有關默想的研習班，幫助受苦的人覺悟到：他們的問題只不過是幻覺。有人相信神與世界同在進展的過程中，則這種人很有可能會參與饑荒救援計畫或是國際特赦協會，心中堅信他正在幫助人、同時也幫助神變得更好。相信聖經中所說那位神的人則會對有需要的人表示憐憫，供應他們食物、衣服和住所。

　　上述人士對問題的看法不同，解決問題的動機也不同，那是由於他們對神的看法不同。一個人如何理解神，深深影響到他如何看待世界，我們稱此為不同的世界觀。以下我們將討論六種與基督教相對立的世界觀：

　　1.無神論(Atheism)——沒有神

　　2.自然神論(Deism)——神存在，但不行神蹟

3.泛神論(Pantheism)──萬物即神

4.萬有神在論(Panentheism)──認為神與世界同在進展的過程中

5.有限神論(Finite Godism)──神存在，但有限且／或不完全

6.多神論(Polytheism)──有許多神

　　我們會逐一論及它們對神、世界、惡、神蹟、價值或倫理的觀點。下圖乃根據邏輯上所有有關神的觀點，將不同的世界觀組織起來，圖中每一橫向面都回答下列有關神的一項基本問題：

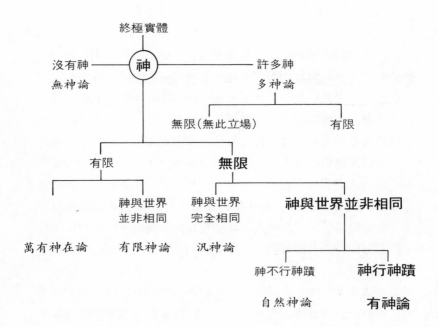

有多少神？

神是有限還是無限的？

神與世界是否為一？

神蹟可能發生嗎？

無神論──倘若沒有神？

雖然根據最近的調查，只有大約百分之五的美國人不相信有神，但是，無神論思想家對這個世代廣泛的影響絕不容忽視。大部分大學生都研讀過存在主義者沙特(Jean-Paul Sartre)、共產主義者馬克斯(Karl Marx)、資本主義者蘭特(Ayn Rand)、心理學家佛洛依德(Sigmund Freud)以及史金納(B. F. Skinner)等人的思想或著作。一九六○年代，尼采(Friedrich Nietzsche)的下列聲明成為「神死」運動的座右銘：

「神去了哪裡？」他呼喊道。「我老實告訴你！我們已經殺了祂──你和我！我們都是謀殺祂的人！……我們難道聽不見埋葬神的挖墓者所發出的噪音嗎？……神已死！祂就此長眠！」（註1）

然而，並非所有的無神論者都如此地窮凶極惡。馬克斯寫出了許多現代無神論者的心聲：「現在我們以進化的概念來看宇宙，再也沒有空間容納一位創造者或統治者了。」（註2）

懷疑論者懷疑上帝的存在；不可知論者表示他不知道上帝是否存在；而無神論者宣稱，上帝並不存在，只有這個世界和操縱它的自然力量存在。

無神的宗教？

一九六三年，最高法院判決承認無神論的宗教，其中包括小乘佛教(Hinayana Buddhism)、道教(Taoism)以及俗世人文主義(Secular Humanism)。下列便為一些俗世人文主義的信仰：

1.「宗教人文主義者認為宇宙是自存的，並非被造的。」

2.「人文主義者相信人是宇宙的一部分，乃是從一個連續過程中衍生而出。」

3.「我們在人類中找不到神聖的旨意或供應……沒有神會來救我們；我們必須要自救。」

4.「我們認為道德價值源自人類經驗。倫理（不需要神學或意識形態的認可）乃自主的領域，因時制宜。」

5.「兒童和成人的道德教育，乃幫助他們發展覺醒和性成熟的重要方法。」

6.「如果要加強自由和尊嚴，所有社會中的個人都必須經歷全面公民自由，包括……個人死於尊嚴的自由、安樂死、自殺的權利。」【克茲(*Humanist manifestos Ⅰ and Ⅱ* ,ed. by Paul Kurtz Baffalo: Prometheus Books, 1973.)】

無神論者如何看神？

無神論也有許多不同種類。有些相信神存在過，但在耶穌基督的身體中已死去。也有些人說：因為神超過我們的認知能力範圍以外，我們不可能去談論神，所以祂縱使可能存在，也形同不存在。另外又有人說：有關神的神話曾在人類中風行一時，但現在我們不再需要。但是典型的無神論觀點則主張：不論是在這個世界或這個世界以外從來未曾有神，將來也絕對不會有。持這種觀點的人對上述證明神存在的論證提出異議，認為它們是錯誤

的。神只不過是人類想像中的產品。

無神論者如何看世界？

他們許多人相信世界不是被造的，而是永恆的。另有人說它是「無中自生」的，自我維持、自我延續不已。他們爭論道：如果每一件東西都需要一成因，則我們可以追問：「什麼是第一因的成因呢？」因此他們宣稱：如此追溯成因，將形成無窮退後。有些人乾脆說這個宇宙無成因，它一直是存在的。

無神論者如何看惡？

無神論者否認神存在，但他們肯定惡是一個事實。他們認為惡的存在是神不存在的主要證據。一位無神論哲學家甚至深表希奇，當眼見世上遍佈罪惡時，基督徒怎麼能夠仍然相信神存在，而認為他的無神論是錯的？有些人力辯，相信神是不合理的，因為神造萬物，惡是萬物之一，因此神必定也創造了惡。

無神論者如何看價值？

如果沒有神，人也只不過是一堆化學成分的合成，則沒有理由相信任何東西具有永恆的價值。無神論者認為道德是相對的，因時而異。或許有些倫理上的原則比較持久，但這些都是人創造出來的，並非神所啟示的。根據他們的定義，任何有效、可達到欲求結果的便是至善。

無神論哲學家所問的某些問題可以迫使我們反省自己的信仰。我們已在第二章中回答了他們所提出對神存有的異議，簡述

如下：無限的連串成因是不可能、也是不需要的，因為基督徒從未說每一件東西都需要一個成因——只有會改變的事件或事物需要成因。「什麼是第一因的成因？」這一問題如同問「一正方的三角形是什麼樣子？」，或是問「藍色有什麼味道？」一樣，乃無意義的問題。三角形不能有四個邊，顏色不能聞；第一因不能有成因，否則就不叫第一（有關惡的問題的解答請參第四章）。

自然神論——倘若神創世後便銷聲匿跡？

自然神論者對神的概念，與基督徒的概念十分相似，唯一的例外是，他們不相信神曾行任何神蹟。他們同意神創造世界，但神只是讓它按自然定律運行。祂俯視人類歷史，但不干預。他們可能將神比擬作製錶的錶匠，錶匠將錶上緊發條，接著便任由它自行運轉。

自然神論者受到十八世紀啟蒙運動的影響，將理性高舉過於啟示（啟示本身即為神蹟）。著名的自然神論者包括霍布士(Thomas Hobbes)、佩恩(Thomas Paine)、富蘭克林(Benjamin Franklin)等。傑弗遜(Thomas Jefferson)基於自然神論的觀點，將聖經中所有的神蹟刪去，他的約翰福音在第十九章結束：「在耶穌釘十字架的地方，有一個園子，園子裡有一座新墳墓，是從來沒有葬過人的。他們就把耶穌安放在那裡，又把大石頭輥到墓門口，就去了。」（註3）再下去（約翰福音二十～二十一章）都是復活的神蹟，所以被他刪去。

佩恩

(Thomas Paine, 1737～1809)是最激進的自然神論者之一，這在他

的著作《理性時代》(*The Age of Reason*, 1794～95)中表現無遺。他
認為啟蒙運動已終止了人類對啟示宗教的需要，開啟了一個科學
的時代，他說：「神的話便是我們所注視的宇宙。」這個宇宙
「向人啟示一切人所需要知道有關神的事。」他特別鄙視基督
教，深怕基督教會威脅到共和政體的存在。「在所有已發明的宗
教系統中，沒有那一個比基督教更那麼地使全能者降格、對人類
無建樹、與理性衝突、與自我矛盾的了，它不合理到難以置信的
地步，不可能到無法使人信服的地步，不一致到無法實行的地
步，它只能麻痺人心，或製造無神論者和宗教狂熱者。作為權力
的機器，它替獨裁專制效力；作為財富的工具，它為教士的貪婪
服務；但至於對一般民眾的利益，基督教則一無是處，現在是這
樣，將來也是這樣。」【*The Complete Works of Thomas Paine, ed.
by Calvin Blanchard*, (Chicago: Belford, Clark & Co., 1885).】

自然神論者如何看神？

　　自然神論者對神的信仰與有神論者幾乎一模一樣，唯一的歧
異在他們不相信神蹟。他們相信祂是超乎世界之外，有位格、至
善、全愛、全能、全知。他們甚至向祂禱告。然而，他們相信神
絕對不會特意干預這個世界，來幫助人類。這也就是說耶穌不是
神（因那是一個神蹟）。既然如此，當然也就沒有任何道理相信
神是三位一體的。對他們而言，一本質內有三個位格（三位一
體）實在是差勁的數學。有些自然神論者相信普世得救論，宣稱
沒有人會被審判，因為審判意味著神對人類事務的干預。

自然神論者如何看世界？

自然神論者與有神論者一樣，相信這世界為神所創造，我們經由這世界，可以知道一些有關神的事情。事實上，<u>他們說世界是神唯一的啟示。祂給了我們理性，使我們可以藉著祂所創造的萬物來理解祂</u>。

自然神論者如何看惡？

自然神論者同意人的作為是惡的來源。大多數的自然神論者認識到，<u>人裡面有罪惡的律在運作</u>，有些人將罪歸咎於人在自己的生活中，<u>濫用或不用理性造成的結果</u>。對大多數的自然神論者而言，他們相信人在死後將面臨獎賞或審判。

自然神論者如何看價值？

<u>他們主張所有的道德律奠基於自然</u>，然而，因為人類只能用理性尋求道德律，因此對於哪些道德律對人類有約束力、效力範圍有多廣等問題便自然眾口紛云。有些人主張人類追求快樂的欲望，是所有行為唯一的指導原則。因此，在哪些場合下適用哪些特定的道德律，必須由理性全權決定。

我們應如何回應自然神論者？

自然神論在它最基本的前提上自相矛盾。他們相信神蹟中的神蹟（創造），卻棄絕所有其他他們認為較小的神蹟。如果神的

艮善和能力足以導致祂創造這個世界，則假設祂能夠並願意照管這個世界豈非很合理嗎？如果祂能夠無中造有，則祂當然能夠藉物質來創造物質，耶穌將水變為酒便是一例。十七世紀啟蒙時期的思想家認為，自然定律具普遍性或絕對性，現代的科學家已不作如是觀了，他們認為自然定律描述我們所見的自然，卻不能決定自然界應如何變化。

泛神論──倘若世界便是神？

東方的宗教一向都是泛神論思想的發源地，但是這種哲學現在藉著新時代運動，以瑜珈、靜坐冥想、營養食品、通靈等形式，已推展至西方。泛神論的中心思想是萬物即神，神即萬物。除了東方的印度教、道教、佛教某些宗派之外，持泛神論的在西方有：基督教科學派(Christian Science)、合一運動(Unity)、科學論派(Scientology)和神智學（通神論）。甚至一些早期的希臘哲學家，以及後來的歐洲思想家黑格爾(G. W. F. Hegel)、斯賓諾莎都是泛神論者。最近的電影「星際大戰」(Star Wars)也在鼓吹這種世界觀。

好萊塢包裝下的泛神主義

「我想要在裡面介紹一些禪。」「帝國大反擊」(The Empire Strikes Back)的導演克須能(Irvin Kershner)如此說，他稱Yoda為「一代禪師」。路卡斯(George Lucas)承認：「我想要以簡單明瞭的方式讓人明白……有一位神，祂有好的一面，也有不好的一面。你可以在他們之間作選擇，但如果你選擇站在好的那一邊，則這個世界會更好。」電影「星際大戰」特意傳達一個宗教信

息：神是一股能力。我們憑感覺便可知道，物質算不得什麼。我們可以用那能力來幫助自己消除憤怒、畏懼、侵略性，我們如果與能力融合為一，便可不朽〔就像凱諾伯機器人(Obe Wan Keno-be，「帝國大反擊」中的一個角色)〕。「人儘可哇哇大叫：『這不過是娛樂！娛樂而已啊！』就算叫到漲紅了臉，也無法改變這一事實：在大眾世俗社會接管天下以前，塑造文化的一向是信仰、盼望、救贖那些偉大的神話和儀式，如今它們的地位已被「星際大戰」這類粗製濫造的影片取代。」【摘自 *Rolling Stone* (July 24, 1980, p.37.)；*Times*(May 25, 1983, p.68)；*Newsweek* (January 1, 1979, p.50).】

並無差別

已故的薛福(Francis Schaeffer)曾談到他與一位泛神論者對話的經過：「有一天，我正在劍橋一位南非的年輕學生房中與一羣人交談，其中有一位年輕的印度人，他有錫克教的背景，但信奉印度教。他嚴詞批評基督教，卻不瞭解自己信仰的問題。所以我說：『以你們信仰的系統而言，殘酷與否最終都是一樣，二者並無實質差別。我這種說法是否正確？』他同意……我們房間的主人意會到我話中的真正含義，他本來正在泡茶，當時拎起那滾水壺，高舉在那位印度學生頭上。那印度學生抬頭一看，問他在幹什麼，他冷冰冰卻又斷然地說：『殘酷與否並無差別。』那位印度學生聞言立即奪門而出，消失在黑暗中。」【Francis Schaeffer, *The God Who Is There* (Downers, Grove, Ill.: Inter-Varsity Press, 1968), p.101.】

新時代運動倫理觀

大部分新時代主義者都認為對或是錯並非他們最關心的，這與他們所主張至終沒有對立的思想一致。但是他們並非超道德的，事實上，他們有許多的道德律，沙丁(Mark Satin)認為他們有四條倫理準則：

    1. 發展你自己。

    2. 使用自然資源。

    3. 倚靠自己，但是願與他人合作。

    4. 非暴力。

然而，這些準則並非絕對的，要根據情況、個人方便來應用。他們行善是為了要避免惡業或惡報，但究極而論，並無一般所謂的善惡分別相。「在大全境界裡不可能有道德」，因為「如果你還在為自己嚮往一些東西（即使是準則或律），已顯示你與一(the One)不一（何況，生物觀物，莫不宜然）。」所有對與錯、善與惡的判斷，都是較低層的意識，當我們與一為一，與多為多時，這些意識都會消失。【Mark Satin, *New Age Ethics* (New York: A Delta Book, 1979), pp.103～4,98.】

泛神論者如何看神？

對於泛神論者而言，神是串連萬物於一的絕對存有。有些人說神不過是超越繁多的一，另有人說它用許多形式彰顯它自己，還有些人說它是瀰漫滲透於萬物中的能力。然而，他們都認為神是沒有位格的，是它，而非祂。此外，因為它與我們所知道的任何事物都截然不同，以致我們沒有可能知道任何有關它的事。因此，理性完全無法幫助我們明白終極實體。印度經文中有一段如此說：

「它（梵天，Brahman）乃人眼所不能見、口所不能言、心所不
能思的。我們不知道它，也無法教導任何有關它的教義。它和任
何已知之事……或未知之事均截然不同。」

「真正知道梵天者，知道它是超越知識的；若有自以為知道梵天
的，實是一無所知。無知者以為梵天已為人所知，智者卻知道它
是超越知識的。」（註4）

如果想要知道任何有關神（或是道）的事，先決條件是要瞭
解：真理是在矛盾中尋得的（在道教中，這真理便是道）。因此
人必須冥想，清除腦中的理性，思想諸如「一隻手拍掌會發出什
麼樣的聲音？」等類的問題。這些問題只有問，沒有答，以便打
開心竅，領悟 atman（世界、繁多、罪惡、幻覺）便是Brah-
man（神、合一、良善、實體）。因此，神即萬有，萬有即神。
人存在的目的，便是要發現他也是神。

神的本質是無法由理性得知的，它便是心。因此，物質沒有
存在的可能，因為心便是一切。（什麼是心？無須理會！什麼是
物質？無須介意！）一如鈴木博士(Dr. Suzuki)所說：「這天性
（即人的靈性）便是心，心便是佛，佛便是道，道便是禪。」
（註5）同樣地，第三世紀的哲學家普羅提諾(Plotinus)說：那絕
對的一位(the Absolute One)最先散發出來的便是*Nous*（拉丁文
的「心」），能思的神在其中以自身為所思的對象，萬事萬象均
由此而出。

泛神論者如何看世界？

世界並非神所創造，乃是神永恆的散發物。有神論者說神自
空無中創造(*ex nihilo*)，泛神論者則說神自它本身中帶出世界
(*ex Deo*)。當然，有些泛神論者〔（例如大部分印度教派及艾迪

女士(Mary Baker Eddy)〕都說這世界實際上不存在，我們所見只是幻覺(*maya*)。要想克服痛苦、罪惡等幻覺，我們必須學習相信萬有（包括自己）即神，如此那幻覺便不會再捆綁我們了。

因為神並非超越這世界，乃是在這世界之中，因此不可能有超自然(Supernatural)意義下的神蹟存在，但是可能有超正常(supernormal)的事件存在，例如飄浮空中(levitation)、藉靈媒說預言、醫治、抵擋痛楚（例如在燒紅的炭上行走）的能力等。然而，這些事並非靠任何超越宇宙之外的能力作的，而是那些瞭解自己有神聖潛能的人，運用他們周邊的神聖能力成就的。

泛神論者如何看惡？

泛神論者的共識，「也是基督教科學派的核心思想，乃物質及惡（包括罪、病、死）均非真實。」（註6）既然神即萬有，而神是善的，則必定沒有任何惡真正存在。若存在，那便是神。然而，就更高的層面看來，神超越善和惡，善惡、大小、遠近這些都是理性上的兩極，不可能存在於那絕對的一之中。印度教中神的形像常是醜陋邪惡的，為的就是要顯明這真理。嘉黎(Kali)女神司毀滅，同時也是母性的象徵。她存有的真理便是她既仁慈又殘酷，同時也既不仁慈也不殘酷。神是超善惡的。

泛神論者如何看價值？

泛神論者的著作充滿著叫人行善、捨己的道德呼籲，然而，這只適用於屬靈成就尚低淺時。一旦新入教者超過這個層面，他的目標便是要與神合一，因此「他不應再考慮道德律」。（註7）他既要像神，則他也必須超越善惡。倫理行為是達致靈性成

長的手段，道德並沒有絕對的根基。

　　下面是泛神論者價值觀的典型說法：……在某些情況下，對某些人而言，任何事，只要是在超脫的精神下作出，都可以成為邁向靈性成長的踏腳石。所有的善或惡都是相對於成長中的某一特定點……在最高層面則既沒有善，也沒有惡。（註8）

我們應如何回應泛神論者？

　　泛神論要求信徒絕對地忠心，它也對萬有提出了全面觀點。它強調我們不能用我們有限的語言來描述神，這一點是對的。然而，泛神論最基本的論點是自打嘴巴的矛盾。

　　例如，理性不適用在終極實體上這個宣告乃是自相矛盾的。「理性不能告訴我們任何有關神的事」，若不是一個合理，就是一個不合理的陳述（意謂這句話非真即假，因為這是所有邏輯的本質）。表面看來它顯然是一個合理的陳述，理性不能提供任何有關神的訊息——問題是它已經提供了，它剛才告訴我們不能夠用理性。因此變得我們必須用理性去否定理性的使用，顯見理性是必然要派上用場的。假如泛神論者想規避這檻杚，說上述並非一個合理陳述，則我們更無需理會它，只當它是廢話也就是了。

　　此外，泛神論者相信有一絕對的、不改變的實體（神）。他們也相信我們可以到達領悟自己就是神的地步。然而，如果我能夠到達領悟某一事實的地步，則我已然改變。但神不能改變。因此，任何「到達領悟他就是神這地步」的是人不是神！不改變的神一直知道祂就是神。

　　還有，我們必須問一個問題：為什麼物質的幻象對我們而言顯得那麼真實？如果在這物質世界中的生命只是我們自己創造出來的夢想，那為何我們都有同樣的噩夢？為什麼仍然需要肉體關

係才能生孩子？為何虔誠的基督教科學派信徒雖然否認物質的實
在、否認痛苦的存在，卻仍然受苦，甚至會難產死亡？（他們在
洛杉磯的生產療養院已遭衛生局關閉，因為在其中發生的死亡案
件數目驚人。）虔誠的泛神論者照說已能掌握在世的生活，卻仍
然必須在身體的限制下過活，要解決衣食住行的問題。馬克吐溫
在他論及基督教科學派的著作中指出，他們教條和實際作為之間
不協調：

> 「除了心之外，真的別無任何存在物？」
> 「絕對沒有，」她答道。「所有其他的東西都沒有實質，都是想
> 像物。」
> 我開給她一張想像中的支票，而她現在為了實質的錢控告我。言
> 行好像不大一致。（註9）

泛神論缺乏道德根基，這點令人相當不滿。這不但導致一個
人所作所為沒有指導準則，而且實際上形同鼓勵人假借靈性擴展
之名行殘忍之實。我們由印度向來便缺乏社會關懷此一事實，便
可活生生地看出這影響。如果人受苦是因為他們的惡業（決定命
運的因果報應，與道德上的罪惡不可混淆），則幫助那人便是與
神為敵，妨礙那人償還他的業債，並顯示我仍然受這個世界的牽
絆，尚未超脫。因此，我應當漠視所有的苦難，不應當嘗試作任
何事去幫助減輕苦難。超越善惡的作為實際等於以惡為善。

萬有神在論──倘若這世界便是神的身體？

萬有神在論介乎泛神論和有神論之間，也被稱為進程神學，

主張神與這世界的關係，便如同靈魂與身體的關係一樣。正如有
神論一樣，這個世界需要神才能存在，但也正如泛神論一樣，神
也需要這個世界才能表達祂自己。因此，神一方面是超越這個世
界的；另一方面也就是這個世界。那超越這世界者在這個世界中
實現了它自己（使它自己成為真實）。因此，當這個世界改變
時，神也不斷地在改變，神是在實現祂所有潛能的進程中。此說
乃由二十世紀的一些哲學家發展而成，其中包括懷海德(Alfred
North Whitehead)、赫斯安、歐格登(Schubert Ogden)等人，而
它的思想根基則建立在柏拉圖的觀念論上。沒有哪一個主要的宗
教贊同它，但是目前有一些神學院教導此說，女權運動也尚表支
持，南美和南非的馬克斯主義者解放神學則予以採用。

泛神論	萬有神在論
神就是宇宙	神在宇宙中
神無位格	神有位格
神是無限的	神實際上是有限的
神是永恆的	神實際上是在時間中的
神是不改變的	神實際上是在改變之中
神與萬物為一	神與萬物並非為一

進程說及福音派

萬有神在論並非只是一個與普通人無關的、學術性論題，實際上
連基督徒圈子都受到它的影響。歐格登所任教的南美以美會大學
Perkins神學院，便採取進程神學的立場，柯布(John Cobb)和葛
里分(David Griffin)任教的Clairmont神學院亦然。在福音派陣營
中，有好幾位重要的思想家已下結論說：神並非永恆、不受時間

限制的，而是在時間中的永存。這種觀點見諸瓦特史多夫(Nicho-
las Wolterstorff)、畢羅克(Clark Pinnock)及巴茲偉爾(J. Oliver
Buswell)的著作中。這些學者雖未全盤接受萬有神在論的世界
觀，但他們容許在神裡面有改變，已屬極大的讓步。因為神如果
有任何改變的可能性，則祂不可能是我們在第二章中所討論的必
然存有。

萬有神在論者如何看世界？

神有兩極：一為根本極(primordial pole)，乃永恆的、不改
變的、理想的、超越世界的；另一為結果極(consequent pole)，
是在時間中的、會變的、實際的、與世界等同的。神的根本極是
祂的潛能，是祂能達到的。祂的結果極則是祂此時此刻實際的狀
況。因此這個世界與神沒有差別，是兩極中之一。祂的潛能在這
世界中，如同靈魂在身體中，在其中變成現實。因此，這個世界
的現況便是神所變成的現況。因此，神絕對不會實際變成完全，
祂只是努力朝完全的目標前進。神若要變得更完全，祂需要我們
的幫助，一如赫斯安所寫：

> 神最近的具體狀況，乃由前一階段神和世界的狀況所共同「造
> 成」的。我們和神不僅是這世界的「共同創造者」，甚至分析到
> 最後，也共同創造神。（註10）

世界創造神，正如神創造世界。它們是同一存有的兩極，情
況將永遠如此，任何時候兩極都不能脫離對方獨立存在。有潛能
那一極是無限的，永遠不可能在有限的層面中完全實現。因此，

神是「無止盡的世界，昨日、今日、明日都是一樣的」。

萬有神在論者如何看惡？

由於結果極中的限制，因此神並非全能的。祂藉著影響力來左右世事，然而並非全世界都承認祂的影響或受祂的影響，所以惡得以存在。神實在無法控制惡，也無法保證惡終被消滅。然而，萬有神在論者相信罪惡為神打開了自我實現新的可能性，提供成長的機會，以邁向更完美，因此惡並非一無是處。神不想除去惡是有祂的道理的。

萬有神在論者如何看價值？

進程神學家與有神論者一樣，主張價值是根植於神的本性中。但是正如這兩種立場對神的本性各執一詞，他們對價值的本性也同樣各持己見。因為神不斷地改變，價值也就不斷地改變。神的根本極可能有一些理想的善，但與我們最有關的是要在這個真實的世界中、在我們的生命中創造美，不需要理會一些想像中的未來情況。我們不可能期盼創造出完美，但必須要盡力去行更多的善。因此，我們只能用一般的條件來界定價值，通常採用的便是美。就像赫斯安所說：「美好的經驗本質上是善的，就是善本身，也是唯一的善。評斷怎樣才算美好經驗的標準乃美學的。和諧、熱切勉強可以概括它……為社會求得最大限度的美感經驗是道德。」（註11）根據這個標準，我們的社會應當致力避免不和、沈悶。仁慈帶來美及和諧，而殘酷只能帶來醜陋及不協調。關心產生熱切，冷漠卻恰好相反。所有的道德標準都必須由這些原則衍生，並要能適於導致較現在更好的經歷。

我們應如何回應萬有神在論者？

萬有神在論認為神與這世界有密切關係，能將現代科學思想輕易地融入它的系統內。但我們不得不問一個最單純的問題：這整個系統運作究竟是怎麼開始的？這就像問「先有雞還是先有蛋」一樣。如果說根本極比結果極先存在，則物質是如何成形的？可是也不能說結果極先存在，因為之前並沒有潛能可資變化。萬有神在論者可能會說二極一向並存。但我們必須面對一個現實，時間不能無限地回溯至永遠的過去。唯一的答案便是另有創造者創造了那兩極。在這進程之上便必須有一位創造者，只有一位超越的神才能創造出雞生蛋、蛋生雞的過程。

有神論	萬有神在論
神創造世界	神指導世界
世界與神不同	世界便是神的身體
神掌管世界	神與世界合作
神獨立於世界之外	神與世界互相需要
神是不改變的	神不斷地在改變中
神是絕對完美的	神不斷地邁向完美
神是無限及永恆的	神實際上是有限及在時間中的
神是絕對的一位	神有兩極

再者，如果沒有某樣不會改變的東西作為我們衡量的標準，我們如何知道萬事都在改變？就像我們與世界同轉，則我們不會注意到世界到底是以軸心自轉還是圍繞著太陽轉，我們感覺我們

是靜止不動的。同樣的道理，如果我們在飛機上將一個球向上拋入空中，我們不會注意到該球正在以一小時五百英哩的速度移動，因為我們以同速前進。當某物在移動時，我們唯有藉著一個並非在移動中的物體才能知道前者正在移動。因此除非我們可以看見某個不會改變的，我們如何得知萬物都在改變之中？萬有神在論對此並無解釋，因為它認為即使神都不斷地在改變中。

有限神論——倘若神並非全能？

主張神受限制的並非只有萬有神在論，有限神論中的神與基督教的神十分相似，但祂不是完美的；祂的權能和本性都有限。從柏拉圖以降直到今日，許多人抱持這個看法，但並無任何一個宗教採取這個立場。最近則因為克須那拉比(Kushner)他那本書(*When Bad Things Happen to Good People*)《好人為何不得好報？》而頗為風行。他無法接受他兒子的早夭，在書的結論中說道：「神希望義人過和平、快樂的生活，但有時祂無法成就這事……有些事情發生是神所無法控制的。」（註12）

有限神論者如何看神？

他們基本上同意有神論者的觀點，認為神創造這個世界，是超越在這世界之上的。但他們無法肯定祂在本性或權能上是完美或無限的。有限神論者辯稱：一個有限的宇宙只需要一個有限的成因，這宇宙的不完美便證明這宇宙的來源不完美。

有限神論者如何看世界？

　　他們相信神是由無中或是從某些先存的物質中創造出這個世界，然而，他們不相信這個世界的設計是完美的。自然界之內顯然有一些劇烈的大變動，例如火山、颶風、地震等。這些都是自然界的惡，神顯然拿這個系統沒轍。大部分有限神論者都不相信神會行神蹟。

有限神論者如何看惡？

　　這種觀點主要的根據是因為惡的存在，泛神論拒絕承認惡是真實的，令他們非常反感。萊布尼茲在解釋神的完美與世界的不完美並行不悖時，曾說：「這是所有可能存在的世界中最好的世界。」他們則進而推論：「如果這便是神盡其所能可以做的了，那麼祂一定有問題。」博托其(Peter Bertocci)曾說：

　　如果神是全能的，是這麼多惡的創造者，那麼祂如何可能是良善的？如果祂是良善的，不願意有惡，則祂是否真如我們所界定的那般全能呢？然則豈非有一存有為世間諸惡的來源，並非祂良善的旨意所能控制的？（註13）

　　對他們而言，這似乎是理解惡的唯一方法：神無法控制罪惡。

有限神論者如何看價值？

　　由他們的著作中無法找到在這一方面的共識。柏拉圖相信內在的價值和絕對的道德。威廉・詹姆斯(William James)是美國實用主義之父，對他而言，什麼派得上用場，什麼便是對的。在這觀點下，價值與神沒有什麼必然關係，因為神可能／也可能並未建立一個道德秩序，建立道德秩序可能在／也可能不在祂的能力範圍內。

我們應如何回應有限神論者？

　　他們用一種實際的眼光來探究惡，問的也很好：「一位全能、充滿愛的神，如何能夠與惡的存在相協不悖？」然而，正如任何其他有限之物一樣，一位有限的神勢必需要一個成因。同時，一位不完美的神是不值得敬拜的。然而，一位完美、無限的神則沒有這些問題，祂能夠勝過罪惡；因為祂不但想要勝過，也有能力勝過（詳論見第四章）。

多神論——倘若有許多神？

　　多神論相信有許多有限的神，掌管宇宙中不同的領域，古代希臘、羅馬及挪威的諸神便是最好的例子。每一神明掌管某一領域，僅在該領域內稱霸，受敬拜。例如，希臘的海神是坡賽頓神(Poseidon)，若人要求旅途平安，必須要向他禱告。為戰爭得勝禱告則必須以亞里斯神(Aries)為對象。多神論並非只限於古

代，西拉克斯(Syracuse)大學宗教系教授大衛·米勒(David L. Miller)說西方不再追求一個獨攬一切的神，同時「神死運動造成眾神誕生」。（註14）他列舉一些對古代多神傳統愈來愈感興趣的趨向，有些人稱之為新異教主義。德州的布雷肯理奇(Breckenridge)便有一羣人模倣寇克道格拉斯(Kirk Douglas)一九五九年的電影「海盜」(The Vikings)中對北歐諸神的敬拜。美國現代最大、增長最快的多神宗教是摩門教，雖然他們的宣傳令人以為他們只不過是基督教的另一宗教，但是他們的教義截然不同：

> 神曾經和我們現在一樣，但祂現在高昇於尊榮中，坐在遙遠的天廷寶座上！……認識唯一智慧又真實的神便是永生；你必須要學會自己如何成為神……就像在你之前眾神所作的一樣。（註15）

多神論者如何看神？

多神論者拒絕相信只有一位神管理萬物。相反地，他們著眼於世界的複雜和混亂，而推論必有許多的神，彼此計畫各不相同。有些多神論者說眾神來自自然，另外有些人則說諸神曾經為人。摩門教則提出諸神生諸神，由無限的回溯可知諸神都是「一位永恆之父的屬靈兒女」及「一位永恆母親的後裔」（註16），然而他們的存在卻無第一因。所有的神都有開始，但沒有結束。就古代神明而言，他們的行為常常與他們尊貴的身分不大相稱，因為他們常以爭吵、尋求報復、欺騙神且欺騙人的面目出現。

古代的多神論

下表顯示三個不同文化中諸神的相似之處。羅馬人吸取希臘神話為己有，但挪威的諸神則為獨立創造出來的，與前二者不完全一樣。值得注意的是，它們都有父神、母神以及實現他們文化中所有理想的愛子。

領域	希臘	羅馬	挪威（北歐）
父神	宙斯神(Zeus)	邱比特神(Jupiter)	歐丁神(Odin)
母神	希拉神(Hera)	優娜神(Juno)	弗立革神(Frigga)
光、真理	亞波羅神(Apollo)	亞波羅神(Apollo)	巴爾得神(Balder)
狩獵、莊稼	亞底米(Artemis)	戴安娜神(Diana)	弗類神(Freyer)
美、愛	亞富羅底特(Aphrodite)	維納斯神(Venus)	弗類亞女神(Freya)
使者	希耳米神(Hermes)	麥邱立神(Mercury)	海姆達爾神(Heimdall)
海	坡賽頓神(Poseidon)	納通努(Neptune)	－ －
戰爭	亞里斯神(Aries)	馬爾斯(Mars)	提爾神(Tyr)

多神論者如何看世界？

根據多神論者，宇宙或是永恆的，或是藉永恆物質造成的。摩門教的亞伯拉罕之書(*Book of Abraham*)聲稱：「主說：『讓我們下去。』他們在起初的時候下去，然後他們，也就是諸神，組織並造成了天地。」（四1）史密斯約瑟二世(Joseph Smith, Jr.)把造世界所用的那種材料叫做「要素」(element)，是「無始無終」的混亂物質。（註17）自然通常有它自己的生命原則，因此可以解釋為何自然能夠生出許多神來（例如亞富羅底特神便出自海沫中），也能將自然界的混亂生動地解釋為不同的能力彼此爭戰。

多神論者如何看惡？

對多神論者而言，惡是自然界中必然有的一部分。希臘人認為在諸神間第一度權力鬥爭以致產生創造時，其中便有惡存在了。因此，這個世界由起初便是善與惡的混合物。摩門教認為：惡是萬物進展和存在所必須，因為若無對立面，在道德選擇中便沒有挑戰待克服。

多神論者如何看價值？

有些多神主義者認為道德律是由諸神頒佈的，諸神會懲罰破壞他們律則的人。另有人說絕對律這個思想根本便是源自一神論，在多神論的系統中無立足之地，這種人（例如大衛·米勒)主張相對倫理。他說價值不可能是絕對的，因為「真與假、生與死、美與醜、善與惡永遠都是不可分離地混在一起。」（註18）不論那個立場，行善的動機主要是為自己的利益。

我們應如何回應多神論者？

多神主義強調世界和其中的能力是複雜的，事實也是如此。由此產生出許多人與這些能力搏鬥的奇妙想像及發抒。然而多神論正栽在它自身多元始這點上。諸神既非永恆存有，乃來自自然，則他們就不是終極的。為何要敬拜一些不具有終極價值的對象？敬拜生出諸神的自然本身豈不更好？然而，果真如此，便成為泛神主義（印度教實際上是一個多神宗教，但它承認在諸神背後有一個最終極的單一體）。說宇宙乃永恆的也有問題，第二章

和第十章已列出宇宙是有源起的證據。最後，多神論中的諸神全然擬人化，也大成問題。神與人之間有些相似，這是可想見的。但我們是否應當將人的不完全也強加在神身上呢？如此似乎減低了祂的價值，使祂顯得不配受敬拜。就這一方面而言，諸神好像是按照人的形像被造的。

上述六個世界觀代表觀察現實六種不同的方式，各立場的追隨者都透過他們那套架構來解釋他們周圍的每一件事物。正如一個戴著玫瑰色眼鏡的人看每一樣東西都是粉紅色一樣，我們所見的也同樣都染上我們所持世界觀的色彩。我們已在本章分別指出這六種世界觀難以成立的某些原由，但這並不代表基督教自然而然便是真實可信的了。第二章指出基督教的神存在，由祂創造萬有（二者具備才能夠稱為是有神論）。第五章我們將會加入其他有神論的特點，例如神蹟式的干預。但我們必須先行解決人對有神論最常見的非議——惡的問題。

附註

1. Friedrich Nietzsche, *Joyful Wisdom,* trans. by Thomas Common, (New York: Frederick Unger Publishing Co., 1960), section 125, pp.167～168.

2. 參 *Marx and Engels on Religion,* ed. by Reinhold Niebuhr, (New York: Schocken,1964), p.295.

3. Thomas Jefferson, *Jefferson Bible,* ed. by Douglas Lurton, (New York: Wilfred Funck, 1943), p.132.

4. "Kena," *The Upanishads: Breath of Eternal,* trans. by Swami Prabhavananda and Frederick Manchester, (New York: Mentor Books, 1957), pp.30～31.

5. D. T. Suzuki, *Zen Buddhism,* ed. by William Barrett. (Garden City, N. J.: Doubleday Anchor Books, 1956), p.88.

6. Mary Baker Eddy, *Miscellaneous Writings* (Boston: Trustees under the Will of Mary Baker G. Eddy), 1924, p.27.

7. Swami Prabhavananda, *The Spiritual Heritage of India* (Hollywood: Vedanta Press, 1963), p.65.

8. Swami Prabhavananda and Christopher Isherwood, "Appendix Ⅱ: The Gita and War", in Bhagavad Gita (Bergefield, N. J.: The New American Library, Inc., 1972), p. 140.

9. Mark Twain, *Christian Science*, (New York: Harper and Brothers Publishers, n. d.), p.38.

10. Charles Hartshorne, *A Natural Theology of Our Times* (LaSalle, Ill.: The Open Court Publishing Co., 1967), pp.113~114.

11. Charles Hartshorne, "Beyond Enlightened Self-Interest: A Metaphysics of Ethics", *Ethics,* 84 (April 1974): 214.

12. 庫斯納，《善有惡報》，道聲，1989【Harold S. Kushner, *When Bad Things Happen to Good People* (New York: Avon Books, 1981), pp.43,45.】

13. Peter Bertocci, *Introduction to Philosophy of Religion* (New York: Prentice Hall, Inc., 1953), p.398.

14. David L. Miller, *The New Polytheism: The Rebirth of Gods and Goddesses* (New York: Harper and Row, 1974), p.4.

15. Joseph Smith, Jr., *The History of the Church of Jesus Christ of Latter-day Saints* (Salt Lake City: Deseret Book Co., 1976.), 6: 305~306.

16. Bruce R. McConkie, *Mormon Doctrine-A Compendium of the Gospel,* rev. ed., (Salt Lake City: Bookcraft, 1966), p.516.

17. Joseph Smith, Jr., ***Teachings of the Prophet ed. by Joseph Smith,*** Joseph Fielding Smith, 4th ed., (Salt Lake City: Deseret News Press 1938), p.345.

18. Miller, op. cit., p.29.

第四章

有關惡的問題

我們遲早必須坦白直率地討論這個問題：我們除了自己一廂情願
地相信神是「良善」的以外，還有什麼充分的證據可以證明這點
呢？所有表面的證據豈不都正好相反嗎？我們有什麼反證呢？

　　我們可以說耶穌便是反證。但如果祂也錯了，那該如何是好
呢？祂的遺言很清楚，祂發現：那位祂稱之為父親的存有，與祂
原先心目中的形像有極大、嚴重的出入。縝密籌畫了那麼久，誘
餌安排得如此精巧，機關終於被觸動彈起，將祂緊緊釘在十字架
上。這惡劣的玩笑成功了……我們被一步步引進「客西馬尼園的
小徑」。不止一次了，每當神似乎最慈愛的時候，祂實際正在我
們前面路上佈下另一番折磨。（註1）

這些話並非出自無神論者或懷疑論者之口，想要動搖別人對
神的信念，實際上這是基督教最偉大的護教者之一──魯益師
(C. S. Lewis)──所說的話。當他寫這些話時，正因妻子死於癌
症陷於悲痛中。他的反應披露一個事實：我們每一個人，遲早都
必須處理痛苦，也就是惡的問題。

如果神並未宣稱祂自己是良善的，那麼問題就簡單多了；但

是，祂偏偏如此宣稱了。如果祂像有限神論者所說的，並非全能者，則這也不會構成問題。如果惡並非真實的，則我們可以避而不提這個問題。但事實正好相反，這個問題再真實不過——特別是對那些正在痛苦中的人而言——即使我們不能為每一種個別痛苦的情況都找到一個適切的答案，我們仍可以找到一些有關惡的通則。最起碼我們可以顯明：惡的存在和有一位良善全能的神的觀念並非水火不容。

什麼是惡？

惡的本性為何？我們會提出罪行（謀殺）、壞人、邪書（黃色書畫）、不好的事件（颶風）、惡疾（癌症或瞎眼）。但是，是什麼使得這些成為惡呢？惡本身到底是什麼呢？有人說：惡是一種實質，攫取某些事，使之成為不好（例如病毒侵襲一隻動物）；有人說：罪惡是宇宙中的敵對能力。但若神創造了萬物，則神要為惡的存在負責，這種論證如下：

　　1.神是世界中所有事物的源頭。

　　2.罪惡是一宗事物。

　　3.因此，神是罪惡的源頭。

第一個前提是正確的。因此，若要否定結論，看上去我們似乎必須否定罪惡的真實性（一如泛神論者所作的）。我們可以否定惡是某物、實質，卻不一定要否定它的真實性。惡是事物有缺陷。當一事物缺少它應有的善時，那便是惡。如果我鼻子上的一粒青春痘脫落了，這並非惡，因為我鼻子上本來不應當有任何青春痘。然而，如果一個人缺少了視覺能力，那就是惡了。同理，一個人心中缺少應有的仁慈及對人生命的尊重，則他可能會

犯謀殺罪。實際上，惡好比一隻寄生蟲，除非在原本應為完整的物體上找到一個洞，否則不能存在。

有時可以舉更容易的例子（例如不和諧的關係）來解釋惡。假使我拿起一隻精良的槍，放入一顆高品質的子彈，指向我完好的頭，將我健全的指頭放在那靈活的扳機上面，正確地扣動扳機……結果是一個不和諧的關係。上述有關的事物本身都並非惡，但這些良好的事物之間的關係顯然有些缺陷。在這個例子中，缺陷源於那些事物並非按應有的原意被使用。槍不應當被用於濫殺，用於娛樂則十分合用。我的頭並非用來作槍靶子的。同樣的，強風打圈轉並沒有什麼不好，但若風勢掃過一個停車場，便產生不和諧的關係了。不和諧的關係之所以不好，是因為在那關係中缺乏某些東西。因此，我們對惡的定義仍然可以成立。良善的事物間的關係中，如果缺乏某些應當存在的東西，那便是惡。

奧古斯丁與摩尼(Manichaeus)

摩尼是第三世紀的一位異端創始人，他宣稱世界是用非被造的物質組成，該物質本身便是惡的。因此，所有物質的存在都是惡，唯有精神的存在才可能是良善的。奧古斯丁寫了許多文章，指明神所創造的都是好的，惡並非一個實質。

「什麼是惡？或許你會回答：腐敗。無可否認這是對惡的一個普遍的定義，腐敗暗指違反本性，同時意味著傷害。但腐敗並非獨立存在，而是在所腐敗的物體中存在，因為腐敗本身並非實質。因此，腐敗了的東西並非腐敗本身，並非惡，因為腐敗了的東西乃是失去了它的完整純全。如果一個東西並無任何純全可以失去，就不能被腐化；有純全可失去的話，那東西本身必為良善的。再者，被腐化意謂扭曲變態，也就是失去了秩序，而秩序是良善的。因此，被腐化並不表示缺乏善，正因具有善，才會在腐

化中被剝奪；如果缺乏善，便沒有可被剝奪的。」(*On the Morals of the Manichaeus, 5.7.*)

惡從哪裡來？

起初的時候已有神，祂是完美的。接著這位完美的神創造了一個完美的世界。如此罪惡由何而來？我們可以將箇中問題用下面的方式展示出來：

1. 神所造的每一物都是完美的。
2. 完美的受造物不能作不完美的事。
3. 因此，神所造的每一物都不能作不完美的事。

亞當和夏娃既是完美的，那他們怎麼會墮落的呢？別將罪過推諉給蛇，那不過是將同樣的問題往後推罷了，因為神不是也把蛇造得挺完美的嗎？有些人認為必定另有一股力量，與神相等或非神所能控制；或許神可能根本便不是那麼良善；但也有可能答案在完美的定義本身。

1. 神將萬物都造得很完美。
2. 神所造完美的萬物中有一樣是有自由的。
3. 自由意志是惡的根源。
4. 因此，不完美（惡）可能源自完美（並非直接，乃間接，藉著自由意志）。

人（和天使）成為道德完美者的要件之一乃是自由。我們對自己所做的事具有真實的選擇權。神創造我們，使我們像祂一樣可以自由地愛。（強迫的愛根本就不是愛，對嗎？）但當神如此創造我們時，祂也容許了惡的可能性。所謂自由，便是我們不但有機會去選擇善，同時也有能力去選擇惡。這是神明知而願意承

擔的風險，但並不因此便使得祂要為惡負責。祂創造了自由這一個事實，我們實行自由這一動作。祂使惡成為可能，人使惡成為實現。不完美源自我們這些具有自由意志的受造物，濫用了我們的道德完美。

至於蛇這個問題，答案也一樣。撒但原是所有受造物中最美的，具有完美的自由意志。撒但背叛神，成為第一個罪，是後來所有罪惡的版本。有些人會問：「什麼促使撒但犯罪？」這就如同問什麼造成第一因一樣；促使撒但犯罪的是牠的自由意志，別無他物。牠是牠所犯的罪的第一因，你無法在那之前再找出另一成因。當我們犯罪，歸根究柢，是我們經由我們的自由意志構成我們犯的罪。

兩種敗壞	
形上的	道德的
在物質上	在意圖或意志上
存有或能力的缺陷	缺乏良善的用意
影響到存有	影響到作為
導致不存在	導致邪惡的行為
完全敗壞的車子，是路邊的廢鐵	完全敗壞的人，無意行善

自由意志的定義

要了解自由意志的定義，必須先釐清一些誤解。有些人說自由意志便是「欲望」的能力，但更好的定義是，在可能的選擇中有「決定」的能力。「欲望」是一種激情，一種情緒。但是意志是在兩種或兩種以上的欲望中作抉擇。同時，有些人認為：所謂自由，表示沒有任何選擇上的限制——一個人必須可以隨心所欲地

做他想要做的事才算有自由。但是與自由相對的並非少一點選擇，而是被迫選擇此而不准選擇彼。自由並非無限制的選擇，而是在可能的選擇之中不受拘束地作出選擇。只要那個抉擇出於個人意願，而非受外力控制，都是自由的。因此，自由意志意謂：在兩個或更多的選擇中，行使不受強迫決定的能力。

為何無法消滅惡？

這是過去幾百年中在大學校園裏一再爭辯的問題，它的典型論式如下：

1. 如果神是至善的，祂會願意消滅惡。
2. 如果神是全能的，祂應能夠消滅惡。
3. 但惡仍未被消滅。
4. 因此，至善全能的神並不存有。

為什麼神不採取一些行動來對付惡？如果祂能夠並且願意，為何我們仍然面對罪惡？惡為何如此頑強？似乎一點不見惡的力量趨緩式微。

這個問題有兩個答案。首先，要消滅惡必然連帶地消滅自由。如前所述，自由存有者是惡的根由，而自由的賦予是為著愛的緣故（太二十二36~37）。沒有自由，就不可能有愛。要消滅惡，惟一的途徑是消滅自由，但這行動的本身便是惡，因為如此將剝奪受造物最大的善。因此，消滅惡實際上將成為罪惡之舉。我們若想要制服惡，必須從如何勝過它，而非如何消滅它著手。

上述以惡的存在否定神存有的論證實際上作了一些大膽的假設。因為惡現在未被消滅並不表示它永遠不會被消滅，而那論證暗示：神既至今尚未成就這事，則這事永遠不會發生，這形同假

設提出該論證的人知道未來。如果我們糾正它在時間方面的疏忽，將那假設重述，則將成為支持神存有的論證。

1.如果神是至善的，祂會願意消滅惡。

2.如果神是全能的，祂應能夠消滅惡。

3.惡尚未被消滅。

4.因此，有一日神將會也能夠消滅惡。

原本用惡的問題來說明神不存有的論證反而變成了神存有的辯護！如果此事尚未發生，又如果神真的是我們所說的神，則剩下的推論毫無疑問地是我們等得還不夠久。神並未退休，最後一章結論尚未寫成。神顯然情願應付我們悖逆的意志，而非將我們變成木石一般行使祂至高無上的主權統治。迫不及待解決這表面矛盾的人，顯然還得耐著性子等下去。

貝爾(Pierre Bayle, 1647~1706)

貝爾是十七世紀一位最具影響力的懷疑論者。他的著作，特別是他的字典中，都載有這個論證，對後來的啟蒙運動時期的作者如休謨、伏爾泰(Francois Voltaire)、柏克萊(George Berkeley)、狄德羅(Denis Diderot)等人有深遠的影響。他嘗試向哲學家所犯的每一個錯誤挑戰，因此對「幾乎沒有什麼事是不可懷疑的」提供了許多理據。他希望證明所有人類的推理都「充滿著予盾和荒謬」。他在另一系列文章中指出基督徒無法反駁摩尼教二神（一善、一惡）的教義。然而，貝爾宣稱自己是一個基督徒，加爾文主義的捍衛者。他最後的講章之一說道：「我至死都是一位基督教哲學家，深信神的憐憫及豐盛施予，並深浸其中。我祝你全然幸福。」我們不清楚他如何協調這些不同的信仰。

惡有意義嗎？

受苦難折磨的人心中只有一個怒吼：「為什麼？」「為什麼我失去我的腿？」「為什麼我們的教會被燒毀？」「為什麼我的小女兒要死？」「為什麼？」不幸的是，我們常常無法提供一個答案，來滿足那些受創的心靈，使得他們的苦難顯得有意義。但對於那些以此為理由否定神的存在或良善的人，我們倒有話可說。他們的論證如下：

1. 多受苦難絕非良善的旨意。
2. 一位至善的神在每一件事上都有祂良善的旨意。
3. 因此，至善的神不可能存在。

我們可以用兩種方式來面對這個問題。首先，我們必須將我們是否知道惡的目的，以及神是否在惡上都有一良善的旨意這兩件事區分。就算我們不知道神的旨意，祂仍然可能有一個很好的理由容許惡發生在我們的生命中。因此我們不應當只因為我們無法得知任何理由，便斷然假設事件背後必定沒有神良善旨意的存在。

此外，我們實際上知道神在某些惡上的旨意。例如，我們知道神有時會使用惡來警告我們遠離更大的惡。任何曾經照顧過兒童的人都曾經過一些擔驚受怕的日子，害怕孩子會去觸摸火爐。但我們也知道孩子一旦摸了一次後，便不會再去摸了。因他第一次摸的當時立即實際體驗到「燙」這個字的意義，下次我們用這個字眼去警告他時，他會立即順服。容許第一次小小的痛苦發生，為的是要避免以後更大的痛苦發生。

痛覺也幫助我們避免自我毀滅。你知不知道為何痲瘋病人失

去他們的手指、腳趾、鼻子？通常這與痲瘋病本身並無直接的關係。毋寧說是這疾病令他們失去觸覺，導致他們自我毀滅。他們摸到熱鍋時不感覺到熱，因此沒有及時避開，導致灼傷。他們對將要撞到的物體沒有感覺，在未減速的情況下全力撞上。由於沒有痛覺，因此常造成對自己極大的傷害，甚至還不明究理。

雖然惡的代價看似很大，但有時它會帶來更大的善。聖經提供了好幾個案例，例如約瑟、約伯、參孫，他們每一個人都經歷真實的苦難。但是，若非約瑟被他的兄弟賣為奴、含冤下獄，以色列家族如何能度過饑荒、找到避難之處蔚為大國？約伯若非先承受那麼多的苦難，他的靈命會如此驚人地成長嗎？（伯二十三10）使徒保羅在得到神啟示的殊榮之後，如果沒有苦難令他謙卑下來，他會成為什麼樣的領袖？（林後十二）約瑟對他弟兄所說的話可以作為結論：「從前你們的意思是要害我，但神的意思原是好的。」（創五十20）

最後，容許一些惡實際上有助於將惡擊敗。一些復健中心（例如戒酒、戒煙、戒毒中心）的程序之一，便是盡病人所能承受的程度，給他大量的酒、煙、毒品，直到他厭倦膩煩為止。當他們對該物質有一次不好的經驗後，便比較容易戒除。拉威(Rahway)監獄的「現身試法」(Scared Straight)事工，嚇阻了許多青少年不敢犯罪，但述說監獄黑暗的犯人都曾給別人、給自己帶來許多痛苦。最極致的例子，便是十字架。在十字架上，一位無辜者承受了絕對不公義的痛苦，導致所有的人可以承受善果。祂代替我們承受了我們本應承受的惡，使我們得以無須畏懼、自由地來到神面前，因為祂撤去我們的罪咎和刑罰。

魯益師說過：「在我們享樂時，會聽到神向我們耳語，在我們的良心中，會聽到神向我們說話。但是在我們的痛苦中，會聽到神向我們呼喊。痛苦是神使用的麥克風，為要喚醒一個耳聾的

世界。」（註2）有時我們需要痛苦來幫助我們，以免我們在沒有痛苦的情況下會趨之若鶩地去為惡，而在惡中滅頂。神警告我們，讓我們看到世界上有些東西比苦難更好，以免我們作出會招致更大苦難的錯誤決定。

痛苦的禮物

班德(Paul Brand)醫生是罕生氏病(Hansen's disease)的研究及醫治權威，曾發表對痛苦的重要洞見。他剛剛檢查了三位病人，陸(Lou)因為玩電動豎琴受感染，可能要失去他的拇指；何克多(Hector)在拖地清理時對他的手所受的傷害渾然不覺；裘西(Josy)不願意穿幫助他避免受傷特製的鞋，以致失去他的腳的一部分。班德醫生說：

「人們常視痛苦為極大的束縛，剝奪人活動的能力，我卻視之為自由的賦予者。舉例來說，陸：我們用盡全力為他尋求可以自由彈電動豎琴的方法。何克多：他甚至連拖地清理都會把自己弄傷。裘西：他太驕傲，不願接受適當的治療，所以我們給他特製一種鞋，可以避免腳部更多的損傷。他不能穿著體面、正常地行路。因此，他需要的禮物，便是痛苦【Philip Yancey, *Where is God When It Hurts*? (Grand Rapids: Zondervan, 1977). p.37.】

十架上

神的兒子從未犯錯，也不需要死，為何神容許祂自己的兒子像罪犯般，經歷那麼殘酷、暴戾的死？這種不公義實在難以解釋，除非藉著基督的死可以成就更大的善，蓋過其中的惡。耶穌自己的解釋是祂的來臨乃是為要「捨命作多人的贖價」（可十45），同時祂又說：「人為朋友捨命，人的愛心沒有比這個大的。」（約十五13）希伯來書第十二章2節說到耶穌的目的：「祂因那擺在前

面的喜樂，就輕看羞辱，忍受了十字架的苦難」，也就是祂認為為了挽回罪人與神復和而受苦是值得的。以賽亞說：「祂為我們的過犯受害，為我們的罪孽壓傷。因祂受的刑罰我們得平安；因祂受的鞭傷我們得醫治。」（五十三5）耶穌的死代替了我們因罪本當受的刑罰，成就了更高的目的、更大的善，這比那過程中的罪惡更重要。

是否必須要有那麼多的惡？

惡的廣泛也構成一個問題。難道真的需要如此多的惡才能成就神的旨意嗎？不能少一樁強姦、少一樁醉酒駕車肇事，使世界好過一點嗎？當然，這種「少一樁」理論可以推廣至惡完全絕跡，甚至推到極點，我們可以問：地獄又如何呢？地獄裡假使少一個人不是更好嗎？以上兩種問題的答案相同，因此讓我們擒賊擒王，處理了後者也就解決了前者。

1. 最大的善是拯救全人類。

2. 地獄裡即使只是一個人也不合乎最大的善。

3. 因此，神不能送任何人下地獄。

要回答這種非難，我們必須回到自由意志的論題上去。神的確願意全人類都得救（彼後三9），但是那表示他們必須選擇愛祂、相信祂。神不能夠強迫任何人去愛祂。就詞論詞，強迫的愛乃自我矛盾。愛必須是自發的，出於自由抉擇。因此儘管神希望人人都愛祂，但就是有些人決心不愛祂（太二十三37）。所有在地獄的人都是因為他們自己選擇進去的。他們或許不希望進去，（誰會希望進地獄呢？）但是他們實際選擇了進去。他們雖然不希望受刑罰，但他們作的決定卻是棄絕神。人進地獄並非被神送

進去的；他們如此選擇，神也尊重他們的選擇。「講到最後，世界只有兩種人：一種人向神說『憑祢意行』，另一種人是神向他們說『憑你意行』。所有在地獄裡的人，都是自己選擇進入的。」（註3）

　　人永恆的命運如果是如此決定的，則地獄裡有人不算惡，除非地獄裡有不需要入地獄的人，那才是惡（例如：假設有人選擇了神，卻仍被送入地獄）。誠然，一個有人會入地獄的世界並非所能想像中最好的世界，但若要維繫自由意志，則那是可以達到的最好的世界。同理，世界如果少一宗罪案，那該更好，但這只能留給有犯罪潛能的人來決定。不論是有關每天街上的小罪，或是最大的罪（棄絕神），答案都是一樣的。

人選擇地獄

約翰福音三18：信祂的人，不被定罪；不信的人，罪已經定了，因為他不信神獨生子的名。

約翰福音三36：信子的人有永生；不信子的人得不著永生，神的震怒常在他身上。

約翰福音五39：你們查考聖經，因你們以為內中有永生；給我作見證的就是這經。

約翰福音五40：然而，你們不肯到我這裡來得生命。

約翰福音八24：所以我對你們說，你們要死在罪中。
你們若不信我是基督，必要死在罪中。

約翰福音十二48：棄絕我、不領受我話的人，有審判他的——就是我所講的道在末日要審判他。

路加福音十16：聽從你們的就是聽從我；棄絕你們的就是棄絕我；棄絕我的就是棄絕那差我來的。

神不能創造一個無惡的世界嗎？

我們所要面對的最後一種非難，便是神當初應當可以設計一個更好的世界，祂可以創造出一個沒有惡的世界。它的論式如下：

1.神無所不知。

2.因此神在創世時已知道惡會出現。

3.神有其他非惡的選擇，祂可以選擇：

　　a.什麼也不創造。

　　b.創造一個沒有自由意志的生物世界。

　　c.創造有自由意志但不會犯罪的生物。

　　d.創造有自由意志、會犯罪的生物，但最終全部獲救。

4.因此，神可以選擇創造一個要不是沒有惡就是沒有地獄的世界。

這個論證看似相當堅實有理，因為神的確有諸多選擇。問題是：「這些選擇真的都比我們現在的世界更好嗎？」讓我們逐一分析。

神可以選擇什麼也不創造。

這論點的錯誤在於暗指：空無一物比有受造物更好，也就是：如果從來沒有任何受造物存在，也好過有一些惡的存在。但這論點忽略了一個事實，受造之物原是好的，它們存在的本身也是好的。神如果沒有創造，則前述的好也不會存在。此外，這種非難實在不通，因為實際上它等於是說：「神如果創造一個非道德的世界，這將是一個較有道德的選擇。」但既說非道德，便無

所謂好，也無所謂壞；它哪來道德上的狀態可供作道德意義的比較，以至能下斷語說：較有道德或較不道德？它甚至連拿蘋果和橘子相比這種不倫的比較都不如，因蘋果或橘子二者畢竟都還存在，而這裡的比較則是空無與存在的比較。

可能的世界

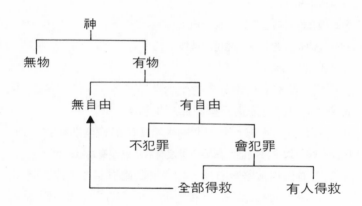

神可以選擇創造一個沒有自由意志的生物世界。

　　神可以選擇用動物或是只能照祂旨意行事的機器人來充滿這個世界。但這個選擇與上述的問題相同：這是一個非道德的選擇。也就是說，一個非道德的世界不能夠稱得上是較有道德的世界。我們不能將無所謂好壞的東西（即道德上中性的東西）拿來和壞的東西相比。沒有道德價值的東西與有一些（不論有多少）

道德價值的東西兩者間的差異判若雲泥。同時，即使這樣的世界裡沒有道德的敗壞，仍會有物質的敗壞。動物仍會身體退化和腐爛。因此，沒有自由意志的受造物並不表示連物質的惡也沒有，僅是惡的形式有所不同。

神可以選擇創造有自由意志但不會犯罪的生物。

按邏輯而言，有可能有自由意志但不會犯罪的受造物；亞當墮落以前便如此，耶穌終其在世的一生也如此（來四15）。聖經上說將來會有一天，在新天新地的世界裡，每一個人都有自由意志，但不會有任何罪惡（啟二十一8、27）。這種世界存在的可能性絕無問題，但是並非所有可能存在的都成為實際上的真實。美國有可能在獨立戰爭時吃敗仗，但那可能性並未成為事實。同理，有自由意志的受造物有可能從不犯罪，但該情境實現與否則完全是另一回事。神如何能保證他們絕對不犯罪呢？方法之一便是干預他們的自由。神可以設立一種機制，當人正要去選擇惡時，便會受到某些干擾，導致他們改變決定。神也可以預先安排使受造之物只能做好事。但這樣的受造之物是否真有自由可言呢？如果他們被預先安排以致無其他選擇餘地，實在很難稱此為自由抉擇。如果我們的行動都只是由作惡的選擇上受干擾而轉向，豈不表明我們要作決定前已有惡的動機存在？因此，一個沒有人會選擇犯罪的世界是有可能存在，但事實上卻無法達到。

此外，一個自由但無惡的世界實際上在道德上略遜於現今的世界。在現今世界中，人受到的挑戰，是去行善並克服惡的傾向。這種挑戰不會出現在一個沒有惡的世界中。如果沒有敵對力量為先決條件，人無法達到這種最高的善、最大的喜樂。人面對危險而真的恐懼時，真正的勇氣才會萌生。只有在自己也需要，

卻克服自我中心的反襯下，才會顯出捨己犧牲的高貴。正如古諺所說：「不入虎穴，焉得虎子？」與其在無惡敵擋的情況下成就較低的善，不如在有惡敵擋下有機會去成就最高貴的善。

神可以選擇創造有自由意志、會犯罪的生物，但最終全部獲救。

這個論點與上述論點犯了相同的錯誤，假設神可以操縱人的自由，選擇行善。有些人說神會鍥而不捨地追逐一人，直到他作出正確的決定為止。但這個論點疏於正視聖經的教導，地獄對某些人而言是真實的。這個論點主張神會不擇手段地去拯救每個人。但我們不能忘記，祂不能夠強迫人類去愛祂。強逼的愛是強姦，神不是強姦者，祂不會強迫任何人違反自己的決定。神不會不擇手段地去救贖人類，祂成就了救贖，但祂尊重人的自由，也依從人的選擇。祂不是製造木偶的專家，而是一個呼召人自願歸向祂的情人。

有一個古老的故事，說道一位愛爾蘭教士傳講了一篇痛斥罪惡的強硬信息，聚會完畢後在門口送別會眾。許多會眾表示仰慕他的勇氣，其中有一位老寡婦高興地緊握他的手，說道：「神父，今天聽到你的講道令我太高興了，我必須讓你知道：我有好長的一段時間都在過聖潔的生活。事實上，過去三十年來我沒有犯過罪。」那位教士聽到這樣的誇口略感吃驚，回答道：「親愛的，太好了，繼續努力吧！再過三年妳便可以打破我的記錄了！」人有時不知不覺中已在態度上無可避免地犯了罪。

神到底為何選擇創造這樣的世界？

這個世界是否是神所能創造中最好的世界？它可能並非所有可能的世界中最好的，卻是邁向最好世界的最佳途徑。如果神要保存自由，同時擊敗惡，則現有的世界是達成此一目標的最佳途徑。每一個人都可以運用他的自由選擇，決定本身的永恆歸宿，如此自由便得以保存。一旦那些棄絕神的人被分隔開，所有人在世的抉擇就永遠定案了，如此惡便被擊敗。選擇神的人在那個世界中將蒙堅立保守，罪惡會消逝；決定棄絕神的人被永遠拘禁在自己的決定中，他們不能夠擾亂那變為完美了的世界，一個有自由受造物的完美世界的終極目標達成了，但達成這目標的方法卻是將那些濫用自由的人逐出。神向我們保證：再多的人——所有願意相信的（約六37）——祂都能救。神在基督裡面為所有的人提供了救贖（約壹二2），祂耐心地等候，願意所有的人得救

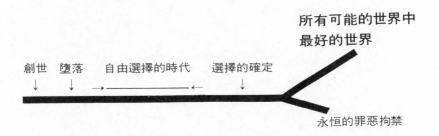

（彼後三9）。但是，就像耶穌為耶路撒冷哀哭時所說：「我多

次願意聚集你的兒女，好像母雞把小雞聚集在翅膀底下，只是你們不願意。」（太二十三37）無神論者沙特在他的劇本「無出路」(No Exit)中指出：地獄的門是人用自由選擇從裡面反鎖住的。

附註

1. C. S. Lewis, *A Grief Observed* (New York: Bantam Books, Inc., 1976), pp.33~35.
2. 魯益師，《痛苦的奧秘》，基督教文藝出版社，1986【*The Problem of Pain* (New York: MacMillan, 1962), p.93.】
3. 魯益師，《夢幻巴士》，校園，1956【*The Great Divorce* (New York: MacMillan, 1946), p.69.】

第五章

有關神蹟的問題

聖經綴滿了神蹟,由創世到主再來,由摩西所見的焚燒荊棘到但以理的獅子坑,由童女懷孕生子到主復活,每一頁幾乎都可見神蹟奇事。對信徒而言,這些神蹟證實了神的大能和由神而來的信息。但對未信者而言,神蹟卻是絆腳石——可見再怎麼樣的宗教也只不過是一堆神話故事罷了。未信者日常生活的世界中並無神的作為介入,自然界的正常規律從無間斷;自然律便是一切。火焚燒時會燒毀;獅子會吞噬眼前的獵物;唯有男性的精子與女性的卵子結合才會懷孕;死人也不會復活。對他們而言,聖經中的神蹟不過是「鵝媽媽」一樣的童話故事罷了!

本章的目的,並非要替每一個神蹟是如何發生的提出完整的解釋,我們也不打算使全世界的人都相信:神蹟是宇宙正常運轉中的一部分。我們的目的是要使人知道:過去二百年來對神蹟所持自然主義觀點實際上是不合理的。相反地,這種自然主義觀點是基於錯誤的邏輯和不健全的思想方式,先入為主地遽下結論而造成。本章將對三組(每組二個)問題提出解答:頭一組問題處理神蹟的可信度(可能性和可信性),第二組問題顯示神蹟並不違反現代的研究方法(科學方法和歷史方法),第三組問題回應

一般為解釋神蹟提出的宗教性理由（例如，神話及萬有神在論）。最後將證明聖經中所載神蹟乃真實事件。

　　一位自然主義論者說過：「我們在這個論題中應作的第一步，就像討論其他的論題時一樣：應對所用字彙的意義清楚地界定。除非參與辯論者對『神蹟』一字有一致的了解，否則任何有關神蹟的辯論都只不過是徒費唇舌罷了。」（註1）神蹟是世界的自然運轉，因神的介入或攔阻，產生一件有意義、不尋常的事件，否則這事件不會發生。按照這個定義，自然律便是世界正常、規律運轉的方式，而神蹟則是由超越宇宙的神造成的一件異乎尋常、不合規律、特定的事件。這並不表示神蹟違反自然律或反其道而行，就像著名的物理學家司托克爵士(Sir George Stokes)所說：「促成我們所謂神蹟的可能並非由於自然律停止一般運作，而是一般不在運作的某事物進入運作中。」（註2）換言之，神蹟並非違反因果律，只不過是有一個超越自然的成因罷了！

神蹟是否可能？

　　有關神蹟最基本的問題是：「是否可能有神蹟？」如果不可能，則我們可以立時停止討論，收拾包袱回家。如果確有可能，則我們必須針對視神蹟為荒謬的論點提出反證。我們在斯賓諾莎的著作中可以找到這類論點的根源。他提出下列論證反對神蹟：

　　1.神蹟是違反自然律的。

　　2.自然律是不可改變的。

　　3.不可能違反不可改變的自然律。

　　4.因此，神蹟不可能存在。

　　他大膽地宣稱：「沒有任何違反自然律的事會在自然界發生，也沒有任何事情會與自然律相衝突或反其道而行，因為……自然界保持她固定、不改變的秩序。」（註3）

　　當然，我們無從反對上述第三點，因為不可改變的事是不會改變的。但自然律真的不可改變嗎？斯賓諾莎對神蹟的定義是否正確？他似乎悄悄動了手腳，將自己的觀點溶入大前提中，認為宇宙以外沒有任何其他存有（即神就是宇宙）。他一旦將自然律定義為「固定不可改變的」之後，當然便不可能有神蹟發生了。他乃是根據當時最先進的牛頓物理學說，認為自然律是固定不變的。然而現代的科學家已經知道自然律並不能告訴我們什麼事情必然會發生，它們只不過是將確實經常發生的事敘述出來而已。它們是統計上的可能性，並非不可改變的事實。因此，按定義而言，我們不能排除神蹟的可能性。

　　他所採取的定義同時也帶有他個人、反超自然的偏見，假設在自然以外，沒有任何存在可以在自然界內有任何作為。這乃斯賓諾莎泛神論下必有的推論。如果神侷限於自然界範圍內，或根本不存在，則可將神蹟視為秩序的破壞。追根究柢，如果神存在，則神蹟便為可能。如果宇宙之外有任何存在，能導致某事物在宇宙內發生，則很有可能他會這麼作。現在大部分的科學家要求顯示神存在的證據，那便是本書第二章的主要內容。一旦我們確立了一神論式的神存在之後，神蹟的可能性便無可排除了。

斯賓諾莎

(Benedict de Spinoza, 1632～1677)是近代理性主義哲學家之一。理性主義相信所有的真理都能由不證自明的原則推論出來，不需要檢視事實證據。斯賓諾莎有猶太人的背景，年二十時因他異乎常人的見解被逐出會堂。他深信只可能有一無限的實體，此外無

他，因此他下一個結論：神就是宇宙（泛神論），自然律便是神的律。以此作為前題，神蹟自然便被銷除了。如果超自然和自然並無分別，則在自然界以外別無存有會干預。任何超越自然者必須超越神，而這是不可能的。

神蹟是否可信？

有些人不否認神蹟的可能性，但他們無法找到足夠的理由使自己相信神蹟。對他們而言，神蹟雖非荒謬，卻就是難以置信。英國偉大的懷疑論者大衛・休謨提出下列著名的論點，反對神蹟是可信的。

　1.神蹟違反自然定律。

　2.堅實、不變的經驗一再確證這些定律。

　3.明智之士必然有幾分證據就相信幾分。

　4.因此，一致的經驗既形同證據，而由事實可抽繹出一個直接和充分的證據，反對有任何神蹟存在。（註4）

有人認為這個論證是說神蹟不可能發生，但這太容易反駁了，僅須指出那是以待證明的假定（將神蹟界定為不可能的事件）充作論據的狡辯。休謨思辨的能力還沒那麼差，他真正的意思恐怕是：沒有任何人應當相信神蹟，因為我們所有的經歷都顯示神蹟不會發生。就算我們沒研讀過休謨的哲學，我們在學校學的也正是這個立場。

休謨並非在定義中拿待證明的事作論據，他乃是在採證上進行了狡辯。他在察驗證據以前，便假設自己知道所有的經驗均一致地反對神蹟。他如何知道在他以前和將來所有的經驗都會支持他的自然主義？唯一確定的方法便是事先能知道神蹟不會發生。

換言之，他可能可以說一些人或甚至大部分人一致的經驗都是反神蹟的。但其他的人、那些曾經歷過神蹟的人又如何呢？因此他只選擇了他所喜好的證據，忽略其他的證據。不論如何，他已犯了一個邏輯上基本的錯誤。

至於休謨的第一個原則「明智之士必然根據證據來決定信仰」，我們應當贊同。然而，休謨的「更大的證據」意謂「重複出現較多的證據」；因此，任何罕見的事件都無法與較普遍的事件在採證可信度上相提並論。休謨在這裡玩花樣了。這表示沒有任何一個神蹟能有足夠的證據來導致一個有理性的人去相信它。休謨並非真的衡量證據，他只不過是將所有反對神蹟的證據都加起來罷了。因為死亡發生在幾乎每一個人身上，只有極少數死裡復活的故事，他便將所有死亡的證據相加，然後下結論說：復活的故事必然都是假的。就算有少數的人真的由死裡復活，也沒有人應該相信那是真的，因為死亡的數目遠超復活的數目。這好比說你若贏得彩票的話，你不應當相信那是真的，因為數以千計的人都輸了。他的方法是將證據與可能性等同，認為你絕對不應當相信你會如黑馬般突出得勝。打橋牌時一發牌便贏的可能性是1,635,013,559,600分之1。根據休謨的理論，你如果拿到這樣的一手牌，最好放棄，要求重新發牌，因為你絕對不應當相信如此不可思議的事真的會發生。

科學家若真的根據這個理論來反對神蹟才叫作不可思議，因為科學家本身的研究便不是根據這個方式。若一位科學家事先知道，一個實驗按已有的自然定律會有何結果的話，他根本不會費時費力地去作那個實驗了。休謨甚至承認說僅憑著觀察過去的經歷，沒有可能確知將來。同樣的，科學家不斷地嘗試藉著發現新的證據，來擴展及修訂自然定律，以增加我們對自然定律的認識。休謨的神蹟原則將會使這種科學進展成為不可能，因為研究者絕對

不應當相信他的數據，他的數據無法與過去一致的經歷相抗衡。

休謨

(David Hume, 1711～1776)是一位蘇格蘭哲學家和歷史學家，生長於愛丁堡。他得到法律學位不久後，就決定不在法律界執業，開始研讀哲學。他與斯賓諾莎不同之處在於他是一個經驗主義者，主張檢驗和整理的事實與歷史的證據是得到知識的唯一途徑。在他的哲學系統中，自然律便是秩序的骨幹，因此他對任何容許有神或神蹟的思想都抱敵對的態度。斯賓諾莎對自己的觀點極為獨斷，而休謨則對所有信仰都持懷疑態度，懷疑是否可能對任何事加以確定。他雖然不否定因果關係，但宣稱對某一特定的結果而言，我們永遠無法確定導致它產生的是什麼原因。我們最多只能說某種形式的結果常是由某種形式的原因所造成。

惠特立

(Richard Whateley, 1787～1863)在他所寫的一本小冊子「拿破崙存在的歷史疑點」(*Historical Doubts Concerning the Existence of Napoleon Bonaparte*)中嘲笑休謨的觀點。他探討拿破崙所有的英武勳績，認為他的事蹟太奇妙、史無前例，因此，沒有任何一個有理性的人應當相信如此的人物的確存在過。我們應當將他視如邦揚(Paul Bunyan)及比爾(Pecos Bill)之類的人物。他的意思是，就算懷疑論者不否定拿破崙的存在，也「必須承認他們並未將平時用在其他人身上的推理方式，也用在拿破崙生平這特殊個案上」。【Richard Whately, *Historical Doubts Concerning the Existence of Napoleon Bonaparte* in *Famous Pamphlets,* 2nd ed.,ed. by Henry Morley (London: George Routledge and Sons, 1880), p.290.】

神蹟是否合乎科學？

　　許多人拒絕相信神蹟，因為他們感到：如果我們容許神可以干預自然這樣的思想存在，則不可能建立科學方法。科學方法建立在一致和規律的原則上，任何不規律的成因都會使科學成為不可能。就像布倫博士(Dr. Allan Bloom)所說：「對人而言，科學家便等於反對創造論，因他正確地認識到：如果他與創造論有任何瓜葛的話，他們的科學便會成為錯誤無用……自然界可能有規律，也可能沒有；可能有神蹟，也可能沒有。科學家並非證明沒有神蹟，他們只是假設沒有神蹟。不作此假設，科學將無立足之地。」（註5 ）

　　用來顯明神蹟是反科學的論證有好幾個，但我們這裡審視的是諾威爾－史密斯(Patrick Nowell-Smith)的論證。他反對超自然主義論者用神蹟來解釋任何事件，因為科學可能在將來為那件事找到解釋。他的立論可總結如下：

　　1.唯有可預測的才有資格作為事件的解釋（例如，自然律）。

　　2.神蹟是無可預測的。

　　3.因此，神蹟無資格作為任何事件的解釋。

　　簡單地說，唯有用科學方法來解釋事件才能成立，其他所有的解釋必須與科學一致，否則應閉口不言。

　　諾威爾史密斯宣稱科學家應該保持開放的態度，就算有證據可以推翻他已有的理論也不應棄之不顧，但他顯然已經關閉他的心靈，排除任何超自然解釋的可能。他獨斷地堅持：所有的解釋都必須是自然的，否則便不算是解釋。他已作了一個極大的假設：所有的事件最終都將可用自然律來解釋，但他並沒有為這假

設提出任何證據。他所以能夠得出這樣推論的唯一途徑，便是事先已經知道神蹟不會發生，這是自然主義者的信心飛躍！

　　科學家宣稱解釋必須具有可預測的價值，但在自然界中有許多事件是無法預測的。沒有人可以預測一件車禍是否會發生，以及會在何時發生，也沒有人可以預測一間屋子幾時會遭劫，但是當這些事件發生時，沒有人會說那是一件神蹟。即使是自然主義者都承認：他無法實際地預測每一件事的發生，只能作原則性地預測。每一位氣象報告員都必然會承認這是事實。超自然主義者所作的宣稱是一樣的：當神覺得需要時，才會有神蹟發生。如果我們有了所有的證據（知道所有神所知道的），則我們可以預測神何時會干預，一如科學家可以預測自然事件一樣。

　　即使是在科學方法上，神蹟也有一些解釋的價值。有些事可以用自然能力輕易地解釋。我們不難看出大峽谷是由風的吹打和水的侵蝕所造成，自然能力可以很完滿地解釋大峽谷是如何形成的。但拉石茂山(Mount Rushmore)又如何呢？有任何自然力量可以解釋，美國第一、三、六及二十六任總統的巨像，如何在一九二七到一九四一年之間，忽然出現在岩石上嗎？顯然必有一個有智慧的成因(intelligent cause)。同理，有些事件（例如擁抱某人）當放在前後場景中瞭解時，會看出個中清楚的目的和意義。但這些事件同樣地是由有智慧的成因促成的。神蹟便屬這個範疇。神的干預並非要玩弄我們或令我們迷惑；祂有祂的目的，用每個神蹟傳達祂的某些旨意。摩西的神蹟印證神差遣他，同時令埃及人所拜眾神在它們各自的勢力範圍內被神蹟擊敗嘲弄（出七14～十二36）。以利亞求天火下降並非無所事事（王上十八16～40），他花了整天的時間等待，看巴力是否能做任何事，以利亞的神卻能即時行動，證明祂的真實和能力。這種事件必須有智慧的成因，這正是規律和一致的原則。因此，當一件有意義的事件

（例如，紅海分開令以色列人可以逃避法老）發生時，科學方法告訴我們不應尋求自然的成因，而當尋求一個有智慧的成因。神蹟不會摧毀科學。但是如果試圖用自然成因解釋神蹟，那將是絕對的不科學！科學實際上指出：這種事件必有智慧的成因。

諾威爾-史密斯(Patrick Nowell-Smith)

是哈佛及牛津畢業生，一九六九年接受多倫多約克大學哲學教授教席。他在論文「神蹟」中，反對超自然主義者利用神來解釋所有不尋常的事件。「當超自然主義者說：沒有任何他所知的科學方法或假設足以解釋神蹟的時候，我們或許可以相信他。」但是「如果他說：那是自然界力量都無法解釋的，則已超過他身為科學家夠資格發言的範圍，至於說必須將神蹟歸諸超自然力量，等於說：沒有人有權單單根據證據確認某事。」【Patrick Nowell-Smith, "Miracles" in by *New Essays in Philosophical Theology*, ed.Antony Flew and Alasdair MacIntyre,(New York: MacMillan, 1955), pp.245～46.】

神蹟是否算歷史？

排斥神蹟的學科不止於科學，歷史學也宣稱神蹟不能夠包含在它的研究方法中。就算神蹟真的發生，歷史學家也永遠不可能知道或相信它們。弗廬(Antony Flew)所發展的論證如下：

所有批判性的歷史取決於下列兩個原則：

1.唯有當我們假設過去和現在有相同的基本自然規律，才可以用過去的遺跡作為重建歷史的證據。

2.批判性歷史學家必須用他對可能和概然之事的現代知識，作為認識

　　過去的標準。但是對神蹟的信念違反上述兩個原則。

　　因此，相信神蹟違反批判性歷史。

　　歷史學家必須排斥所有的神蹟。任何相信神蹟的人都是思想天真、不具批判性的人。這個論證並非說神蹟不可能存在，乃是說在客觀歷史研究之下，神蹟是不可知的。

　　弗廬(Antony Flew)嘗試改進休謨的思想，但他和休謨犯的錯誤也一樣，他並非衡量證據，而是將證據疊加。他不接受任何特別事件，只接受一般事件為證據。因此，任何普遍和重複的事件都應相信，但不尋常和特別的事件則應加以排斥。因此，我們應當相信農婦在河中洗衣（雖然我們沒有直接證據），而對亞歷山大大帝征服埃及一事（我們有大量的證據），則應嗤之以鼻。

　　弗廬的歷史二原則實際上只不過是休謨論點中「一致的經歷便是證據」及「明智之士必然根據證據來調適信仰」的重述。但是他假設絕對的一致，對超自然的事件偏執不信。這種態度非但不能幫助他追尋真理，反而更攔阻他找到真理，因為那不是去尋求意義，而是自己訂立可以找到的意義。而明智之士並非僅僅根據「可能性」來決定他的信仰，乃是根據「事實」。他如此重組休謨的論點不但不能帶動歷史研究的進步，反而使它重蹈前人自然主義偏見的覆轍。

　　駁斥這種立場的重要性在於：神蹟事件沒有理由不能受歷史方法的檢證。聖經上記載的神蹟如同古代歷史記載的任何事件一樣，可以公開供人察驗。

弗廬(Antony Flew)

(1923-　)曾任英國三所主要大學的哲學講師，撰寫編輯了許多哲學神學的書，令他成為現代有關神的論題上的一位重要人物，特別是以他在哲學百科全書上的一篇文章「神蹟」著名於世。他提

出的論證與休謨極為相近，可總結如下：

　　1.每一個神蹟都違反自然律。

　　2.反對違反自然律的證據是最強有力的證據。

　　3.因此，反對神蹟的證據是最強有力的證據。

這種論證不但要受到與休謨的論證相同的批判，同時違反了他自己的可反證原則(principle of falsifiability)。他矢口否認任何神蹟曾發生過，但如果他的論點乃不能反證的，則他如何能夠宣稱那論證真的描述出這世界的實際情況？

神蹟是否是神話？

　　本世紀一位最具影響力的神學家布特曼(Rudolf Bultmann)說過：

> 人藉著科學和技術，對世界的知識和控制已進步到一個地步，沒有人再有可能真正持守新約時代的世界觀——事實上，幾乎絕無一人……要想心口如一地背誦信條，唯一的方法便是自隱藏真理的神話故事中，將真理抽離出來。（註6）

　　對布特曼而言，現代科學已消滅了神蹟。要將信仰與這一事實協調，唯一的途徑就是：把我們必須賴以存活的真理視同核心，環繞這核心滋蔓的超自然因素以神話看待。要了解聖經和耶穌的真正信息，必須拔除神話的雜草，找出真理。如果我們能設身處地進入早期基督徒的心境中，則甚至有可能了解：當時出現什麼樣的環境和需要，以致產生那樣的神話。如此將引導我們進入另一層面的真理，是我們可以憑信心接受的。他的論證可陳述

如下：

　　1.神話不止於客觀真理；它們是超越的信心真理。

　　2.但非客觀的不能成為一個可證實的時空世界中的一部分。

　　3.因此，神蹟（神話）不是客觀時空世界中的一部分。

　　這種論點非但消除了相信神蹟的需要，同時使得評估神蹟變為絕對不可能。但這論證成立嗎？神蹟真的僅是神話嗎？

　　首先，如果說一件事不止是客觀的、實際的，便說它是非歷史的，這種推論不成立。神蹟當然指向超越這個世界的存在，但這並不表示它們便不會在這個世界之內發生。如果它們不止是客觀的和實際的，則它們最起碼是客觀、時空內的事件。

　　同時，布特曼清楚地先下結論說神蹟不會發生。不論有何證據，他都會下同樣的結論。他稱神蹟為「不可思議的」、「不合理性的」、「不再有可能的」、「無意義的」、「完全無法想像的」以及「不可忍受的」。一個願意找尋證據的人不會說出這樣的話來，這些形容詞只會出自一個不願意被事實「攪亂」的人口中。

　　但是，如果神蹟非客觀、非歷史的，則它們既無法被證實，也無法被反證。你無法證明它們發生過，但也沒有人可以否定它們未曾發生過。這種說辭頗為吸引某些基督徒，因為這使得他們不須要為自己的信仰辯護，叫人只要「相信就好了」，而不需要提出證據，然而，這個說法同時也使我們淪為弗盧一段精闢批評的對象。

　　　通常在對宗教不熱心的人士眼中，好像想不到有任何可能發生的事件或連串事件足以構成理由，讓老練的敬虔人士承認「可能真的沒有神」……可有什麼事如果發生或已然發生的話，將促使你放棄你對神的愛或神存在的信念？

　　簡單地說，如果一個信仰在任何情況下都不可能是假的，則你如何能說它確實是真的呢？這樣的信仰已離開了真與假的範疇，只不過是一種意見罷了。對布特曼而言，如果有人將耶穌基督的屍體放在推車上推入他的辦公室，仍無法推翻他對復活的信心。使徒保羅卻完全相反，他說道：「基督若沒有復活，你們的信便是徒然」（林前十五17）。這些敬虔人士為了保存基督教免受現代科學的攻擊，將我們的信仰掏空，卻也同時使得我們不再能宣稱，我們的信仰乃真實的信仰了。

布特曼

(Rudolf Bultmann, 1884～1976)首創「神話解構法」(demythologizing)詮釋聖經，他追隨現象學家海德格(Martin Heidegger)的思想，試圖將基督教教義中的核心真理，從第一世紀的世界觀中抽離出來（因為後者並非我們日常生活中的一部分，只會使我們困惑），以致聖經真理可以對現代人具有攸關的意義。抽離的方法是剝除神話（超自然因素），保留故事中的實體精髓。這些更高的、屬靈的意義，可以套進任何世界觀中，任何時代的人都能明白。不幸的是，它也摧毀了基督教信仰的歷史性和聖經的權威。

神蹟是否可界定？

　　有許多宗教號稱有神蹟奇事為「印證」。猶太教中摩西的杖能變為蛇；基督教中耶穌能在水面行走；回教中穆罕默德能移山；印度教的尊者聲稱能在空中飄浮；諸如此類的例子不勝枚舉。現代更有過之而無不及，有些泛神論的團體聲稱他們每天都行神蹟。新時代運動的先知克雷(Benjamin Creme)說過：他所

謂的「基督」乃能力和預知的靈，曾經「複庇」耶穌，現在也會同樣臨到「基督」的跟隨者：

> 當日幫助他們行出那個時代所謂神蹟，如今被稱為精神醫療或奧秘醫療的便是那靈。全世界每天都有醫治的神蹟發生……現在隨時都有男男女女在各地行這種神蹟。（註8）

現在連許多基督徒都這般宣稱，使得情況更加複雜，其中有些是真的，有些則後來被揭發為騙局。即使我們對「神蹟」一字的濫用——有人稱嬰孩的出世為神蹟，有人考試過關也稱之為神蹟——也足以顯示我們觀念上的混淆。

如何分辨何為真神蹟、何為假神蹟呢？是否有可能替「神蹟」下一定義，足以將騙局和其他種類的不尋常事件清理出去？

在界定神蹟這事上，當前最大的威脅來自新時代運動的泛神觀。泛神論者說在宇宙之外沒有神，他們同意宇宙內所有的事都必然有自然的成因。在他們那本通靈獲得的記錄，《大同新紀元的福音》(*Aquarian Gospel*)中記載一則據說是耶穌論及心靈訓練的話：「萬事都由自然律而來。」（註9）甚至基督教科學派都說神蹟乃「科學現象，是神聖地自然，但需要人去學。」（註10）泛神論者並不否認有神蹟，但他們將神蹟重新界定為自然律的操縱，正如史凱瓦可(Luke Skywalker)需要學習使用原力（自然律）去達成他的使命。泛神論者甚至試圖將高深的物理納入他們的理論架構中，來解釋超自然。卡普拉(Fritjof Capra)在《物理的道》(*The Tao of Physics*)一書中便主張所有的物質都是奧秘的，是泛神論教義的現代版。

> 宇宙本是一體，這不僅是神秘經歷的主要特徵，同時也是現代物

理最重要的啟示之一。這真理在原子的層面已明顯可見，等再深入物質中、直到次原子的質點層面，就愈發清楚了。（註11）

這就是泛神論所說神蹟的來源，神蹟並非來自超越宇宙的一位全能的神，那麼神蹟也就不是真的超自然(supernatural)，只不過是超正常(supernormal)罷了。

基督徒並不否認超正常這類事件的確存在，但我們否認那便是神蹟。神蹟的定義包括聖經中神蹟所顯明的三個基本要素：「大能」(power)、「指標」（sign，按：中文聖經多譯作神蹟）、「奇事」(wonder)。神蹟的「大能」來自超越宇宙的神。神蹟的本質為「奇事」，看見神蹟的人因為驚訝而生出敬畏。「指標」告訴我們神蹟的目的：為了要印證神的信息和神使者的身分。這個定義就神學層面而言，是暗指一位超越宇宙的神在進行干預。而因為神是至善的，神蹟只會產生且（或）激發善。就教義層面而言，神蹟可幫助我們分辨誰是真先知、誰是假先知。可見神蹟絕對不是為了娛樂大眾，它有特定的目的：榮耀神，將人帶到神面前。

大能(power)、指標(sign)、奇事(wonder)

新舊約中用來形容神蹟的有三個詞：

舊約：

指標——印證摩西的權柄（出三12，四3～8）

　　　　印證神的信息（士六17；賽三十八7；耶四十四29）

奇事——與「指標」同時出現（出七3；申二十六8）

　　　　稱「指標」為奇事（出四21）

大能——創造（耶十12）；擊敗敵人（出十五6～7；民十四17）；治理（代上二十九12）；與「指標」、「奇事」

同時出現（出九16）

新約：

指標──耶穌的神蹟（約二11，六2，九16，十一47）；使徒的神
蹟（徒二43，四16、30，八13，十四3）；復活（太十二
39~40）

奇事──出現十六次，都與「指標」同時出現（太二十四24；約
四48；徒六8，十四3）

大能──撒但（路十19；羅八38）；神蹟（太十一20，十三58；
路一35；林前十二10）；福音（羅一16）

然而，泛神論的神蹟不合乎這個定義，因爲它們的能源並非
神。事實上，新時代運動作家斯便爾(David Spangler)撰文討論
泛神論者看待神蹟來源時說：「基督與路西弗(Lucifer)一樣都是
能力，但二者好像背道而行。路西弗的方向是由外入內，創造裡
面的光……基督的方向則是自中而出，釋放那光。」（註12）由
此可見，儘管當能力從一個人身上釋放出來時，泛神論說是源自
基督，其實那些超正常事件的能力都來自路西弗，或說撒但。

由聖經立場來看，路西弗又叫魔鬼、撒但，不是神，也非與
神平等。起初，神創造的萬物，包括地（創一1）、人（一27~
28）、天使（西一15~16），都是好的。天使中有一位叫路西弗
（賽十四12），十分美麗。但牠「自高自大」（提前三6）反叛
神，說「我要與至高者同等」（賽十四14）。牠同時也帶領了許
多其他的天使跟隨牠，以至於三分之一的天使離開和神住在一起
的家（啓十二4），牠們現在被稱爲撒但和牠的使者（第7節；太
二十五41）。牠們有非常的能力，現今「在悖逆之子心中運行」
（弗二2）。撒但能夠裝作「光明的天使」（林後十一14），看
起來好像在神那一邊，但只不過是僞裝。撒但一直是敵擋神的。

　　這樣，我們如何才能分辨是撒但、還是神在工作呢？聖經為我們提供了一些測驗，幫助我們知道何為真先知、何為假先知。關鍵在於分辨神蹟(miracles)和魔術(magic)。神蹟為神所任命的超自然干預；人的魔術是人藉自然或超自然力量進行操縱。差別可總結如下：

神蹟	魔術
在神控制之下	在人控制之下
有求不一定應	有求必應
超自然能力	自然（奧秘的）能力
與善聯結	與惡聯結
唯真	有錯
可勝過罪	無法勝過善
肯定耶穌為神成肉身	否認耶穌為神成肉身
預言絕對真實	預言有時會錯
與玄學秘術絕對無關	通常與玄學秘術有關

　　神蹟和魔術最重要的區別，便是後者用玄學秘術的手段，宣稱由靈界得到能力。很多情況下那是實情，但那是邪靈的能力，不是聖靈的。聖經中列出與邪靈能力有關的有：

1.邪術（申十八10）

2.算命（申十八10）

3.過陰（申十八11）

4.交鬼（申十八11）

5.占卜（申十八10）

6.星象學（申四19；賽四十七13～15）

7.異端邪說（提前四1；約壹四1～2）

8.荒淫（弗二2～3）

9.自奉為神(創三5；賽十四13)

10.說謊（約八44）

11.拜偶像（林前十19～20）

12.律法主義及自苦(西二16～23；提前四1～3）

　　許多實行和敎導泛神論「神蹟」的人，不但承認他們採用以上玄學秘術手段，同時也推薦他人使用。上述特徵顯示這些所謂的神奇能力實際是邪靈的。

　　如果我們將這些測驗加諸現代許多自稱先知的人身上，會有何結果呢？例如迪克森夫人(Jeane Dixon)。首先，讓我們查查她的記錄，就算是為她撰寫傳記的蒙特哥利(Ruth Montgomery)都承認她曾胡謅。「她曾預言：中國大陸在一九五八年十月因金門和馬祖，使全世界捲入大戰；她以為勞工領袖羅伊特(Walter Reuther)會在一九六四年積極競選總統。」（註13）一九六八年十月十九日，她保證賈桂琳・甘迺迪不會考慮再婚；第二天，甘迺迪夫人便決定下嫁歐納西斯。

　　她也說：第三次世界大戰會於一九五四年開始，越戰會於一九六六年結束，卡斯楚(Castro)將會於一九七○年被古巴放逐。曾有人研究那些靈媒在一九七五年所發的預言，其中包括迪克森夫人的觀察到一九八一年為止，七十二個預測中只有六個應驗，其中兩個非常含糊，另外兩個毫無新意——美蘇會保持強權地位；不會再有世界大戰。如果那些預言的準確性只有百分之六，我們能把它們當真嗎？

　　迪克森夫人最出名的預言，便是預測到她友人約翰・甘迺迪之死。我們必須面對一項事實，就是有些預言是會成真。有時這是因為那些預言十分浮泛，可作多種詮釋，以致許多情況都適

用。另外有些則不過是普通常識，例如一占星圖告訴你「謹慎投
資，將使你的財務未來獲得保障」。但另外也有些是具體且正確
地應驗，這有三個可能性：該先知來自神（這須要百分之一百地
應驗）、受邪靈影響、幸運猜中。迪克森夫人的能力來源到底為
何？

　　命中率百分之六的最佳解釋便是機遇和常識。但可能不止。
蒙特哥利說：迪克森夫人使用水晶球、占星學、精神感應術，又
說：一位吉卜賽算命家在她童年時給予她預言的能力。（註14）
但即便是她對甘迺迪之死的預言也十分含糊，有些地方出錯（她
說一九六〇年的選舉會被勞工支配，事實卻非如此），也有些地
方與她其他的預言相矛盾——她預言尼克森會贏得大選！

迪克森夫人預言甘迺迪被刺

「Parade」雜誌一九五六年五月十三日刊登迪克森夫人的預言：
「迪克森夫人認為一九六〇年的大選將會被勞工支配，一位民主
黨人將獲勝，他將於任內遇刺或死亡，雖然不一定在第一期任內
發生。」

事實

　　1.大選並沒有被勞工支配。

　　2.一九六〇年一月她說：「當選總統的象徵出現在副總統尼
　　　克森頭上。」五六年或六〇年兩項預言之一會百分之百地
　　　應驗。

　　3.本世紀的十位美國總統中有三位在任期中去世，另有兩位
　　　在任期近尾聲時重病。

　　但是，聖經不容許這樣的事，各種型態的占卜都被禁止。更

重要的是，神的先知是不容許犯任何錯誤的，申命記第十八章22節說他必須百分之百的正確。

> 「先知託耶和華的名說話，所說的若不成就，也無效驗，這就是耶和華所未曾吩咐的，是那先知擅自說的，你不要怕他。」

最後一句話的解釋意為可以將他治死。如果是神說的，必然會成就，不需要第二次機會。

邪靈並非這類神蹟的唯一能力來源。有些聲稱有超正常能力的事件後來被發現不過是幻象或變戲法。科雷姆(Danny Korem)是一位職業魔術師，寫過一本書揭露這類的騙局，他說：「如果環境適當，可以讓任何人相信他見到前所未見的事。」（註15）

心靈學家懺悔錄

科雷姆寫了一本書叫《大能：測試靈媒和超自然》(*Powers: Testing the Psychic and Supernatural*)，他在其中介紹了一位著名心靈學家，並幫他拍攝了一套他懺悔的影片，承認他所作的都是靠幻象的欺騙手法，而非真的靠超正常的能力。

伊德瑞克(James Hydrick)曾經因為用所謂心靈的力量，移動一個倒置玻璃缸內的一張紙以及不接觸一本書便能翻頁，而聲名大噪，從者日眾。科雷姆發現該玻璃缸的另一頭有一個細縫，當他練會特別的呼吸控制後，也能如法炮製，伊德瑞克承認了。「我練了多少年才達到這境界……我可以吹氣，而你看不見我的嘴在動……你知道：在我練習的時候，曾有整整一年零六個月被單獨監禁。我不斷地動腦筋、不斷地動腦筋，終於我對自己說：『對了！我決定就這麼辦！』」他表示他曾經說：「父啊！奉耶穌基督的名，讓這些書頁翻動罷！」接著用別人看不出來的動作吹

氣，使獄卒們以為他們後面有人，牢房伙伴因此信主。

　　舉例來說，媒靈蓋勒(Uri Geller)聲稱自己有能力，毋須觸摸，就能將鐵製物件彎曲，他還聲稱自己有精神感應術和透視力。他甚至得到史丹福研究中心的一份報告作為支持。但是該雜誌作者同時也說：「擔任該試驗的裁判員認為，實驗心理學既有的方法並未得到充分使用……；兩位裁判員也感覺，該作者並未將過去靈學超心理學家(parasychologists)在這狡詐而複雜領域中，所學到的功課列入考慮範圍之內。」（註16）他們的懷疑是大有根據的，像「新科學」雜誌所載，「最少有五個人宣稱他們見到蓋勒耍詐。」一個婦人在電視攝影棚內觀察他，說她「親眼看見蓋勒用手扭曲那大調羹，而非用心靈能力。」（註17）蓋勒的另一個把戲是用一個鏡頭被蓋住的相機替自己照像。但另一位攝影師模倣他的作法，用一個廣角鏡頭，鏡頭蓋沒有完全關緊，也得到同樣效果。限制愈多時，蓋勒的成功率也隨之顯著下降。他在電視節目中，喜歡表演從十隻底片筒當中揀出有東西在其中的那一隻。

　　蓋勒在美國電視台的「Merv Griffin」【這是一個脫口秀(talk show)的節目，Merv Griffin是主持人】節目中表演成功，但有些人認為：他們看見蓋勒搖動桌子，使底片筒晃動，如此他好分辨那一隻較重。因此，在一九七三年八月一日的Johnny Carson Tonight節目中【這也是一個脫口秀的節目，在晚上播出，Johnny Carson為名主持人】，他們特地作了安排，不准蓋勒靠近，以免他搖動桌子或觸摸底片筒。結果他失敗了。（註18）

蓋勒證實他的能力

柯萊(Andre Kole)講過一則有關戴可倪斯(Persi Diaconis)的故事，戴可倪斯曾駕車送蓋勒去機場。

當他在候機時，這位心靈學家表示對戴可倪斯教授仍持懷疑態度深感惋惜，並自願為他的能力提出最完備的證明。他接著要戴可倪斯將手伸入他的大衣口袋，握著他的鑰匙串，集中思想在一隻可以被扭曲的鑰匙上。教授說：「我打開手一看，我想的那一隻鑰匙真的扭曲了。接著約有五分鐘我居然真給唬住了，一輩子也沒被耍得這麼慘。」

但當戴可倪斯回顧他們去機場一路，解開了其中的奧秘。當時蓋勒堅持坐在後面，而戴可倪斯的大衣正好放在後座。到達機場停車場時，他堅持拿著那件大衣，「萬一太冷時我需要它」。鑰匙環中有四隻鑰匙，其中只有一隻可以輕易地被扭曲。當他再一次檢視他的大衣時，他發現一個信封內外層翻轉，他的每一枝筆的筆套都被扭曲。顯然蓋勒為了證明他的能力，已預備了好些「證據」。【Andre Kole, *Miracles or Magic*? (Eugene: Harvest House, 1987), p.28.】

我們很難不同意一位批判者坦率的結論：「這麼多的間接證據顯示蓋勒只不過是一個精采的魔術師，史丹福研究中心的論文實在難以站得住腳。」（註19）魔術師柯萊的話也點醒我們：

大部分的人都不知道蓋勒從小便在以色列鑽研、練習魔術，這是在他的宣傳中竭力避諱不提的。但他很快地便發現：如果宣稱自己有超正常的能力，可以遠較他宣稱自己為魔術師吸引更多跟從的人。事實上，他所作的大部分把戲都只不過是魔術師的雕蟲小技。（註20）

　　與此相反的，我們看到聖經中神蹟的優越性。埃及的術士曾試圖用幻象來複製摩西的神蹟，最初幾次他們也成功了（出七19以下，八6以下），但當神使地上的塵土變成虱子時，術士們失敗了，喊道：「這是神的手段。」（出八19）同樣地，以利亞求神降下天火，巴力的先知們卻無能為力時，也使後者啞口無言（王上十八）。可拉和他一黨被地口吞沒，印證了摩西的權柄（民十六）。亞倫的杖開花，印證他是神的祭司（民十七）。

　　耶穌醫治病者（太八14～15），使瞎眼的得看見（可八22～26），伸手擁抱長大麻瘋的使他們得醫治（一40～45），使人從死裡復活（路八49～56）。祂升天後，祂的門徒繼續祂的作為，彼得在聖殿門口醫瘸腿的（徒三1～11），使多加由死裡復活（徒九36～41）。希伯來書第二章4節告訴我們這些神蹟的目的：「神又按自己的旨意，用神蹟奇事和百般的異能，並聖靈的恩賜，同他們作見證。」不論就目的崇高、善良及印證神的信息各方面來說，這些神蹟與扭曲匙羹、指出底片筒等居於完全不同的兩個層次，無法相比。

　　聖經預言的特別之處還在於它驚人地精密和正確，與多數含糊和不準的預測截然不同。神不但預告耶路撒冷將被毀（賽二十二1～25），甚至連將遣返他們的波斯王的名字都預告出來（賽四十四28，四十五1），這一切在一百五十年後完全應驗。耶穌出世地點的預言在主前七百年（彌五2）已有，但以理在主前五三八年便預言祂將榮耀進入耶路撒冷（但九24～26）。沒有任何算命家可以誇口他能如此精確或一致。

　　最後，基督預言自己的死（可八31）、死的方法（太十六24）、祂會被賣（太二十六21）、第三天從死裡復活（太十二39～40）。在玄學秘術預言或神蹟中沒有可與此相比的。耶穌的復

活是歷史上獨一無二、無可重複的事件。

神蹟是否重要？

　　我們已經顯示神蹟是可能的、可信的，在歷史上是真實的。神蹟並不違反科學，並非僅是神話，與超正常事件不同。這些在原則上都很好，但它們有什麼用處呢？我們真的可以相信神蹟的報告嗎？如果我們相信每一個有關神蹟的故事，則我們應如何自處？耶穌、穆罕默德、釋迦牟尼三人不可能同時都對！如果我們無法確定應相信那一個神蹟，則神蹟有什麼益處呢？

　　休謨雖然相信他的第一個論證已足以消除神蹟的可能性，他仍然提出了第二個反駁的論證：從來沒有足夠的歷史證據支持我們相信神蹟。他提出四個不應當接受任何神蹟的證據的原因：

　　1.從來沒有足夠數量、品行端正的見證人。

　　2.人的本性喜歡誇張，在事物中找尋神奇的地方。

　　3.神蹟在無知的人中間特別多。

　　4.神蹟有一種自我抵消的作用。

　　當細究休謨的反駁時，我們發現一些問題。首先，雖然他暗示：如果有足夠數目的良善公民（反駁1）、頭腦清醒（反駁2）、在現代都市中受過良好教育（反駁3），都見過一個神蹟的話，則他會相信。休謨自己也承認：發生於他那時代巴黎中上階層人士中的楊森(Jansen)教派神蹟合乎那些標準，但他說：「除了那些事絕對不可能以外，那有可能反對這麼多見證人的見證呢？」（註21）因此，休謨實際上絕對不會接受任何支持神蹟的事件、報導為證據。他真正的反駁其實不過是種認定：反正就是不可能有神蹟，證明這是錯誤的。如果他已決定接受自然主義，

則無論他再怎麼去查考歷史證據都沒有用。

　　休謨的第四點反駁實際上是有助於我們的。他說所有的宗教，甚至包括非基督教的宗教，都用神蹟來支持他們的宣稱。但同類型的證據支持所有不同類型的宗教，則它們之間互相抵銷，不足採信。因此他的結論是神蹟不能用來支持任何宗教。然而，一如前述，基督教的神蹟與其他宗教的神蹟截然不同，它們獨具一格。這使得休謨的論點改觀。我們可以認同他對異教神蹟這方面的看法，將他的論證重述如下：

　　1.所有非基督教的宗教都用同類的「神蹟」來支持。

　　2.但這類的「神蹟」沒有採證價值，因為它們自我抵銷。

　　3.因此，沒有一個非基督教宗教可以用「神蹟」來支持。

　　這便為第二個論證鋪了路：

　　1.唯有基督教才有獨一無二的神蹟印證它宣告的真理。

　　2.有獨一無二的神蹟作印證的宣告是真實的。

　　3.因此，基督教是真實的（所有對立的觀點都為虛假的）。

拿斯特拉得馬斯(Nostradamus)

又稱為Michel de Notredame (1503～1566)，他是一位醫生和占星家，因他在《一世紀》(Centuries)一書中的預言而聲名大噪。該書由一百首押韻的四行詩組成，是為書名的由來。這些預言中有些據稱已經實現。下列一首據說是預言希特勒的興起：

「黨派的跟隨者、大紛擾會為那使者鋪路。戲院中有一獸在準備舞台的演出。那邪惡技藝的發明者將一炮而紅。這世界將被黨派攪亂分裂。」

這可能真的是預言，但它模糊到一個地步，歷史上許多的事件都可以說是它的實現。但基督徒只要根據拿斯特拉得馬斯能力的來源便可以認清他。一首四行詩說道他用玄學秘術交鬼，他占卜、

煉金、玩魔術、使用卡巴拉(kabbala，古猶太人的一種神秘傳
統）。聖經禁止這類行為。【Andre Lamont, *Nostradamus Sees
All* (Philadelphia: W. Foulsham Co.,1942), p.252, 71.】

　　因此，休謨的原則將我們帶回正路，用神蹟來印證基督教。
只要神蹟是優越的，並有可信的見證時，它們就具有極大的價
值。我們發現基督教遠較任何其他宗教有更好的證據、更接近事
件原時代的著作見證。除此之外，沒有任何宗教能提供基督教所
宣稱的同類神蹟。也沒有任何其他宗教，有如聖經中所記載那麼
詳細的預言或神聖宣判。更沒有任何其他的宗教有任何神蹟，堪
與耶穌基督復活的偉大及見證比擬，這事件具體的歷史性證據將
是我們下一章的主題。

附註

1. Thomas Huxley, *The Works of T. H. Huxley* (New York: Appleton, 1896), p.153.

2. As quoted in the *International Standard Bible Encyclopedia* (Grand Rapids: Eerdmans, 1939), p. 2036.

3. Benedict de Spinoza, *Tracatus Theologico-Politicus,* in *The Chief Works of Benedict de Spinoza*, trans. by R. H. M. Elwes (London: George Bell and Sons, 1883), 1: 83.

4. David Hume, *An Inquiry Concerning Human Understanding,* ed.by C. W. Hendel (New York: Bobbs-Merrill, 1955), sec. 10, pt. 1, pp.122, 118, 123.

5. Allan Bloom, *The Closing of the American Mind* (New York: Simon and Schuster, Inc., 1987), p.182.

6. Rudolf Bultmann, *Kerygma and Myth: A Theological Debate,* ed. by Hans Werner Bartsch, trans. by Reginald H. Fuller (London: Billing and Sons, 1954), p.4.

7. Antony Flew, "Theology and Falsification" in *the Existence of God,* ed. by John Hick (New York: MacMillan, 1964), p.227.

8. Benjamin Creme, *The Reappearance of Christ* (Los Angeles: Tara Center, 1980), p.136.

9. " Levi," Levi H. Dowling, *The Aquarian Gospel of Jesus the Christ* (Santa Monica: DeVorss & Co., Publishers, 1907 and 1964), p.227.

10. Mary Baker Eddy, *Science and Health with Key to the Scriptures* (Boston: The Christian Science Publishing Society, 1973), 591: 21 ~22.

11. Fritjof Capra, *The Tao of Physics* (New York: Bantam Books, 1984), p.117.

12. David Spangler, *Reflections on the Christ* (Findhorn Lecture Series, 1978), p.40.

13. Ruth Montgomery, *A Gift of Prophecy* (New York: William Morrow & Company,1965), p.viii.

14. Ibid., p.15.

15. Danny Korem, *The Fakers* (Grand Rapids: Baker, 1980), p.19.

16. *Nature,* Oct. 18, 1974, p.55.

17. *New Science,* Oct. 17, 1974, p.174.

18. Ibid., p.174.

19. Ibid., p.185.

20. Andre Kole and Al Janssen, *Miracles or Magic?* (Eugene, Ore.: Harvest House, 1987), p.27.

21. Hume, op. cit., p.133.

第六章

有關耶穌基督的問題

　　佩恩是美國早期深具影響力的思想家之一，著有《普通常識》(***Common Sense***)、《理性的時代》(***The Age of Reason***)，他論及耶穌基督時說：「在據說耶穌基督活動的時代，完全沒有任何有關這個人存在的歷史記載。」（註1）

　　羅素在他著名的論文「為何我不是一個基督徒」中說道：「基督是否曾經在歷史上存在過，殊為可疑，就算祂真的存在過，我們對祂也一無所知。」（註2）至於基督的品格，他說：我自己無法同意：基督不論在智慧上或美德上比得上其他歷史上的偉人。我認為釋迦牟尼或蘇格拉底在這幾方面都強過祂。（註3）

　　基督教的真理全然取決於耶穌基督的真理和真實性。祂是否存在過？我們如何得知祂的生平？祂是誰？為什麼我應當單單相信祂？這些問題如果沒有正面性的答案，則基督教宣稱的真理便是枉然。

對耶穌的四種新派觀點

1. 耶穌從未存在過——持這種看法的人認為：保羅由古代神話中找到靈感，發明耶穌這個觀念。四福音是後來寫成的，要造成祂是一個真實人物的假相。

2. 沒有神學或神蹟的耶穌——有些人相信耶穌的確存在過，但我們由新約中無法知道任何有關祂的事。因為將耶穌生平中所有超自然的層面剔除之後，他們發現剩下的歷史一片杳然。

3. 耶穌神話化——布特曼發展了一套解經系統，消除所有超自然的因素，稱之為神話。如果要找到真的耶穌，必先剔除神話，找出當時的人有什麼樣的需要，以致他們會發明那樣的故事。

4. 無所謂——有些學者說：復活可能發生過，也可能沒有發生過，這都無所謂。重要的是我們要相信。他們說：當你信它是真的時候，它便是真理。

本章將展示歷史證據及理由上看耶穌不但存在，同時祂是神成了肉身。這個論證的大綱如下：

1. 新約文件是歷史上可靠的證據。

2. 新約的歷史證據顯示耶穌宣告自己是神，以神蹟奇事顯明，在祂復活一事上達到印證最高點。

3. 因此，有可靠的歷史證據證明耶穌基督為神。

在我們開始查考這些證據以前，要面對兩項可能提出的質問。首先，歷史證據是相對的，對於過去事件無從提供客觀的知識。假使「客觀」意為「絕對」，則這個問題問得有道理；但沒有理由說：歷史證據不能對往事提供一份雖待修正但相當不差的報告。有些人說歷史學家向來無法記錄真正發生了什麼事，因為他們只能從他們個人的角度看事情。但是「所有有關歷史的記述都是相對的」這句話如果是真的，則它本身便是一個相對的陳

述，因為它是有關歷史的陳述。但如果它是相對的，那麼它就非客觀真理，只不過是有關歷史研究的一個主觀意見。如果有人宣稱這句話是客觀上的真理，則與這句話自相矛盾。歷史的客觀性是無可避免的。歷史學家若非相信可以愈來愈接近100%的客觀正確性，為何會不斷地重寫歷史呢？

　　第二個質疑是我們怎麼忽然把新約當成歷史文獻，而不只是一本宗教書籍？是的，聖經是宗教知識的來源。雖然我們不可能要求非信徒就宗教層面接受它所說的，然而，當我們可以顯明新約同時也是一個歷史記錄時，就不該就歷史層面拒絕接受聖經所寫的確為史實。

1. 四福音為目擊見證人在事發後四十年內寫成。這增加了他們記錄的可信度，保證他們記錄相當的準確性。
2. 關於那些事件聖經並非只有一份報告，而有四份，它們在主要關節上相當一致。
3. 新約的記錄與第一、二世紀世俗和猶太歷史學家方面的證據相吻合。本書第九章記載這些證據。
4. 聖經對古代世界的記載已被證實十分準確。例如，路加記載了三十二個國家、五十四個城市、九個島嶼、數位統治者，連一個錯誤也沒有。

　　因此，我們沒有理由不接受新約為一可靠的歷史文件，能提供我們有關拿撒勒人耶穌生與死的寶貴資訊。

耶穌是誰？

　　主後三二五年，尼西亞信經(Nicene Creed)，記載了正統基督教的一致信念，基督是百分之百的神，也是百分之百的人。所

有有關基督的異端若非否定祂的神性，就是否定祂的人性。本章這部分會顯明耶穌是百分之百的人，而宣告自己是神，並會提供充足有餘的證據來支持祂的宣告。

祂的人性

有些人堅持耶穌只不過是一個人，也有些人說祂只是看起來好像人。事實上，他們說，祂是一個幻象———一個幽靈，沒有實際的身體———純粹是靈，那物質的形象只是幻影。這種教義稱為幻影說。果真如此，則基督並非真的像我們一樣受到試探，也並沒有真的死去，因為一個靈不能夠受試探或死去。因此，基督並非真的「與我們一樣」，也不能夠代替我們，贖我們的罪。同理，祂的復活也只不過是回復祂原本的狀態，與我們的將來也無關。因為這教義說基督從未真正在世行走，所以我們必須顯明耶穌是百分之百的人。

祂的成長

耶穌經歷過所有人類成長的正常過程。祂因聖靈在母腹中成胎（太一18、20；路一34～35），祂母親懷祂到了產期才生下祂（路二6～7）。然後像一般正常的男孩子，生理、心理、情感方面都在成長（路二40～52）。祂會隨年齡變老，所以當祂三十出頭時，耶路撒冷的眾人說：「祢還沒有五十歲」（約八57）。

祂的感情

耶穌在祂的需要上顯示出所有人性的特點。身體上，祂如常

人一樣會餓（太四2）、渴（約十九28）、疲倦（可四38）、呼吸（路二十三46）。情緒上，祂表露過憂傷（太二十六38）、詫異（可六6）、惱怒和憂愁（可三5），以及憐憫（可一41）。祂也受過罪的試探，但祂沒有妥協犯罪（太四1～11；可一12～13；路四1～13；來二18，四15）。聖經中最短的經文便將耶穌內心深處的人性深刻地描述出來：「耶穌哭了」（約十一35）。

祂的死亡

與神性相對最明顯的莫過於死亡，而耶穌像人一樣地死亡。許多人目睹祂的死，其中包括約翰、一小羣跟隨祂的婦女、兵丁、戲弄耶穌的眾人（路二十三48～49；約十九25～27）。祂的死同時也被專門執行死刑的羅馬兵證實（約十九32～34）。祂根據當時的風俗被埋葬、被安放在墳墓裡（38～41節）。你還能找到比祂更人性的人嗎？

	神	天使	人
存有的種類	無限	被造	被造
限制	無	有限	有限
本性	靈	諸靈	靈／體
存在時期	永恆	受造的永恆	暫時
時間／空間	超越其上，不在其中	超越其上，可在其中	生來便在其中
本性／意志	二者都不改變	惟意志會改變	二者都會改變
救贖	救贖的源頭	不被救贖	可被救贖

祂的神性

耶穌多次宣稱為神。我們將查考這些宣稱，以及祂用來支持這些宣稱的證據。

耶穌宣稱是誰？

宣稱是耶和華(Yahweh)

耶和華是神給祂自己的特別名稱。在希伯來的舊約聖經中僅寫成四個字母(YHWH)，被視為聖潔，以至於虔誠的猶太人不敢發聲去讀它的音。要抄寫這個字的人也會事先舉行一個特別的禮儀。這是神在出埃及記第三章14節向摩西揭示的名字。神說：「我是自有永有的(I AM WHO I AM)」，它的意義與神的自存有關。神其他的名稱可能可以用在人（創十八12的*adonai*）或假神（申六14的*elohim*）的身上，但耶和華只能用在獨一的真神身上，此外無任何其他可受敬拜或事奉的對象（出二十5），祂的名字和榮耀都不能分割出去。以賽亞寫道：「耶和華如此說：『我是首先的，我是末後的，除我以外，再沒有真神。』」（賽四十四6），又說：「我是耶和華，這是我的名；我必不將我的榮耀歸給假神，也不將我的稱讚歸給雕刻的偶像」（賽四十二8）。

只有這樣才能領悟：當耶穌宣稱自己是耶和華時，無怪乎猶太人要拿石頭打祂，指控祂褻瀆。耶穌說：「我是好牧人」（約十11），而舊約說：「耶和華是我的牧者」（詩二十三1）。耶

穌說祂要審判萬民（太二十五31以下，約五27以下），而舊約時期先知約珥稱耶和華的話：「因為我必坐在那裏，審判四圍的列國」（珥三12）。耶穌禱告時說：「父啊！現在求祢使我同祢享榮耀，就是未有世界以先我同祢所有的榮耀」（約十七5），而舊約的耶和華明言：「我必不將我的榮耀歸給假神」（賽四十二8）。

同樣的，耶穌稱祂自己為「新郎」（太二十五1），舊約用此形容耶和華（賽六十二5；何二16）。復活的主說道：「我是首先的，我是末後的」（啟一17），與耶和華在以賽亞書第四十二章8節所用的字眼一模一樣。詩人宣稱：「耶和華是我的亮光」（詩二十七1），耶穌說：「我是世界的光」（約八12）。耶穌對自己乃耶和華最強有力地宣稱也許是在第58節，祂說：「還沒有亞伯拉罕，就有了我(Before Abraham was born, I AM)。」這句話不但宣告祂在亞伯拉罕以前便已存在，同時也宣告祂與出埃及記第三章14節的「I AM」相等。祂身邊的猶太人清楚明白祂的意思，因此以祂為褻瀆，拿起石頭要打死祂（參約八58，十31～33）。馬可福音第十四章62節和約翰福音第十八章5至6節記載同樣的宣告。

宣稱是與神平等

耶穌也用其他的方法宣稱自己與神平等。祂不但採取神的名稱，同時也宣稱自己有神的特權。祂對一位癱子說：「小子，你的罪赦了」（可二5以下）。文士的回應是正確的：「除了神以外，誰能赦罪呢？」因此，為了要證明祂的宣稱不是空口誇張，祂醫治了那個癱子，提供了最直接的證據，證明祂所說赦罪的話是真的。

耶穌所宣稱另一項神的特權就是使死人復活、行審判的權柄：「我實實在在的告訴你們，時候將到，現在就是了，死人要聽見神兒子的聲音；聽見的人就要活了……就出來；行善的復活得生，作惡的復活定罪」（約五25～29）。祂加上一句「父怎樣叫死人起來，使他們活著，子也照樣隨自己的意思使人活著」（21節），使人對祂的意思無可置疑。但是舊約清楚地教導：惟有神才能賜予生命（撒上二6；申三十二39），使死人復活（撒上二6；詩四十九15），是唯一的審判者（珥三12；申三十二35）。耶穌大膽地將唯有神才有的權柄歸諸自己身上。

耶穌同時也宣稱祂將和神一樣得榮耀。祂說所有的人都應「尊敬子如同尊敬父一樣。不尊敬子的，就是不尊敬差子來的父」（約五23）。聽見的猶太人都知道：沒有人可以如此地宣稱自己與神平等，因此他們再度想要殺祂（18節）。

宣稱是彌賽亞——神

舊約的教導很清楚，那將要來拯救以色列的彌賽亞便是神自己。因此，當耶穌宣稱祂是那位彌賽亞時，也就等於同時宣稱自己是神。例如最出名的聖誕經文（賽九6）稱彌賽亞為「全能的神、永在的父」。詩人描寫彌賽亞時寫道：「神啊，祢的寶座是永永遠遠的」（詩四十五6；參來一8）。詩篇第一一○篇記載聖父與聖子之間的一段對話：「耶和華對我主說：『祢坐在我的右邊。』」耶穌在馬太福音第二十二章43至44節將這經文用在自己身上。但以理書第七章是偉大的彌賽亞預言，人子被稱為「亙古常在者」（22節），同一詞在同一段經文中兩次被用來指父神（9、13節）。耶穌在一生事奉中，最常用來指祂自己的便是人子這個稱呼，明顯地源於這段經文。當耶穌在大祭司面前受審判

時，祂則直接引用。當祂被問及「祢是那當稱頌者的兒子基督
（希臘文的彌賽亞）不是？」時，耶穌回答：「我是；你們必看
見人子，坐在那權能者的右邊，駕著天上的雲降臨。」大祭司聽
見後，便撕開衣服說：「我們何必再用見證人呢？你們已經聽見
祂這僭妄的話了！」（可十四61～64）毫無疑問地，當耶穌宣稱
自己是彌賽亞時，祂也同時宣稱了自己是神。

何謂彌賽亞(Messiah)？

彌賽亞來自希伯來文，意為「受膏者」(Anointed One)。廣義而
言，這個字曾被用來指波斯王古列（賽四十五1）和以色列的王
（撒上二十六11）。大衛死後，以色列人基於撒母耳記下第七章
12至16節的應許，開始尋找一位像他一樣的王。但是有關將要來
臨的救主、先知、君王的預言，可回溯至創世記第三章15節和申
命記第十八章。許多經文都論及這位將要來的王。祂被稱為大衛
的後裔（耶三十三），出生於伯利恆（彌五2）。祂將使瞎眼的得
看見、被擄的得釋放、宣揚福音（賽六十一1）。撒迦利亞書第九
和第十二章描述祂的國度。兩約期間，興起兩種對彌賽亞的看
法：一是政治性的，一是屬靈性的，但都認為：二者應在同一位
身上實現。

接受敬拜

　　舊約除了敬拜神以外，禁止敬拜任何其他的對象（出二十1
～5；申五6～9）。新約也一致地顯明屬神的人（徒十四15）和
天使（啟二十二8～9）都拒絕接受敬拜。但是耶穌好幾次接受敬
拜。有位痲瘋病人得醫治後敬拜祂（太八2），一位少年官跪在
祂面前問問題（太九18）。祂平靜風暴後，「在船上的人都拜祂

說：『祢真是神的兒子了』」（太十四33）。迦南婦人（十五25）、雅各和約翰的母親（太二十20）、格拉森被鬼附的人（可五6），他們都敬拜祂而未受任何責備（參啟二十二8～9）。一位瞎子得醫治後說：「主啊！我信！」就拜耶穌（約九38）。耶穌有時也引導人去敬拜祂，一如多馬見到復活的主後呼叫：「我的主！我的神！」（約二十28）唯有當一個人真正認為自己是神的時候，才會這麼作。

宣稱與神有同等權柄

耶穌同時將祂的話和神的話置於同等的地位。祂多次說：「你們聽見有吩咐古人的話說……只是我告訴你們……」（太五21～22）。「天上地下所有的權柄，都賜給我了，所以你們要去，使萬民作我的門徒」（太二十八18～19）。神頒十誡給摩西，但耶穌說：「我賜給你們一條新命令，乃是叫你們彼此相愛」（約十三34）。耶穌說：「就是到天地都廢去了，律法的一點一畫也不能廢去，都要成全」（太五18），但後來用來指祂自己的話：「天地要廢去，我的話卻不能廢去」（二十四35）。耶穌論到那些棄絕祂的人時說：「我所講的道，在末日要審判他」（約十二48）。無可置疑地，耶穌宣稱祂的話和神在舊約中的宣告具有同等的權威。

要人奉祂的名禱告

耶穌不但要人相信祂、順從祂的命令，同時也要人奉祂的名禱告。「你們奉我的名，無論求甚麼，我必成就……你們若奉我的名求甚麼，我必成就」（約十四13～14）。「你們若常在我裡

面，我的話也常在你們裡面，凡你們所願意的，祈求就給你們成就」（約十五7）。耶穌甚至堅稱：「若不藉著我，沒有人能到父那裡去」（約十四6）。門徒的回應是不單奉主的名禱告（林前五4），同時向基督禱告（徒七59）。顯然耶穌的意思是：禱告時不但要在神前求助於祂的名，同時將祂的名當作神來呼求。

因此耶穌多方面宣稱祂自己是神。祂宣稱自己在特權、榮耀、接受敬拜、權柄方面都與神平等。祂採用原本用於耶和華身上的真理，同時稱自己便是應許中的彌賽亞，藉此表明自己便是舊約的耶和華。最後，祂宣稱自己是藉禱告通向神的唯一道路，要人向祂禱告，如同向神禱告。祂身邊猶太人的回應顯明他們清楚明白：如果僅僅是個人，而這般宣稱，便是褻瀆。任何人只要不存偏見，細心觀察研究這些有關耶穌教訓的可靠歷史記錄，必會同意：祂宣稱自己與舊約的耶和華平等。

耶穌宣稱的總結

耶和華——約八58

與神平等——約五18

彌賽亞——可十四61~64

接受敬拜——太二十八17

與神有同等權柄——太二十八18

奉祂的名禱告——約十四13~14

耶穌的門徒對祂有何尊稱？

除了知道耶穌自稱為神外，我們也應當知道祂的門徒如何看祂。自稱為神是一回事；得到其他一神論的猶太人相信祂為神則

完全是另一回事。不論如何，我們發現耶穌的門徒堅決地相信祂的神性。

他們用神的名稱來稱呼耶穌

主的門徒與主一樣地稱呼祂為「首先的和末後的」（啟一17，二8，二十二13）、「真光」（約一9）、「磐石」（林前十4；彼前二6～8；參詩十八2，九十五1）、「新郎」（弗五28～33；啟二十一2）、「牧長」（彼前五4）、「大牧人」（來十三20）。祂被視為赦罪者（徒五31；西三13；參耶三十一34；詩一三○4）和「救世主」（約四42；參賽四十三3）。使徒們也稱祂為「將來審判活人死人的耶穌基督」（提後四1）。這些名稱在舊約都指耶和華，如今在新約指耶穌。

他們認祂為彌賽亞──神

新約一開始便記載耶穌是以馬內利（神與我們同在），指以賽亞書第七章14節彌賽亞的預言應驗了。「基督」這個名稱本身便具有舊約希伯來名稱「彌賽亞」（受膏者）相同的意義。耶和華在撒迦利亞書第十二章10節說：「他們必仰望我，就是他們所扎的。」新約作者兩次將這節經文用在耶穌身上（約十九37；啟一7），預言祂的受難。以賽亞的經文：「除了我以外，再沒有神……萬膝必向我跪拜，萬口必憑我起誓。」（賽四十五22～23）照保羅的詮釋，乃用在他的主身上，所謂「叫一切在天上的、地上的和地底下的，因耶穌的名，無不屈膝，無不口稱耶穌基督為主，使榮耀歸與父神」（腓二10～11）。這裡的意義十分重大，因為保羅是說所有受造之物都會稱耶穌為彌賽亞（基督）

和耶和華（主）。

他們將神的大能歸於耶穌

有些只有神才能做的事，耶穌的門徒都將它們歸在祂身上。他們說：祂能夠使死人復活（約十一）和赦罪（徒五31，十三38）。此外，祂被稱為創世（約一3；西一16）並維持萬有存在（17節）的主要力量。當然，只有神才能被稱為萬物的創造者，但是門徒們宣稱這是耶穌的大能。

他們將耶穌的名與神的名並列

我們已提過耶穌的名被門徒用來作禱告的中介和對象（林前五4；徒七59）。通常在祝禱中，耶穌的名都與神的名並列，例如：「願恩惠平安，從父神與我們的主耶穌基督，歸與你們」（加一3；弗一2）。在所謂的三一公式中，耶穌的名顯然與神的名有同等地位，例如：去「奉父、子、聖靈的名」施洗的命令（太二十八19）。哥林多後書末了的「願主耶穌基督的恩惠、神的慈愛、聖靈的感動，常與你們眾人同在！」（林後十三14）再一次將父子並列。如果只有一神，則此三位必然相等。

他們直呼耶穌為神

多馬見到主的傷痕後，直呼：「我的主！我的神！」（約二十28）保羅說：「神本性一切的豐盛，都有形有體的居住在祂裡面。」（西二9）在提多書中耶穌被稱為「至大的神、我們救主耶穌基督」（多二13）。希伯來書的作者則稱祂為「神啊！祢的

寶座是永永遠遠的」（來一8）。保羅說基督在成為「人的樣
式」（清楚指出耶穌是百分之百的人）以前，祂本有「神的形
像」（腓二5～8）。這種平行的用詞顯示：如果耶穌是百分之百
的人，祂也同時是百分之百的神。歌羅西書第一章15節用相似的
詞彙「不能看見之神的像」表示神本身的顯現。在希伯來書中這
種形容更強而有力：「祂是神榮耀所發的光輝，是神本體的真
象，常用祂權能的命令托住萬有。」（來一3）約翰福音的前言
明白指陳：「太初有道，道與神同在，道就是神」（約一1）。

他們說祂超越天使

　　門徒們不僅只相信基督超越人，他們也相信祂遠比（包括天
使在內）任何受造物都要偉大。保羅說耶穌是「遠超過一切執政
的、掌權的、有能的、主治的和一切有名的；不但是今世的，連
來世的也都超過了」（弗一21）。污鬼順服祂的吩咐（太八
32），甚至拒絕接受敬拜的天使都要敬拜祂（啟二十二8～9）。
希伯來書作者提出了一幅完整的基督超越天使論：「所有的天
使，神從來對哪一個說：『你是我的兒子，我今日生你』？……
神使長子到世上來的時候，就說『神的使者都要拜祂』。」（來
一5～6）沒有比這個更清楚的教導了，基督不是天使，乃是天使
都要敬拜的神。

　　耶穌自己和認識祂的人都見證祂自稱是神，跟從祂的人也相
信祂是神。祂是拿撒勒的木匠，卻宣稱唯有神自己才能具有的名
稱、大能、特權、作為。不論這是否成立，毫無疑問的是：耶穌
如此地自許，他們也如此地相信。正如魯益師所說，當我們面對
基督大膽的宣告時，我們只有幾個選擇。

我想要在這裡預防任何人說一些人們常說的蠢話：「我願意相信耶穌是一個偉大的道德教師，但我不相信祂說自己就是神的宣告。」話絕不能這麼說。因為一個如果只不過是人的人，卻說出耶穌所說的話，那樣的人絕對不是一個偉大的道德教師，只不過是一個瘋子——與相信自己是一個荷包蛋的瘋子沒有兩樣——要不他便是地獄裡的魔鬼。（註4）

耶穌門徒對祂的稱謂

神的名稱——啟一17

彌賽亞——腓二10

神的大能——西一16～17

與神並列——加一3

向耶穌禱告——徒七59

被稱為神——多二13

超越天使——來一5～6

耶穌用何證據支持祂的宣告？

　　耶穌的確作了如上的宣告，但這本身並未證明什麼。如果這些宣告不是真的，則只證明：祂若非騙子，便是瘋子。真正的問題是祂是否能提供足夠的理由，令人相信那些宣告乃是真的？耶穌提供了什麼證據支持祂乃是神的宣告？祂用超自然的印證來支持祂乃一位超自然的存有(a supernatural Being)。這個論證的邏輯如下：

　　1.神蹟是神的作為，印證與它有關來自神的真理。

　　2.耶穌提供了三種神奇的證據，來印證祂是神的宣告屬實

——祂實現了預言、祂無罪的一生和神奇的作為、祂的復活。

　3.因此，耶穌的神蹟證實了祂是神。

可能遭受的質疑

這個論證可能遭受幾種質疑：例如，我們如何知道一位神？我們如何知道祂行神蹟？我們如何知道耶穌的神蹟並非神仙故事？但是我們在討論到本章以前已經證明了上述各點。如果這個宇宙有一位神（第二至三章），則神蹟為可能的（第五章）。第七章論及新約的可靠性，乃是描述耶穌教導和事蹟的一份歷史文件。因此新約無庸置疑地是耶穌生平的歷史記錄，我們可以由查考這份歷史記錄而看出：祂的宣稱是否有神蹟印證。

應驗彌賽亞的預言

　　舊約有關彌賽亞的預言數以百計。有些經文在寫成時，可能並未被視為預言，例如祂將稱為拿撒勒人（太二23），或祂將要逃往埃及（15節）。但有些其他的經文必然是指彌賽亞神，否則便無意義。下列預言乃耶穌所應驗最重要的一部分，新約的經文章節表明它們應驗了：

　　1.生於女人（創三15；加四4）

　　2.生於童貞女（賽七14；太一21以下）

　　3.在主前四四四年出令重建聖殿，四八三年以後祂將會被「剪除」（但九24以下）（參Harold W. Hoehner所著 *Chronological Aspects of the Life of Christ*，頁115～138）

　　4.為亞伯拉罕的後裔（創十二1～3，二十二18；太一1；加三16）

5.屬猶大支派（創四十九10；路三23、33；來七14）

6.為大衛的後裔（撒下七12以下；太一1）

7.出生於伯利恆（彌五2；太二1；路二4～7）

8.受聖靈膏抹（賽十一2；太三16～17）

9.有主的使者作先鋒（施洗約翰）（賽四十3；彌三1；太三1～2）

10.會行神蹟（賽三十五5～6；太九35）

11.會潔淨聖殿（瑪三1；太二十一12以下）

12.被猶太人棄絕（詩一一八22；彼前二7）

13.死於羞辱（詩二十二；賽五十三），包括：

　　a.棄絕（賽五十三3；約一10～11，七5、48）

　　b.在控訴者面前靜默無聲（賽五十三7；太二十七12～19）

　　c.被戲弄（詩二十二7～8；太二十七31）

　　d.手腳被刺穿（詩二十二16；路二十三33）

　　e.與盜賊一同被釘（賽五十三12；太二十七38）

　　f.為逼迫祂的人祈求（賽五十三12；路二十三43）

　　g.祂將被扎（亞十二10；約十九34）

　　h.被葬於財主的墳墓中（賽五十三9；太二十七57～60）

　　i.人為祂的衣裳拈鬮（詩二十二18；約十九23～24）

14.會從死裡復活（詩十六10；可十六6；徒二31）

15.會升天（詩六十八18；徒一9）

16.會坐在神的右邊（詩一一○1；來一3）

　　重要的是要明白，這些預言都在基督出生幾百年以前便已寫成。沒有人能觀察時代的徵兆，或但憑猜想（像超級市場收銀處側擺放的所謂「預言」），便可以有如此詳盡準確的預言。甚至

最新派的評論家都承認：先知書在主前四百餘年已經寫好，但以理書約在主前一六七年完成。雖然現在有許多好證據證明它們成書年代更早（有些詩篇和較早的先知書在主前八、九世紀已寫成），但又有什麼分別呢？要預測二百年以後的事，和要預測八百年以後的事一樣困難，一樣非神的智慧不能成事。就算是採取較晚的成書日期，這麼多預言的應驗仍然神奇不可思議，顯明這是神對耶穌為彌賽亞的印證。

有些人曾說這些看似預言應驗，其實另有自然的解釋。一種解釋便是這些預言都偶然地在耶穌身上應驗。換言之，祂偶然在正好的時間出現在正好的地方。但有關神蹟的預言又如何解釋呢？——「祂偶然間使瞎子得看見」？「祂偶然間由死裡復活」？這些怎麼看都不像偶發事件。如果如前所述，有一位神掌管著宇宙，則不可能是純粹偶然。邏輯上而言，有可能偶然間所有的預言都集中在一個人身上，但實際發生的可能性不大。數學家們（註5）曾計算這十六個預言都發生在一個人身上的或然率為1對10的45次方。這個比率小到使我們幾乎無法想像。但邏輯上的不可能並未排除這個理論，這個理論不成立乃是由於道德上的不可能。一位全能全知的神不可能讓事情發展得如此失控，讓一個人偶然在正好的時間出現在正好的地方，以致搞砸祂預言的計畫。神不能說謊，也不能失信（來六18），因此我們必須下結論說：祂並沒有容許祂預言的應許因偶然機率而落空。所有的證據都指向耶穌為神所指定應驗彌賽亞預言的人。祂是由神而來的，有神的神蹟作為印證。

大冒牌貨

史空福德(Dr. Hugh Schonfield)在《逾越節陰謀》(*The Passover Plot*)這本書中提出另一種假說：認為事物經由耶穌的操縱，使得

祂看起來應驗了那些預言。但一個人如何操縱自己的出生地點、
家世譜系、進入世界的時間，或是猶太人對祂反應的方式呢？預
言很多部分都在一個凡人控制能力之外。試問：一個人如何安排
自己被童女所生？或在某年被生在伯利恆？而且，構思並執行如
此唬人、狡詐的陰謀，與我們對耶穌性格每一方面的瞭解，都全
然悖反。

祂神奇無罪的一生

　　耶穌一生的事蹟具體說明祂的確是神。僅憑一個無罪的人生
並不能證明祂就是神（雖然耶穌的確有一個無罪的人生），但祂
宣稱自己為神之後，同時又能提出一個無罪的一生為證據，那就
大不相同了。有些敵擋耶穌的人找假見證來控告祂，但是彼拉多
在審判祂時所作的判決也一直是歷史性的判決：「我查不出這人
有甚麼罪來。」（路二十三4）十字架前的百夫長也同意，說：
「這真是個義人。」（47節）掛在耶穌旁邊十字架上的強盜說：
「這個人沒有作過一件不好的事。」（41節）但真正的考驗來自
那些曾與耶穌親密同處的人對祂品格的評價。祂的門徒們曾與祂
一同生活、一同工作數年，在同一個親密的圈子裡，然而他們對
祂的評價一點也不打折扣。彼得稱基督為「無瑕疵、無玷污的羔
羊」（彼前一19），又說：「祂並沒有犯罪，口裡也沒有詭
詐。」（彼前二22）約翰稱祂為「那義者耶穌。」（約壹二1，
參三7）保羅也表達出早期教會異口同聲的信念，說基督為「那
無罪的。」（林後五21）希伯來書的作者說祂也曾如人一般地凡
事受過試探，「只是祂沒有犯罪。」（四15）耶穌自己也曾向控
訴祂的人挑戰：「你們中間誰能指證我有罪呢？」（約八46）沒
有人能夠在任何事上指證祂有罪。既然如此，基督無罪的品格為

祂的宣稱提出雙重的見證，不但證明祂誠然具有神性，同時也讓我們知道：當祂說祂是神時，祂並沒有說謊。

除了祂的道德生活外，我們也要考慮祂事工的神奇性質。祂將水變成酒（二7以下）、在水面上行走（太十四25）、使餅增加（六11以下）、開瞎子的眼（九7以下）、使瘸子行走（可二3以下）、趕鬼（三11以下）、醫治許多各樣的疾病（太九35），包括大痲瘋（可一40～42）、甚至數次叫死人復活（約十一43～44；路七11～15；可五35以下）。當被問及祂是否彌賽亞時，祂用祂所行的神蹟為證據來支持那樣的宣稱，說：「你們去把所聽見所看見的事告訴約翰；就是瞎子看見、瘸子行走、長大痲瘋的潔淨、聾子聽見、死人復活。」（太十一4～5）這些神蹟是一個特別的指標，指出彌賽亞已經來了（賽三十五5～6）。尼哥底母甚至說：「拉比，我們知道祢是由神那裡來作師傅的；因為祢所行的神蹟，若沒有神同在，無人能行。」（約三2）對第一世紀的猶太人而言，基督所行的神蹟為清晰的指標，顯明神對行神蹟者所傳信息的認可。就耶穌而言，祂所傳的信息之一便是：祂是神，成為肉身。祂的神蹟證實祂的宣稱，祂真的是神。

祂的復活

第三種支持耶穌自稱為神的證據乃所有證據中最光輝、最偉大的證據。沒有任何其他宗教可以提出同樣的證據，也沒有任何其他的神蹟有如此多的歷史證據。耶穌死後第三天以改變的身體由死裡復活，祂以復活的身體向五百多門徒顯現，四十天之久，最少有八次不同的場合；祂與他們交談、與他們一同吃喝、讓他們摸祂、為他們煮早餐。舊約和耶穌本身都曾預言祂會由死裡復活，這使得這個神蹟更有意義。當有人雖然見到祂行的神蹟仍然

不肯相信的時候，耶穌便以復活這事作為祂神性的最後鐵證。因為我們知道新約提供正確的歷史資料，我們所需要作的便是查驗證據，並對有些人提出來企圖否認復活的質疑作出答辯。

最早的信條

林前十五3～5可能是今日所見認信基督教教義最早的公式用語。那形式似乎表明它是被當作信條來理會的。該信條包括兩方面的聲明，每一方面的聲明後面有一個證據支持：基督死了（以埋葬為證）；祂復活了（以顯現為證）。這兩方面乃基督教最重要、也最核心的教義。它們強調罪得赦免和來世的確據。傳福音要傳講這兩點，而這兩點已由耶穌復活這個歷史事件確定無疑。

舊約及復活

舊約以明確的陳述和邏輯的推論兩種方式論及這次復活。首先，門徒們將有些舊約經文用於基督復活一事上。彼得引用詩篇第十六篇8至11節說：「因祢必不將我的靈魂撇在陰間，也不叫祢的聖者見朽壞」（引用於徒二25～31），然後申訴：因為我們知道大衛已死、已被埋葬，因此他這句話必定是指基督而言。當保羅在會堂中「本著聖經與他們辯論，講解陳明基督必須受害、從死裡復活」（徒十七2～3）時，無疑會用到諸如此類的經文。

同時，舊約也藉著邏輯推論教導復活真理。有經文明顯地教導：彌賽亞要死去（參詩二十二；賽五十三），也有同樣清楚的經文教導說：祂在耶路撒冷的政權將存到永遠（賽九6；但二44；亞十三1）。除非死去的彌賽亞能由死裡復活實行永遠的統治，否則這兩類經文無法同時成立。耶穌在君臨天下以前必須先

死，唯有藉著復活，彌賽亞國度的預言才能夠應驗。

耶穌預告祂自己將會復活

　　耶穌也數次親自預言祂會復活。祂在事工才開始的時候就說了：「你們拆毀這殿（祂的身體），我三日內要再建立起來。」（約二19）馬太福音第十二章40節記載祂的預告：「約拿三日三夜在大魚肚腹中，人子也要這樣三日三夜在地裡頭。」祂對那些曾經見過祂行的神蹟卻仍舊硬心不信的人說：「一個邪惡淫亂的世代求看神蹟，除了先知約拿的神蹟之外，再沒有神蹟給他們看。」（39節；十六4）彼得宣稱祂為基督以後，「從此祂教訓他們說：『人子必須受許多的苦……過三天復活』」（可八31），從此直到祂死為止，這成為祂教導的中心主題。祂還進一步地說：祂會使自己由死裏復活，「我有權柄捨了（我的命），也有權柄取回來」（約十18）。

　　哲學家卡爾巴柏(Karl Popper)說：不論何時當一個「孤注一擲的預言」實現的時候，與它連帶的理論也被視為獲得證實。（註6）還有什麼比你預言自己會死而復活更孤注一擲的預言嗎？如果有人連這樣的預言應驗後，都不肯相信這便是真理的證據，則他顯然已有偏見，無論有什麼證據，他都不會相信的了。耶穌顯然願意讓人根據這個預言實現與否，來決定是否要相信祂是神。

耶穌確實死在十字架上

在我們證明耶穌由死裡復活以前，我們需要證明祂確實已死。可蘭經說：耶穌只是詐死(Surah IV:157)，許多懷疑論者也說：可能由於祂服了藥物，以致顯得好像死了一樣，後來卻在墳墓中復活。一個活人由墳墓中走出去，那絕對不是一個神蹟。因此耶穌必須先死，復活才會具有意義。

為了證明這事，有幾點必須注意：

1.沒有任何證據顯示耶穌服過藥物。當時受十架苦刑的犯人通常會得到止痛劑（沒藥調和的酒），耶穌卻拒絕接受（可十五23）。在祂死前有人把海絨蘸滿了醋送給祂喝，想要幫助祂滋潤一下乾渴的喉嚨，但這並不足以致醉（36節）。祂明顯可見的痛楚以及死前的呼喊顯然並非藥性發作的人昏迷前的表現。

2.祂大量失血，使祂的死亡更加可信。當祂在客西馬尼園中禱告時，祂情緒激動到一個地步，導致「汗珠如大血點，滴在地上」（路二十二44）。祂在被釘之前的一個晚上不斷地受到羅馬鞭（Roman scourge，末端箍有骨或鐵）的鞭笞，被打的人通常皮開肉綻，導致失血暈死。祂的頭上戴著荊棘冕，祂在被釘以前可能已經處於嚴重瀕臨危殆的狀況中了。接著，在早晨九點到日落以前，祂最少又受了五處重創（參25、33節），其中四個是將祂釘在十字架上的釘傷。我們從巴勒斯坦被釘死者的遺體得知：這些釘子長約五至七英寸，闊八分之三英寸。

3.當祂的肋旁被槍刺入，隨即有血和水流出來。這個最好的證據顯示：羅馬兵丁在藉此試驗祂是否真的已死。槍尖由肋骨之間刺入，刺進右肺、心囊以及心臟中，導致血和肋膜的液體流

出。在他們將祂從十字架上取下來以前，耶穌毫無疑問已死去；極可能在祂肋旁被刺以前就喪命了。祂雙手雙足的傷口可能傷害到祂主要的神經。事實上最後肋旁的那一槍本身即足以致命（約十九34）。

4.十架苦刑的標準程序為：將犯人的腿打斷，使他不能自己抬高以呼氣，犯人便會因肺中充滿二氧化碳而窒息。請留意：他們打斷每一個犯人的腿，但是，在這裡專業的羅馬行刑手宣佈耶穌已經死了，因此沒有打斷祂的腿（33節）。他們心中對此毫無疑問。

5.耶穌的身體被大約75到100磅的香料和細麻布裹好，放在一個園子裡的墳墓中（39～40節）。就算祂能夠在墳墓中站起來，祂也無法自己鬆綁、將封住墳墓出口的大石挪開、制伏看守的兵丁，然後偷偷地逃走（太二十七60）。

6.彼拉多問清楚了耶穌的確已死之後，才准許釋放祂的身體以便埋葬（可十五45）。

7.如果耶穌真的成功詐死逃跑，祂再出現時會被當成是卑鄙的可憐蟲復出，而不會被人認為是一位復活的救世主，造成天翻地覆的大變動。

8.《美國醫藥學會雜誌》裏有篇文章「論耶穌基督肉身之死」（On the Physical Death of Jesus Christ)，它的結論如下：「歷史和醫學壓倒性的證據不但清楚揭示：耶穌在肋旁被刺以前已經死亡，並且支持傳統的看法。那刺槍刺進祂的右肋中間，可能不但貫穿祂的右肺，同時也刺入心囊和心臟，進一步確保祂已死。據此而論，基於耶穌並未死於十字架上這假設出現的諸般解釋，是完全不合乎現代醫學知識的。」（一九八六年三月二十一日版，頁1463）（註7）

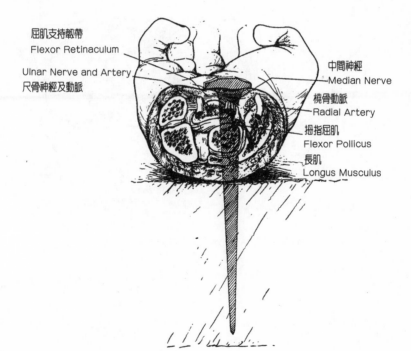

屈肌支持韌帶
Flexor Retinaculum

Ulnar Nerve and Artery
尺骨神經及動脈

中間神經
Median Nerve

橈骨動脈
Radial Artery

拇指屈肌
Flexor Pollicus

長肌
Longus Musculus

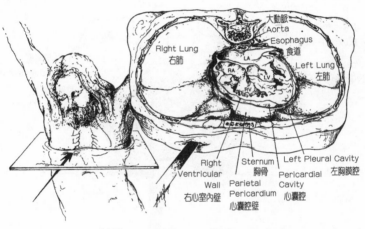

RA 右心房　　LA 左心房　　RV 右心室　　LV 左心室

耶穌由墳墓中肉身復活

　　耶穌肉身不但真正地死去，祂也以同樣的肉身復活。有關基督的復活有許多其他不同的解釋，但都不合乎事實。許多持懷疑態度的人在嘗試反駁復活的時候成為基督徒。當我們查考這些其他不同的解釋時，便有機會見到所有的證據都指向一個答案：唯有復活才能解釋所有的事實。

亞利馬太的約瑟將祂的身體偷去

　　這個理論的問題可濃縮為「為何？何時？何處？」約瑟為何要取去耶穌的屍體？他實在沒有理由如此作。他不可能為了防止門徒盜屍而如此作；他自己便是一個門徒（路二十三50～51）。如果他不是跟從耶穌的人，他可以將屍體搬出來，復活的故事立即不攻自破。他何時可能去取走屍體？約瑟是一個敬虔的猶太人，不會干犯安息日，尤其是逾越節的安息日（參50～56節）。如果在晚上，他須點火炬，這就會被人發現。預備日的次日便有羅馬兵丁看守墳墓（太二十七62～66）。再過一天，清晨天未亮時，婦人已來探墓（路二十四1）。就算他要偷屍都沒有機會。就算他真的偷了，他能將屍體放在何處？兩個月以來，一直到門徒開始傳道以前，耶穌的屍體一直都沒有被發現。如果這是一個騙局，當時有充足的時間揭發這個騙局。這個理論沒有足夠的動機、機會和方法支持，對耶穌以復活之身顯現也無解釋和交代。

逾越節陰謀

史空福德於一九六五年發表一本書《逾越節陰謀》，聲稱揭發了耶穌歷史的內幕。他在書中說：耶穌指示亞利馬太的約瑟將祂的身體從墓中移走，以便祂以彌賽亞的身分顯現。他將主復活的顯現解釋為：將一個長像相同的人誤認作耶穌。門徒在主復活後膽量大增，那是因為他們在毫不知情的情況下受迷惑所致。

羅馬人或猶太領袖將祂的身體偷去

這個理論甚不合理。假使他們偷走了主的身體，為何還要控訴門徒偷屍？（太二十八11～15）此外，他們只要將屍身搬出來，復活的故事便不攻自破。他們雖不斷地抗拒使徒的教導，卻從未嘗試反駁他們。這理論也同樣未能解釋耶穌肉身的復活顯現。

門徒偷走祂的身體

這與我們對門徒的認識不合。他們並非不誠實的人，並且全都認為誠實是極大的美德。彼得後來對他人指控他們「隨從乖巧捏造的虛言」加以否認（彼後一16）。他們也並非自作聰明地想要令基督的預言成真。在祂被捕的那晚，他們甚至不明白祂將要死的事，遑論復活了（約十三36）。他們第一次看到空墳墓時，不知道應當如何回應（二十9）。他們躲藏起來，因為害怕猶太人（19節）。這像是一羣會勇敢地從守衛森嚴的墓地中偷屍的人嗎？如果這個假設成立，則我們也必須相信：門徒不但對這騙局執迷不悟，甚至還為他們明知是假的事去死！

門徒和婦女從未去探墓

有些人說：耶穌死後兩個月，祂的靈向門徒顯現，門徒據此傳揚復活的信息，但他們從未去探墓，查證祂的屍體是否仍在。但是，四福音書清楚地記載許多人先後去探墓。首先，趕來想完成埋葬程序的婦女（可十六1）看見石頭輥開了的空墳。約翰第二個到達墓地，他見到了裹屍的細麻布。彼得隨後來到，進入墳墓，也見到上述情景，還見到了裹頭巾（綁在頭上以使顎緊合的布條）在另一處捲著（約二十3～8）。同時，看守的兵在進城向猶太人領袖報告之前，沒有理由不先行詳細搜索一番才去報告的（太二十八11以下）。如果兵丁對屍體忽然失蹤能提出一個合理的解釋，他們沒有理由串通撒謊。這個理論也無法解釋耶穌以復活之身顯現、門徒脫胎換骨的改變，以及幾星期後眾多人民回轉信主。

婦女去到錯誤的墳墓

有些人會說那些婦人可能找錯了墳墓，見到某座空墳，以為祂復活了。這理論也太過幼稚了。如果說天太黑，馬利亞怎會將祂錯認為看園的？（約二十15）彼得和約翰在光天化日之下為何也會犯同樣的錯誤？（6節）尤其重要的是，猶太人領袖為何不直接到真的墳墓那裡，將屍身示眾？如此便可輕而易舉地打破一切有關復活的宣告。這個理論對於耶穌以祂受死時同樣有血有肉的身軀復活顯現也無法提出解釋。

雷克(Kirsopp Lake)的理論

雷克為著名的新派神學家，他提出婦女去錯墳墓的理論，認為婦女們在主日清晨走到墳墓那裡，問看守墳墓的人：「耶穌被放在哪裡？」看墳的回答說：「祂不在這裡，」在他還未來得及接著說：「祂在那裡」前，她們已經迫不及待地跑去傳揚復活的消息了。

耶穌以復活之身顯現

耶穌由死裡復活最大的證據便是：祂在十二種不同的場合下被五百多人見到。哥林多前書第十五章3至5節所記載信條式的宣告，便是早期教會的產品，在耶穌死後幾年之內便已形成，因此具有極大的歷史可靠度。（註8）

祂肉身復活，而非只是靈性復活。當保羅在第44節提到「靈性的身體」時，表示與我們現在「血氣的」身體相對照，乃一個以靈性為主或說超自然的身體，並非表示非物質的身體，因為同一個字曾被用來形容物質的磐石（林前十4）、實際的食物（林前十3），以及肉身的人（林前二15）。保羅的用法正如我們說「保羅是一個屬靈的人」或「聖經是一本屬靈的書」時一樣的用法。

耶穌有骨有肉（路二十四39）、能吃魚（42～43節）、要懷疑祂的人摸祂，看看祂是否真的復活（39節）。祂對多馬說：「伸過你的指頭來，摸我的手；伸出你的手來，探入我的肋旁。」（約二十27）這種接觸證實門徒不可能只是見到一個靈或幻象。聖經甚至清楚顯示：異象只是發生在心裡，在世界上並沒有實際的顯現（徒七54～58；林後十二1～4），不同於耶穌顯現

時每一個在場的人都可以用他們肉身的五官去看見或聽見。

除了這幾個人不只一次見到祂，有些人單獨見到祂，有些是一大羣人見到祂；有時是在晚上，有時是在白天。保羅要那些懷疑耶穌復活的人去問任何一位當時仍然在世的見證人（林前十五6）。同時，祂顯現的時間也夠久，足夠讓人來確定祂便是耶穌。祂與某些人說話同行（路二十四13以下）、與某些人共同進食（約二十一1以下）、久留不去為要教導他們有關神國的事（徒一3）。有如此這般的見證作為支持，耶穌復活的真實性實在不容置疑。

十二次復活的顯現

1. 向抹大拉的馬利亞顯現（約二十11）

2. 向其他的婦女顯現（太二十八9～10）

3. 向彼得顯現（路二十四34）

4. 向兩門徒顯現（路二十四13～32）

5. 向十位使徒顯現（路二十四33～49）

6. 向多馬和其他使徒顯現（約二十26～30）

7. 向七位使徒顯現（約二十一）

8. 向全部使徒顯現（太二十八16～20）

9. 向全部使徒顯現（徒一4～9）

10. 向五百位弟兄顯現（林前十五6）

11. 向雅各顯現（林前十五7）

12. 向保羅顯現（林前十五7）

總結

　　在本章開始時,我們說:我們會證明耶穌基督是神。我們首先對「我們無法真的知道歷史的原樣」的異議提出回應。接著我們提到新約記錄不僅是宗教作品,同時是可信的歷史記載,它們源自第一世紀的目擊證人,可以和當時其他的歷史資料相印證。最後,我們見到耶穌使用好幾種直接和間接的方式,宣稱祂便是耶和華神,並且提出三種證據支持祂的宣告:應驗預言、無罪和神奇的一生,以及祂的復活。祂的每個宣稱都有堅實的歷史證據作為印證,因此無可避免的結論便是:耶穌稱自己為神的宣告乃真實的。目擊證人可靠的歷史證據是印證,祂所行的神蹟也是印證,一來自人,一來自神。如此多方面的證據集中於一人身上,顯示唯有耶穌是神的獨生子,因為唯有祂如此宣稱,並如此證實。一位曾經是無神論者的人,現在成為著名學者,他查驗過復活的證據之後,作了如下的結論:

> 耶穌的復活意義之大,不僅是因為曾有人從死裡復活,更是因為那是拿撒勒人耶穌,祂因為褻瀆神而被猶太人煽動處死。如果這人由死裡復活,則清楚顯明:那位說是被祂褻瀆了的神實際委身於祂。(註9)

　　「時代」雜誌刊登的一封信也顯示出同樣的推理,寫信者為一位看出復活真實性的猶太拉比:

> 我實在完全無法理解拉匹德(Pinchas Lapide)的邏輯。他相信有可

能神真的使耶穌復活，同時卻又不願意接受耶穌為彌賽亞。但是耶穌說祂自己是彌賽亞。神難道會使一個騙子復活？（註10）

這是一個很好的問題。如果我們夠誠實，面對這麼多證據，應當會與多馬一同屈膝，稱祂為：「我的主！我的神！」

為何耶穌勝於其他大師？

基督教是否真的提供勝於其他宗教的東西？耶穌基督是否真的勝於其他的宗教或哲學領袖？讓我們看看世界上某些主要宗教哲學派別創始人的宣告和教導，與基督作一個比較。

摩西

耶穌自己是一個猶太人，不會反對為猶太人帶來律法，引領以色列人從埃及奴役之下出來，成為一個獨立國家的先知摩西。摩西和耶穌都是同一位神的先知，耶穌甚至說：祂來不是為了要廢掉律法（摩西的作品），乃是要成全律法（太五17）。耶穌暗示：摩西的話便是神的話（參太十九4～5及創二24）。然而，耶穌在許多方面遠勝過摩西。

摩西預言耶穌的來臨

摩西在申命記第十八章15至19節預言，神會興起一位猶太先知，傳遞由神而來的特別信息，任何不相信這位先知的人都會受神審判。按傳統的解釋，這經文是指彌賽亞。也有許多人認為：

創世記第三章15節也是指耶穌說的，祂就是那位女人的後裔，將
會傷蛇的頭。

耶穌有更卓越的啟示

「律法本是藉著摩西傳的，恩典和真理都是由耶穌基督來
的。」（約一17）摩西固然設立道德和社會架構來引導以色列
國，但是律法不能救任何人脫離因犯罪而要受的刑罰：死亡。正
如保羅所說：「凡有血氣的沒有一個，因行律法，能在神面前稱
義，因為律法本是叫人知罪。」（羅三20）然而，由耶穌而來的
啟示，卻是宣告赦免律法叫人知的罪，「如今卻蒙神的恩典，因
基督耶穌的救贖，就白白的稱義」（24節）。基督的啟示以摩西
所傳的為先驅，律法讓我們意識到問題，福音則解決這問題。

耶穌有更卓越的地位

摩西是舊約最偉大的先知，耶穌卻不只是一位先知。希伯來
書說：「摩西為僕人，在神的全家誠然盡忠，為要證明將來必傳
說的事；但基督為兒子，治理神的家。」（來三5～6）摩西事奉
神，耶穌則是神的兒子，有權治理所有的僕人。

耶穌行更卓越的神蹟

摩西誠然行過許多與耶穌所行一樣偉大的神蹟，但是在程度
上而言，基督的神蹟更偉大。摩西舉起銅蛇使仰望的人得醫治，
但他從未使瞎子復明或聾子復聰。同樣的，摩西事工中也沒有可
與復活相比的。

耶穌作出更卓越的宣稱

簡單地說，摩西不是神，耶穌是神。摩西從未宣稱自己是神，他所作所為無非是要成就他先知的職分。耶穌自稱是神，並且提供神蹟為印證。

摩西：頒佈律法者

摩西並非猶太教的創始者。猶太國始於摩西以前六百年的亞伯拉罕（約主前二千年）。摩西出生於埃及一個希伯來家庭中，被法老的女兒撫養長大，成為王子。他知道自己是希伯來人之後，因殺人逃離埃及，成為一個牧羊人，直到神呼召他去幫助他的同胞得自由。他寫了舊約的頭五卷書（創世記、出埃及記、利未記、民數記、申命記），被稱為摩西五經或妥拉（律法書）。

穆罕默德

回教的始祖穆罕默德與耶穌、摩西都同意只有一神，祂創造宇宙，也超越宇宙。事實上，雙方經典對於創世記前十六章的記載（直到夏甲被逐出亞伯拉罕之家）都十分相似。之後聖經焦點在以撒身上，回教則關懷他們先祖以實瑪利的事蹟。穆罕默德的教導可以總結為五大教義。

1. 阿拉(Allah)是唯一的真神。

2. 阿拉曾差遣許多先知，包括摩西和耶穌，但穆罕默德是所有先知中最後並最偉大的一位。

3. 可蘭經是最高宗教書籍，優於律法、詩篇以及耶穌的福音(Injil of Jesus)。

4.神、人之間有許多中間的存有（天使），有些是好的，有些是壞的。

5.每個人的行為都會被放在秤上衡量，以決定他在復活時會上天堂還是下地獄。

得救的方法包括每天頌讀「認信」(Shahadah)數次（「除阿拉外別無他神；穆罕默德是他的先知。」）、每天禱告五次、每年守齋一個月、奉獻，以及去麥加朝聖。

但我們發現耶穌所傳的信息在許多方面都更加優越。

穆罕默德：阿拉的先知

穆罕默德在主後五七〇年生於麥加，主後六三二年去世，原名阿布爾卡辛(Abúl Kassim)。很小的時候就成為孤兒，由叔叔撫養大，在多次商隊長途跋涉中帶著他同行。二十五歲的時候，他娶了他的老闆，辭去工作，把時間花在對生命的黙想和反省上。四十歲時，他的心靈出現異象，生理上同時出現劇烈的痙攣，在失神狀況中他接收到來自阿拉的啟示。由於遭迫害，他和他的信徒逃離麥加，到雅雷伯(Yathrib)去，他後來將那裏更名為麥地那，回教就是在那裏正式奠基。接下去的十年幾乎是不斷的戰爭，替他的宗教贏得新領域和改宗皈依者，直到最後將麥加攻下。他的著作被稱作可蘭經，他宣稱是經由天使加百列口授給他的。

耶穌提供更好的得救之路

聖經中的神與回教的神不同，祂採取一種特別的方式來主動幫助我們，便是差遣祂的兒子降世，為我們的罪而死。穆罕默德無法提供得救的確據，只提供我們如何努力以取悅阿拉的方法。基督用祂的死為我們提供一切去天堂所需。「因基督也曾一次為

罪受苦，就是義的代替不義的，為要引我們到神面前」（彼前三
18）。

耶穌提供更卓越的生命

　　穆罕默德一生最後的十年花在戰爭上。他是一位多妻主義
者，妻妾超過他替他的信徒規定的數目（四位）。據說他曾破壞
自己所定的規律，搶劫往返麥加的商旅（其中有人可能是去朝聖
的）。

耶穌提供更卓越的神蹟

　　穆罕默德移山的故事和他軍事上的勝利，遠不足與基督的神
蹟相比。提出的證據離事件發生時間既不夠近，也非來自目擊
者。他的事蹟中並沒有像基督的神蹟中可見到的良善和憐憫本
質，也絕無任何事蹟，它的能力和獨特性可與耶穌的復活相提並
論。

耶穌作出更卓越的宣稱

　　穆罕默德從未自稱為神。三位一體的教義是解釋耶穌如何也
是神，卻被回教徒誤會為多神論。穆罕默德只自稱是位先知，但
是耶穌自稱為神。祂不但如此自稱，同時由死裡復活，證明祂的
宣告是真實的。

印度教的尊者

　　印度宗教中有極多不同的教派和不同的觀點，因此印度宗教無法一概而論，但下面所提的乃印度教的基要教義。尊者(Guru)意為老師，是印度教中不可或缺的人，因為印度經典無法藉閱讀來理解，必須向一位尊者學習。人們認為他們是聖潔的，甚至在他們死後敬拜他們。他們所教導的是：人需要從無止境的再生輪迴(reincarnation,samsara)中解脫出來，輪迴是由業力(karma)導致，也就是今生和所有前生一切言、行、活動的結果。唯有當一個人將他的存有和意識擴展至無限，覺悟到自我(atman)與梵天（Brahman，絕對的存有，萬物由他而出）為一時，他才能得到解脫(moksha)。換言之，每一位印度教徒都應當覺悟到他便是神。而這種覺悟唯有藉著下列途徑之一才能得到：

　　1.智瑜伽(Jnana Yoga)──超度之道在於對古代經典的知識和內在的默想；

　　2.獻身瑜伽(Bhakti Yoga)──超度之道在於忠誠獻身於印度眾神中之一；

　　3.業力瑜伽(Karma Yoga)──超度之道在於善行，例如慶典儀式、祭祀、禁食、朝聖，行善事時，不可心存求得回報。

　　這幾個方法都或多或少會包括羅闍瑜伽（Raja Yoga，一種控制自己身體、呼吸、思想的默想技巧）。上述是正統印度教，實際通行的印度教則充斥著迷信、有關諸神的傳奇故事、玄學秘術，以及邪靈崇拜。

　　耶穌的教導在下列數方面比印度教更加卓越。

耶穌教導更卓越的世界觀

我們在第三章已討論過無神論世界觀的問題，結論是有神論為更卓越的觀點。我們在檢討泛神論時，也說過：「我覺悟到我是神」是無意義的說法，因為神一直知道祂是神。然而印度教的中心思想便是，宣稱人能夠覺悟到他是神。

耶穌有比尊者更卓越的道德

正統印度教堅持認為：應任憑受苦的人繼續受苦，因為那是他們的命運，取決於自身的業力。耶穌卻說：「愛你的鄰舍如同自己」並說任何需要幫助的人都是你的鄰舍。約翰說：「凡有世上財物的，看見弟兄窮乏，卻塞住憐恤的心，愛神的心怎能存在他裡面呢？」（約壹三17）同時，若非大部分，至少有許多尊者利用他們備受尊敬的地位，在財務或性方面剝削、利用跟隨他們的人。貝格文(Bagwan Sri Rajneesh)搜集了數十輛信眾所贈的英國製高級勞斯萊斯(Rolls Royce)轎車。披頭四在得知尤巨(Maharishi Mahesh Yogi)對他們派對中女子身體的興趣，遠遠超過對他們任何一人心靈的興趣時，他們如夢方醒，承認：「我們錯了。」

耶穌提供得到屬靈光照更卓越的方法

印度教中的薄伽梵歌(Bhagavad Gita)及優婆尼沙曇（Up-anishads，奧義書）必須藉著尊者才能夠理解，聖經卻是任何人都可懂，其中沒有任何祕傳(esoteric)或隱藏的真理，非要藉常

理以外的方式解讀。此外，基督徒的默想並非努力使心中空無一物，而是努力將聖經真理的原則注入其中（詩一）。內在默想一如剝洋蔥，你一層接著一層不斷地剝，到最中心時，你會發現什麼也沒有。但默想神的話則是面對著內容豐富的經文，展開個中的義蘊，直到你的內心深處得到最大的滿足。

耶穌教導更卓越的得救之道

印度教徒必須憑己力解脫，在解脫前，他一直陷在業力的輪迴中。但是耶穌應許我們因信便可得救，並且我們知道有得救的確據（弗一13～14；約壹五13）。

印度教的源起

印度最早的宗教起源於約主前二千年，住在印度北部印度河谷(Indus Valley)部落羣有一個多神宗教，主要是玄學秘術。這些部落後來被中亞軍隊征服，將他們的吠陀宗教（強調自然過於眾神）與印度河谷的部落宗教相併，由此產生出眾男神和眾女神完整的譜系。最後期變得比較哲學化，像奧義書就開始致力於用一個單一原則將所有的現實融會貫通。這種汎神主義的原則被稱為「梵」。這時期並引進了輪迴的觀念。

佛祖

悉達多瞿曇（Siddhārtha Gautama，佛祖意為覺者）發展了一個與猶太教和基督教大相逕庭的宗教。佛教始於印度教內部的改革，當時印度教已成為一個充斥臆度和迷信的系統，瞿曇為糾正這現象，他放棄儀式和秘術，發展出一個無神論的宗教（然

而佛教後來在形式上又退回印度諸神的信仰）。他基本的信念可歸納為四聖諦（Four Noble Truths，釋迦牟尼以苦、集、滅、道為四諦）：

1. 生命是苦難，

2. 受苦的原因是對享樂和成功的慾望，

3. 惟有消除慾望才能勝過苦難，

4. 消除慾望的方法是八正道(Eightfold Path)，這既是佛教的宗教教育制度，也是它的道德信條。包括正見（right knowledge，四聖諦）、正思維(right intentions)、正語(right speech)、正業（right conduct，戒殺生、酒、偷、說謊、淫亂）、正命（right occupation，任何不致造成苦難的職業）、正精進(right effort)、正念（right mindfulness，否定有限的自己）、正定（right meditation，羅闍瑜伽）。

　　佛教徒的目標並非天堂或與神同在，因為在瞿曇的教導中，神不存在。他們尋求涅槃(nirvana)，也就是所有苦難、慾望、自己存在的幻象都歸寂。比較新派的佛教教派為大乘佛教(Mahayana Buddhism)，將瞿曇奉作神，視為救世主。但是小乘佛教(Theravada Buddhism)較接近瞿曇的教導，說他從未自稱為神。主張佛祖為救世主的人流傳說，佛祖的臨終遺言是：「佛確實指示了道路，但也僅止於此，救贖還是得靠自己努力去得。」

　　佛教為印度教的不同形式，它的問題與前述印度教的一樣，在那些方面耶穌的教導顯然也較佛教的高明。

耶穌說生命有盼望

　　佛教主張生命除了苦難以外別無其他，人的自我也待根除。

耶穌則教導說：生命是神賜給人要人去享受的恩賜（約十10），
每一個人都當得到最高的尊重（太五22）。此外，祂還應許永生
（約十四6）。這顯然勝於佛祖要消滅慾望和自我的教導。

耶穌提供更卓越的得救之路

佛教同時也說再生輪迴為得救之道之一，然而，每個人的自
我或靈魂都在每一次生命結束時消滅。因此，就算你繼續活下
去，有得到涅槃盼望的也不再是原本那個你。耶穌應許每一個人
都有屬於他個人的盼望（約十四3），祂也對與祂同釘的強盜
說：「今日你要同我在樂園裡了。」（路二十三43）

耶穌說祂自己便是神

最具決定性的證據仍然是一個空墳，證明耶穌宣稱自己為神
成肉身是真實的告白。佛祖從未如此宣稱，也從未提出任何可以
證明這一點的證據。他只不過要替跟從他的人指出達到涅槃之
路。

佛祖：覺者(The Enlightened One)

悉達多瞿曇（Siddhārtha Gautama，即釋迦牟尼）約於主前五六
〇年出生於一個上階層的家庭。他早年生活舒適，備受蔭庇，當
他第一次覺察到世上有極大的苦難時，已經是一個二十餘歲的青
年人了。他求教於印度師傅，一度禁慾苦行，覺悟到兩個極端
（放縱和禁慾）都徒勞無益，便選擇了中庸之道：默想。據他
說，有一天當他在一棵菩提樹下默想時，頓悟，進入涅槃。一些
託名於他的著作和格言，在他死後約四百年才寫定，因此無法確

知它們的可信度如何。他大概在主前四八〇年死於食物中毒。

蘇格拉底

蘇格拉底沒有留下任何著作，他的學生柏拉圖卻寫了許多有關他的語錄，那些報告與其說是反映蘇格拉底思想的實錄，倒不如說是二人思想的綜合。柏拉圖筆下的蘇格拉底深信神指派他傳揚真理和良善的任務，傳揚的方法是讓人檢驗自己的言行是否真實良善。他認為：邪惡只不過是出於無知，知識將帶來美德。他被譽為「第一個看到需要發展一套有系統的方法，以探掘真理的人」，這系統最後在柏拉圖的學生亞里斯多德手下成形。蘇格拉底與基督一樣，因他的教導威脅到當權者，被他們以假見證陷害，判處死刑。若非他堅持控訴者、審判官檢驗他們自己的言行（那是他們極不願意作的），他可能會被判無罪。他死時安詳滿足，知道他已踐履他的使命一直到底，不論死亡是無夢的睡眠，還是與前人的聚首，那都是好的。

然而，耶穌在有些地方更加卓越，例如：

耶穌提供更卓越的真理根基

耶穌和蘇格拉底一樣，常用問題來啟發人自我省察。但前者對神、人真理認知的基礎，建立在祂自己便是全知的神這一事實之上。祂論及自己時，說：「我就是道路、真理、生命。」（約十四6）真理在祂裡頭，祂便是所有真理的源頭。同樣的，祂身為神，便是絕對的良善，所有其他的良善以祂為標準。祂曾要一個年輕人省察自己所說的，問道：「你為甚麼稱我是良善的？除了神一位之外，再沒有良善的。」（可十18）耶穌便是蘇格拉底

所想要了解的那真理和良善。

耶穌提供更確實的真理知識

　　蘇格拉底可能教導了許多真實的原則，但在許多其他重要的論題上，例如死後的事，他只能加以猜想。耶穌對這樣的問題卻能夠提出確切的答案，因為祂對人的命運有確切的知識。當理性（蘇格拉底）沒有足夠的證據下絕對的結論時，啟示（耶穌）便提供除此無法可以得知的答案。

耶穌的死更加高貴

　　蘇格拉底死得有價值、有勇氣，誠然值得稱揚。然而，耶穌的死卻能夠代替他人（可十45），抵清他們應受的刑罰。祂不單只是為祂的朋友，也為祂的敵人死（羅五6～7）。這種愛的表現不是任何哲學家可以望其項背的。

耶穌有更卓越的證據

　　如果有足夠的證據來支持結論，理性的證明是不錯的。蘇格拉底宣稱自己為神所差遣，卻無法提出可以與基督的神蹟、復活相比擬的證據來支持他的宣稱。就證據而言，耶穌更卓越地證明祂信息的真實性得到神的印證。

蘇格拉底：理性之父

蘇格拉底生於主前四七〇年，正當希臘帝國全盛時期。他的父母頗富裕，他在哲學上受過良好的教育。他聽說特耳菲神諭(Delphic

Oracle)稱他是世界上最智慧的人之後，開始他教授真理的事業。蘇格拉底本來相信這神諭不可能是真的，但在與其他許多智者談話之後，下結論說這神諭是真的，因為他是唯一知道自己並非世界上最智慧的人。

老子（道教）

　　現代的道教是集巫術、迷信、多神信仰三方面於一身的宗教，起初卻是一個哲學系統。而今日呈現在西方文化面前的便屬前者，集巫術、迷信、多神信仰三方面於一身的道教。老子（如果真有其人的話）的學說建立在一個原則之上，宇宙中所有的事情都據此得以解釋，也受它的控制，那原則便是「道」，是無法三言兩語便可以解釋得清楚的。這世界充滿著相衝突的對立，例如善惡、男女、光暗、是非等等。所有的對立都是陰、陽之間衝突的表現。但在終極實體中，陰及陽融合為完全的平衡，這平衡便是被稱為「道」的那奧秘。要明白「道」，必先明白所有的對立均為一，真理便在矛盾之中，並非在矛盾的化解之中。道教進一步說：人應當與道和諧共處，在人生的道路上消極無為，思想「一個巴掌拍掌會發出什麼聲音？」「如果樹林中的一棵樹倒下時，無人在場，它傾倒時會發出聲音嗎？」之類的問題。人應當與自然和平共處，避免任何的暴力。這個哲學系統與禪宗有許多相似之處。

　　基督帶給人的自由卻遠遠超過這些。

耶穌允許人有理性的自由

　　我們已經說過「理性不能用來描述實體」這句話毫無意義，

因為這句話本身便是對實體的理性陳述（事實若非，即是如其所述）。你必須用理性來否定理性的有效性！這正是道教的問題。理性說真理不可能是矛盾的，道教卻說所有的真理就在矛盾之中。真理非但超越理性，同時也說「你要盡心、盡性、盡意，愛主你的神。這是誡命中的第一，且是最大的」（太二十二37～38）。舊約的神甚至說：「你們來，我們彼此辯論。」（賽一18）耶穌給人自由，用理性來衡量真理。

耶穌准許人有選擇的自由

道教要人將自己的自由意志束之高閣，放棄改變周遭事物的權力。耶穌卻說人有選擇，他的選擇可以造成截然不同的結果。人可以選擇相信或不信（約三18）、順服或不順服（十五14）、改變世界或被世界改變（太五13～16）。

耶穌准許人有得救的自由

道教所提供的只是一條向環境低頭的路。基督則提供一條可以使我們的身分和作為都得以改變的路，使我們可以得知生命的喜樂。死亡並非不可避免的終局，基督的復活提供了一條戰勝死亡的道路。老子在這上面卻無法誇口。

老子

傳說老子曾為保管皇室檔案的史官，後來決定西遊。在他上路之前，一位守門人要求他寫下過去任職時汲取的智慧，因此他用了八十一個段落，計五千字，發揮他的哲學，這本書便是《道德經》。他的年代通常據說是主前六世紀，但我們所有有關他的資料

都像上述故事一樣，僅為傳說。偉大的道家哲學家莊子是主前第三和第四世紀的人，很可能這些傳說是在莊子那時期開始發展的。道德經的成書日期也可以追溯到這個時期。莊子對「道」的解釋稱作道藏，有一千一百多本，也被道教人士視為經典。

由上可見，耶穌基於許多原因遠較於其他的宗教哲學領袖更卓越。沒有任何其他大師如耶穌一樣地自稱為神。就算有些跟隨者將他們的領袖神化，他們卻無法提出可以與耶穌應驗預言、無罪而神奇的一生、復活等相比的證據。沒有任何其他大師可以因著他們已成就的事，提供我們因信（而非行為）就能得到的救贖。最值得注意的事是，沒有任何宗教或哲學領袖可以彰顯如耶穌一樣的愛，為了世人的罪而死（約十五13；羅五6～8）。唯有耶穌真正配得我們最大的忠誠摯愛！

附註

1. Calvin Blanchard, ed., *The Complete Works of Thomas Paine* (Chicago: Belford, Clark & Company, 1885), p.234

2. Bertrand Russell, *The Basic Writings of Bertrand Russell,* Robert Egner and Lester Denonn, eds. (New York: Simon & Schuster, 1961), p.62.

3. Ibid., p.594.

4. 路易士，《如此基督教》，東南亞神學院。C. S. Lewis, *Mere Christianity* 【(New York: The MacMillan Co.,1943), pp.55～56.】

5. Peter W. Stoner, *Science Speaks* (Wheaton, Ill.: Van Kampen Press, 1952), p.108.

6. Karl Popper, *Conjectures and Refutations* (New York: Harper and

Row, 1963), p.36.

7. William D. Edwards, M.D., et al. "On the Physical Death of Jesus Christ," *Journal of the American Medical Association,* 255:11, March 21, 1986, p.1463.

8. Gary R. Habermas, *Ancient Evidence for the Life of Jesus* (Nashville: Thomas Nelson, Inc., 1984), pp.125~126.

9. Wolfhart Pannenburg, cited by William Lane Craig in *The Son Rises* (Chicago: Moody Press, 1984), p.141.

10. *Time,* June 4, 1979.

第七章

有關聖經的問題

　　聖經有許多層面，我們可以當它是文學來研讀，有一套敘事和詩體的表達方式；也可以視之為歷史，告訴我們神子民的起源和成長。對有些人而言，它是考古學指南，指出被埋沒的古代文明大概方位。這些層面各有它們的地位，但是，由最根本的層面來看，聖經是神的話；是祂向一個悖逆的世界發出的信息，指點他們如何可以回轉歸向祂；是神寫給我們的情書。但我們是否相信並嚴肅看待這一點？還是僅對那些附帶的層面感興趣？

　　聖經有多重要？在把聖經當作一本神聖作品諮詢以前，我們已經在本書開頭幾章的討論中指出：神存在、祂是怎樣的一位神、祂如何勝過罪惡、祂能行神蹟、耶穌就是這位神。雖然上述的論證並不一定要靠聖經才能成立，但它們仍然在聖經的指導之下。那些結論固然是經由理性的途徑達到的，但它們仍然是受啟示的指引。假使沒有神的話，沒有人能夠保證他們可以得到上述的結論。就算可以，發現這些結論的人必然不會很多，也不知道會花費多長的時間，或者其中會包含多少不必要的錯誤。現在，理性可以帶我們再多走一步，便可以得到聖經是神的話的結論。如果我們想要獲得任何有關神恩典和愛的知識，則我們必須有神

的話。最大的問題是：「聖經真的是由神而來的啟示嗎？」這是本章所要回答的問題。

我們如何知道聖經來自神？

我們知道聖經來自神，原因很簡單：耶穌說的。因為耶穌身為宇宙的神，根據祂的權柄，我們確信聖經便是神的話。祂在教導時確認舊約的權威，祂也應許新約將藉祂的門徒寫成。神的兒子親自向我們保證：聖經就是神的話。

耶穌確認舊約的權威

耶穌曾提及整部舊約（太二十二29）、它的核心部分（路十六16）、它的個別書卷（太二十二43，二十四15）、個中事件（太十九4～5；路十七27），甚至認為它字母和字母的一部分（太五18）都有神聖權威。當祂說，「大衛被聖靈感動說」（可十二36），並「先知但以理所說」（太二十四15）的時候，乃要表明：聖經是人在聖靈的感動之下寫成的。從這樣的引述方式中，可見主耶穌確認這些經卷的作者是誰，然而，這些經卷的作者問題卻滿受爭議；像摩西的經書（可七10）、以賽亞（可七6）、但以理及詩篇。祂也引用過那些評論家拒絕相信為歷史事件的神蹟，好比：創世（路十一51）、亞當和夏娃（太十九4～5）、挪亞和洪水（太二十四37～39）、所多瑪和蛾摩拉（路十12）、約拿和大魚（太十二39～41）。祂說：「天地廢去，較比律法的一點一畫落空還容易。」（路十六17）當祂受試探時，三次用「經上記著說」（太四4以下）一詞來抵擋撒但的攻擊，清楚顯明：

祂認為聖經具有終極權威。

　　耶穌好像是說：「這是永恆的神的見證，沒有改變、也不能改變
的，為教訓我們而寫下來的。」那顯然是耶穌靈魂深處的呼聲，
絕非只是在爭議時順口說說。在祂面對最大危機、死亡的時刻，
聖經的話脫口而出：「我的神，我的神，為甚麼離棄我？」（詩
二十二1；太二十七46；可十五34）「我將我的靈魂交在祢手
裡。」（詩三十一5；路二十三46）（註1）

耶穌應許新約的著成

　　耶穌在離開祂的門徒以前，告訴他們說：「我還與你們同住
的時候，已將這些話對你們說了。但保惠師，就是父因我的名所
要差來的聖靈，祂要將一切的事指教你們，並且要叫你們想起我
對你們所說的一切話。」（約十四25～26）又說：「只等真理的
聖靈來了，祂要引導你們明白（原文作進入）一切的真理；因為
祂不是憑自己說的，乃是把祂所聽見的都說出來；並要把將來的
事告訴你們。」（約十六13）這些話應許：耶穌的話會被人記
住、被人明白，還會有更多的真理賜給使徒，以致教會得以被建
立。這些話為五旬節開始（徒二1以下）直到最後一位使徒去世
（約翰，約於主後一百年）的使徒時代鋪路。

　　在這期間，使徒們成為耶穌基督的最後和完整啟示的媒介，
耶穌藉著他們繼續「所行所教訓的」（徒一1）。他們被賦予了
「天國的鑰匙」（太十六19），也有許多信徒經由他們的手得到
聖靈（徒八14～15，十九1～6）。早期教會的教義和生活建造在
「使徒和先知的根基上」（弗二20）。教會聽從「使徒的教訓」
（徒二42），受到使徒大會決議的約束（徒十五）。保羅固然藉

著神的啟示得到他的使徒身分，但是他的身分也得到耶路撒冷眾使徒的確認。

　　有些新約作者並非使徒。我們如何解釋他們的權威？他們所傳講的乃使徒的信息，「後來是聽見的人給我們證實了」（來二3）。馬可與彼得密切同工（彼前五13）；雅各和猶大與耶路撒冷眾使徒密切相交，同時他們是耶穌的兄弟；路加與保羅同工（提後四11），他與許多目擊證人約談，寫成報告（路一1~4）。彼得稱保羅的書信為經書（彼後三15~16）。每一個非使徒的作者（希伯來書除外，我們不能確知那卷書是誰寫的），都與使徒有特定的聯繫，從使徒那裡得到資料（參來二3）。

　　耶穌是神，道成肉身，祂說的話永遠是真理。如果祂說舊約是神的話，而祂的使徒和先知經祂特別授權，把祂的信息寫下成為新約，則我們的整本聖經都有神的印證，它的權威來自我們最高的權威──耶穌基督本人。

聖經論證大綱

神存在（第二章）。

新約是可靠的歷史文件（第七、九章）。

神蹟是可能的（第五章）。

神蹟印證耶穌是神的宣告（第六章）。

神所教導的全部都是真實的（民二十三19；來六18；約壹一5~6）。

耶穌（＝神）教導：聖經是神的話，因為祂確認舊約、應許完成新約。

因此，聖經是神的話。

耶穌有關舊約的教導

1. 權威——太二十二43

2. 可信性——太二十六54

3. 終極性——太四4、7、10

4. 充分性——路十六31

5. 不能破壞性——太五17、18

6. 一致性——路二十四27、44

7. 清晰——路二十四27

8. 歷史性——太十二40

9. 事實性（科學性）——太十九2～5

10. 無誤性——太二十二29；約三12，十七17

11. 必成性——約十35

聖經如何寫成的？

　　聖經寫成的過程稱為默示(inspiration)，這個詞彙出自提摩太後書第三章16節：「聖經都是神所默示（按字義為『神呼出』）的，於教訓、督責、使人歸正、教導人學義，都是有益的。」聖經中記載的一切都源自神。從摩西到約翰，先知一向都是向人傳遞神信息的人，該信息源自神的啟示(revelation)。神的啟示可能是焚燒荊棘中的聲音（出三2）、一連串的異象（結一1，八3；啟四1）、先知與神交通時聽到的內在聲音（「耶和華的話臨到我說」，或來自以前的預言（但九1～2）。

　　但神的信息也必須是寫下來的才能夠成為聖經。彼得後書第一章21節描述這個過程：「預言從來沒有出於人意的，乃是人被聖靈感動說出神的話來。」「感動」一字如果直譯，意為「帶

動」，好像一艘船受到風勢帶動一樣。神在每一位先知寫作的時候一路帶動他們，使他們能寫出完整的信息。

　　默示並非僅僅表示作者情緒熱切，像韓德爾創作「彌賽亞」時一樣。默示也並非表示這作品必然充滿振奮，像首鼓舞人心的詩。如果把默示視為一個過程，它是指受神控制的作者和作品；如果視為一個成果，則僅指那作品，神信息的記錄。

　　默示是如何進行的？這是一個奧秘，但我們可以知道那是藉著作為神代言人的先知而進行的。我們同時知道他們並非只是秘書。有人以為先知寫聖經書卷時，只不過好像秘書聽寫，記下神的口授。這種秘書理論固然可以保證收到神的信息，卻無法解釋聖經中個人化的因素，例如不同的風格、個人有關的經歷、使用不同的語彙等。他們也並非僅僅是見證他們所得到的啟示。另一理論把作者當成神啟示的觀察員，事後記錄下所經歷的，那些字可能不是神默示的，但所記錄的概念確是屬神的。然而，這種記錄理論忽略了默示中神的參與，只是強調人的參與（包括人的錯誤）。這個理論將神從寫作的過程中剔除，並未將聖經所說有關默示的意義當真，暗示聖經並非逐字逐句來自神。唯一正確的觀點應為神、人兩方面結合，這便是先知理論。在這過程中，神給予啟示；人接收啟示，人積極投身於寫作中；神從頭到尾監督。因此，寫出來的信息百分之百來自神，但作者的人性也溶入其中，用以加強該信息。神、人協力完成同一個，並且每一個字（林前二13）。

　　綜上所述，神的話乃由屬神的人寫成，默示不僅止於概念，同時也在於表達那些概念的每一字句。作者並非僅是秘書，而是積極的代理人，在所記載的信息中表達了他們的經歷、思想以及情緒。經文並非僅是有關啟示的記錄，它本身就是啟示，是以書寫形式呈現的神的信息（來一1；彼後一21）。

聖經中人的因素

聖經是由不同的語言寫成（例如希伯來文和希臘文），呈現當時代的語言形態。

聖經是由大約三十五位作者寫成。

聖經反映不同的文法用語。

聖經展現作者不同的文學風格。

聖經顯示個人的趣味（提後四13）。

聖經利用人可能有誤的記憶（林前一15～16）。

聖經結合不同的文化（帖前五26）。

聖經從人的觀察角度說話（書十12～13）。

聖經反應作者不同的角度（四福音的差異）。

聖經站在人的角度論神（擬人說）。

聖經可能出錯嗎？

聖經到底有多可靠？這一直是本世紀的熱門論題之一。聖經究竟是否「無謬」（inerrant，意謂沒有錯誤）？還是僅只是信仰和生活方面「可靠」（infallible，意謂經文論及的屬靈真理是真實的，但其中可能會有科學、地理、歷史等方面的錯誤）的指南？雖然還有一些不合乎聖經的觀點，好比：根本拒絕聖經的權威性，或者說：當你經歷到那經文，那經文對你而言才是神的話，但當前主要的爭論仍集中在上述「無謬」或「可靠」兩種觀點上。

新福音派的「可靠論」主張：聖經的目的是要使人得救（提後三15），至於所觸及任何其他方面的內容（例如植物學或宇宙論），對這主要目的而言都不重要，因此這些方面的經文可能不

一定正確。他們強調：作者並非用錯誤的言論故意來欺騙我們，可能是他們所知有限，或者他們為了當時代的人能接受救恩的重點，而通變制宜，採取當時流行的觀點。羅吉斯(Jack Rogers)是提倡這種觀點的主要份子，他寫道：

> 當我們界定聖經無誤論時，顯然應當依據聖經的救贖目的，並考慮到神曾降卑為人的樣式來啟示祂自己……如果我們把技術性的錯誤和觀念上的錯誤混為一談，將前者當成故意欺騙時，便會偏離聖經最重要的原意。聖經的目的並非要取代科學課本，而是要就人的罪提出警告，並提供神在基督裡的救贖。聖經「可靠地」成就了這個目的。（註2）

由這樣的表白可弄清楚好幾件事。首先，將真理訴諸於作者的動機或目的，而非作者實際說的話。使徒們並非故意要在科學或歷史方面的事情上誤導我們，他們絕對無此動機，所以他們就算按正常標準而言說錯了也不打緊。意義寄諸目的，而非主張(affirm)本身。耶穌想要表達的意義是：一點點的信心可以有極大的作為；因此如果祂誤稱芥菜種為最小的種子（實際上真正最小的種子是蘭花種），這也不打緊，因為那不是祂的目的。其次，人類語言並不足夠適切表達有關神的真理，因它是有限的、今世的，無法真的表達一位無限的神，神與我們有天壤之別。因此只要我們用語言表達，錯誤便在所難免。如果神要在我們讀聖經時啟示祂自己，祂必定是藉著我們讀聖經時的經歷來進行。祂並非在(in)聖經的字詞中啟示，而是藉著(through)聖經的字詞，以一種超越語言的個人方式與我們相遇。最後，信心與理性是相對的。理性無法判斷信仰上為真實的事，信心不受理性控制，也無法用理性來證實。理性為判斷今世真理的方法，信心則為判斷

來世真理的方法，前者在後者的世界中無用武之地。因此，科學在有關科學的事上是正確的，而聖經則在有關屬靈的事上是正確的。

兩種觀點的對照

新福音派(Neo-evangelical)	福音派(Evangelical)
• 整體而言是正確的，但並非每一部分都是正確的。	整體和所有部分都是正確的。
• 屬靈上是正確的，但歷史上並非一定是正確的。	屬靈上和歷史上都是正確的。
• 道德上是正確的，但科學上並非一定是正確的。	道德上和科學上都是正確的。
• 動機是正確的，但主張並非一定是正確的。	動機和主張都是正確的。
• 聖經是可靠的，但非無謬的。	聖經是可靠且無謬的。
• 聖經是神啟示的工具。	聖經本身便是一個啟示。
• 聖經是神啟示的記錄。	聖經是神的啟示。
• 神藉著聖經中的字詞說話。	神在聖經的字詞中說話。
• 人的言語並不足以適切表達神的意思。	人的語言足夠適切表達，只是無法窮盡神的意思。
• 大部分高等批判學可被接受。	不接受任何的高等批判學。
• 信心與理性相對立。	信心並非與理性對立。

　　新福音派指出聖經並非要用來作科學課本的，這沒有錯。他們看到人語言的有限，這也是正確的。然而，如果採取他們的立

場，結果將不堪設想。

　　耶穌的言行似乎與他們許多的宣稱相牴觸。祂說：「我對你們說地上的事，你們尚且不信，若說天上的事，如何能信呢？」（約三12）耶穌期盼：祂在具體可以驗證的事上的正確性，可以用來證明有關屬靈、難以驗證的事上，祂所說的都是真的。耶穌對眾人說：「或對癱子說：『你的罪赦了』；或說：『起來，拿你的褥子行走』；哪一樣容易呢？但要叫你們知道人子在地上有赦罪的權柄。」就對癱子說：「我吩咐你起來，拿你的褥子回家去罷！」（可二9～11）為了讓人知道，祂所說有關信仰和無法證實境界的事都是真的，耶穌藉著一個絕對可證實的、身體的醫治來證明。祂在此說明：神所說有關今世的事，可以顯示祂所說有關來世的事是真實的。

　　耶穌的復活又當如何看待呢？那是神話還是歷史上的事實？如果那是神話，是否表示在可驗證的真實世界中並沒有發生？如果是歷史事實，是否表示它沒有更高的、屬靈的意義？就耶穌提出用以證實祂是神的證據而言，事實、意義這種二分法根本站不住腳。

　　同時，耶穌似乎有讓人煩惱的習慣。高等批判學認為錯誤的那些經文，卻往往是耶穌所確認的。祂對創世（路十一51）、亞當和夏娃（太十九4～5）、挪亞和洪水（二十四37～39）、所多瑪和蛾摩拉（路十12）、約拿和大魚（太十二39～41）等記載都予以確認。祂甚至說寫律法的是摩西（而非如高等批判學所說乃以斯拉或一羣文士；參可七10；約七19），是以賽亞寫以賽亞書全書（批評學者說以賽亞書的後半卷是好幾世紀之後寫的；參約十二38～41，耶穌在此將以賽亞書上卷和下卷的經文同時引用，都歸諸以賽亞的名下）。這些經文顯示：耶穌將舊約經文的歷史真實性與祂自己屬靈信息的真實性結合為一體。

　　新福音派學者的回應是說：耶穌只不過是遷就當時通行的觀點，使他們能夠明白祂主要的論點，不至於因新發現神使用進化或有些神蹟從未發生過而分心。這個立場有兩個嚴重的破綻。首先，耶穌並非遷就流俗意見的人。祂面對錯誤的信仰時總是毫無畏懼地當面直言（太五21～22、27～28、31～32，十五1～9，二十二29，二十三1以下；約二13以下，三10），因此常常與法利賽人和撒都該人詰辯。其次，也是更重要的，這立場暗示耶穌在道德上詐欺。祂身為神，明知道祂所說的並非真實的，卻仍然照說。

　　按哲學眼光來看，「可靠論」不足令人心服。假使說真理是以目的或動機為準，與一般人心目中的真理大不相同。我們相信真理與它所說的實際是相吻合的。如果真理只不過是動機上的事，則我們永遠也無法知道一句話是真還是假，因為我們不知道發言人心中的動機。同理，我們無法就一人所說的話來斷定他的意思是什麼，則我們如何知道他想要表達什麼？就算他加以澄清，告訴我們他的動機，他仍然在使用語言，我們仍然無法確定他是否已真的表達出他真正的動機。意義和真理都將成為不可知。所以，說「言語無法表達有關神的事」，乃自相矛盾的說法，因為那句話已經表達了一個意思：言語無法表達。當然，用語言來表達無限的神，的確會有限制，但這並不表示我們便應全然放棄。有些有關神的事是可以用人的語言來表達的。不然的話，新福音派學者如何能說聖經是教導屬靈事物的真理呢？

　　大部分福音派學者認為：聖經教導屬靈以及科學、歷史方面的真理，上文論到默示時引用的經文顯示聖經是如此地宣稱，耶穌也是如此地理解。檢驗一下證據，將發現：聖經在歷史和科學方面都是極度可靠的，批評者反而被證實是一錯再錯（見第八至十章）。更重要的是，如果聖經是神的話，神只能說真理，則我

們無法避免聖經無誤這個結論。默示也保證無誤，我們只要留意經文中常將神所說的當成聖經所說的，便可看出。耶穌說「因此，人要離開父母，與妻子連合，二人成為一體」這句話是神說的，但仔細查看創世記第二章24節，顯示那是摩西的話。同樣，保羅引用神所說的一句話，卻歸諸是聖經說的。當聖經說話時，那是神在說話，而神是不能說謊的。

　　這並不表示我們理解聖經的方式是完全正確的，只是說：當我們正確地了解聖經時，聖經是真實的。這也並不是表示經文中每字每句都應按字面來解。聖經中幾乎每一頁都使用修辭，但使用隱喻來表達真理，與使用神話來說故事是完全兩碼子事。此外，無誤論並不表示聖經中所記載的每一件事都是對的，而是說聖經所肯定為對的每一件事都是對的。該隱說：「我豈是看守我兄弟的麼？」意思是他不是。聖經照他所說的記載了，但並未認可他的態度。這句話畢竟是出自一個剛剛殺了他兄弟的人的口啊！經文記下，是要教導我們對其他人的好歹都要負責的。

　　最後，書寫下來的道與活生生的道之間有相似之處。新福音派學者說：錯誤是由於人的思想和言詞參與而導致的，但他們必須要對「耶穌基督雖是百分之百的人，又是百分之百的神，卻完全無罪」這一事實加以解釋。這兩種情況都是人、神結合，但人的層面沒有不完全之處。這顯示罪和錯誤並非人類必然的結果，只是偶發的。神可以生產出完全無誤的一個人和一本書。

聖經說的……便是神說的

（反之亦然）

神說的	＝	「聖經說的」
創十二3		加三8

出九6		羅九17
聖經說的	**＝**	**「神說的」**
創二24		太十九4～5
詩九十五7		來三7
詩二1		徒四24～25
賽五十五3		徒十三34
詩十六10		徒十三35
詩二7		來一5
詩九十七7		來一6
詩一〇四4		來一7

神的話

道成肉身	默示成書
自永恆就隱藏在神裡面	神永恆的思想
（約一1）	（詩一一九89；弗三9）
由聖靈感孕	由聖靈默示
（路一35）	（提後三16；彼後一21）
生為一個普通的人	寫成普通的語言
（腓二7）	（林前二4～10）
完全、無罪	完全、無誤
（約八46；來四15）	（約十七17；詩十九8）
為聖經作見證	為基督作見證
（太五17～18）	（路二十四27）
將父顯明出來	將子顯明出來
（約一18；來一1～2）	（約五39）

聖經如何成書的？

　　我們如何可以得知，聖經中的六十六卷書，是應當收在聖經中的全部書卷？次經(Apocrypha)或靈智派的福音書又如何呢？為何不將它們列入聖經？答案在於列入正典(canonicity)的原則。正典(canon)一字在希臘文和希伯來文中原來的意思是「量度的竿」，表示所有聖經書卷必須符合的標準。有人曾提出一些不適合作標準的標準，例如年代、是否與律法書相符（如果是希伯來文寫成的）、宗教價值、基督徒的引用情況。但這些都犯了一個共同的錯誤，將人對聖經的「識別標準」誤當為神對正典的「決定標準」。最基本的判準在於它是否是神默示的，是，便為聖經；不是，便非聖經。當聖靈感動一個屬神的人書寫時，所寫的不單只是默示(inspired)的經文，更已成為銘刻(inscripturated)的經文。神已決定何者應加入正典；我們的問題是應當如何發現神已經默示的經典。

　　教會是否接受或拒絕一本作品納入正典，乃根據五個問題來決定。頭一個問題是最基本的：

　　1.是否由神的先知寫成？申命記第十八章18節告訴我們：唯有神的先知才會說出神的話。這是神啟示祂自己的方式（來一1）。彼得後書第一章20至21節也向我們保證：聖經是獨獨由屬神的人寫成的。

　　2.是否有神的作為印證？希伯來書第二章3至4節告訴我們：為神說話的人應當有神蹟印證。摩西的杖曾變成蛇，耶穌已然復活，使徒們也繼續耶穌的神蹟，這些都是要印證他們的信息來自神。許多先知在被要求證實他們的權威後不久，所預言的就應驗

了。

3.是否傳說神的真理？「無論是我們，是天上來的使者，若傳福音給你們，與我們所傳給你們的不同，他就應當被咒詛。」（加一8）一篇信息與在它之前的啟示相吻合，是想列入正典不可或缺的條件。這條件自然將妄奉神的名說的假預言淘汰出局（申十八22）。

4.是否有神的權能？任何作品如果無法在讀它的人生命中彰顯神改變的大能，都不是由神而來的，「神的道是活潑的，是有功效的，比一切兩刃的劍更快」（來四12）。

5.是否被神的子民接納？保羅感謝帖撒羅尼迦人，因為他們接受使徒的信息為神的道（帖前二13）。只要真應屬於正典的，通常神的子民（他們之中的大部分，而非僅一個派系）一開始便會把它當作神的道接納。摩西的律法書立即被放入約櫃中（申三十一24～26），約書亞的律法書也同樣地被加進去（書二十四26），撒母耳所寫的也如是（撒上十25）。耶利米是著名的文抄公先知，因為他經常引用在他前不久的先知所寫的預言，這顯示他們的著作很快已被接納。但以理在耶利米書寫成五十年之內便已在讀它（但九2）。新約也顯示彼得稱保羅的書信為經書（彼後三16），保羅將路加的經文與律法書同時引用（提前五18）。我們也知道保羅的書信在眾教會間傳誦（西四16；帖前五27），當時可能是開始收集新約正典的時候。雖然有些書卷後來受到爭議，但它們原來被接納這一事實，加強了它們應列入新約的向度。

曾經遭受質疑的書卷（註3）

希伯來書——因為不知作者為誰。一般的看法是若非使徒所寫的，便是具有使徒權威。

雅各書——因為看似和保羅因信稱義的教導衝突。假使把行為視作真信心自然表露的成果，衝突就化解了。

彼得後書——因為風格不同於彼得前書。但彼得寫彼得前書時曾請文士代筆（參五12），代筆人可能幫助彼得潤飾了他的希臘文。

約翰二、三書——因為作者被稱為「長老」而非使徒。然而彼得也稱自己為長老（彼前五1）。這兩卷書在最早的正典名單中有份。

猶大書——因為提到《以諾書》和《摩西升天記》。然而他並未稱它們為聖經，這種情形就像保羅引用異教徒的詩一樣（徒十七28；多一12）。早期就受到廣泛接納。

啟示錄——因為教導基督一千年的統治，而另有一個異端也如此教導。然而最早期的教父都接納這卷書。

至於被排除於正典之外的書卷又如何呢？這個問題本身問得就有些問題，因為從未有其他的書曾被納入正典，我們也沒有理由相信它們有可能進入正典。就舊約和新約而言，都有些書卷是被所有信徒接納的，有些書卷後來遭到爭議，有些書卷被所有的信徒排除，並沒有任何書卷是起先被接納後來又被排除的。然而，卻有兩組作品被許多人認為應當納入正典，那便是次經和靈智派的福音書。

次經(Apocrypha)

次經是主前第三世紀到主後第一世紀期間寫成的書卷，共有十四卷（分法不同，即為十五卷），見於希臘文譯本舊約中幾個重要的古抄本，反映出瑪拉基（舊約最後一位先知）之後猶太人

的一些傳統和歷史。大部分的次經都被第四世紀的奧古斯丁和敘利亞教會接納為經典，後來被納入天主教的正典中。次經書卷曾被新約和早期教父引用，也見於昆蘭的死海古卷中。

然而，這些書卷從未被猶太人接納為經典，也未被包含在希伯來文聖經中。雖然新約可能提到它們（例如，來十一35），但從未在引用中稱之為神的話（保羅也引用異教徒的詩，但並未稱之為聖經）。奧古斯丁承認它們的地位次於其餘的舊約。支持次經的一項理由是，因為它們被包含在被視為神黙示而成的七十士譯本（Septuagint，希臘文譯本）中，但是一位希伯來文學者耶柔米(Jerome)，於第四世紀將舊約譯成通俗拉丁文武加大譯本(Vulgate)時，卻未將次經納入。接納次經的那些教會都是在它們寫成後許久（第四、十六、十七世紀）才認可的。有教父引用次經，但也有其他教父像亞他那修(Athanasius)和耶柔米，就激烈地反對。事實上，直到西元一五四六年的天特(Trent)會議以前，次經從未正式被納入聖經。他們接納次經的原因未必如表面所說：乃基於基督徒已引用多年（這個理由當然不對）；恐怕是因為二十九年前馬丁路德才剛要求他們為傳統信仰（例如：靠行為得救、為死人禱告，見於次經馬喀比書下卷十二45～46；多比傳十二9）提出聖經根據。至於昆蘭的發現，除了次經，數以百計未被包括在正典中的其他書籍也同時見世，因此這只能證實次經是流行的著作之一。最後，沒有任何一本次經書卷自稱是受神黙示而寫成的，有的還特別否認受到神的黙示（馬喀比書上卷九27）。如果神未黙示，則它們並非祂的話。

有哪些次經？

標準修訂本(RSV)		杜愛譯本(Douay)
1.The Wisdom of Solomon 《所羅門智慧書》	（約30 B.C.）	Book of Wisdom 智慧篇
2.Ecclesiasticus 《德訓篇》	(132 B.C.)	Ecclesiasticus 《德訓篇》
3.Tobit 《多比傳》	（約200 B.C.）	Tobias 《多俾亞傳》
4.Judith 《猶滴傳》	（約150 B.C.）	Judith 《友弟德傳》
5.I Esdras 《以斯拉續篇上卷》	（約150～100 B.C.）	（未被納入）
6.I Maccabees 《馬喀比書上卷》	（約110 B.C.）	I Maccabees 《瑪加伯書上卷》
7.II Maccabees 《馬喀比書下卷》	（約110～70 B.C.）	II Maccabees 《瑪加伯書下卷》
8.Baruch 《巴錄書》	（約150～50 B.C.）	Baruch第一至五章 《巴路克書》
9.Letter of Jeremiah 《耶利米書信》	（約300～100 B.C.）	Baruch第六章 《耶肋米亞書信》
10.II Esdras 《以斯拉續篇下卷》	（約100 A.D.）	（未被納入）
11.Additions to Esther 《以斯帖記補編》	（約140～130 B.C.）	Esther 10:4～16:24 《艾斯德爾傳補錄》
12.Prayer of Azariah 《亞撒利亞禱告文》	（約主前一、二世紀）	Daniel 3:24～90 《達尼爾書補錄》3:24～90
13.Susanna 《蘇撒拿傳》	（約主前一、二世紀）	Daniel 13 《達尼爾書補錄》第十三章
14.Bel and the Dragon 《比勒與大龍》	（約100 B.C.）	Daniel 14 《達尼爾書補錄》第十四章
15.Prayer of Manasseh 《瑪拿西禱告文》	（約主前一、二世紀）	（未被納入）

靈智派的福音書(Gnostic Gospels)

靈智派的福音書和其他有關書卷為新約偽經(pseudepi-grapha，意為假的作品）的一部分，因為作者冒用使徒的名字。例如彼得福音(the Gospel of Peter)、約翰行傳(the Acts of John)，這些並非使徒所寫，而是第二世紀或以後的人冒用使徒權威以宣揚他們自己的教導。這種行徑在現代被稱為欺詐或偽造文書。有些人卻不以為意，認為這些作品也在合法的基督教傳統內，因為他們認為：新約其他書卷都是用同樣的方式寫成的。最早的兩個異端教義便出在偽經書卷中，否認道成肉身的真實性。他們說：耶穌實際上只是一個靈，看起來像一個人；因此祂的復活只不過是回復靈的形式。他們宣稱有耶穌童年的資料，但是他們記錄的故事十分不可靠，也非源自目擊證人。除了與此異端的教派之外，從未有任何人接納偽經為聖經正典。它們根本不是基督教傳統中合法的一部分，只不過是基督教主流之外神話和異端的記錄。

靈智派的福音書是否與聖經同等呢？下列為多馬福音(The Gospel of Thomas)中的一則故事，請於讀後自行決定。

但文士亞那之子與約瑟正一同站在那裡，他拿著一根柳樹枝子，潑散耶穌收聚的水。耶穌看見他所做的事，憤怒地對他說：「你這侮慢、邪惡的笨蛋，那池子和水妨害了你嗎？現在你要像棵樹一樣地枯萎，永不再長葉、生根、結果。」那少年立即整個人都枯萎了；耶穌離去，進入約瑟的家。那枯萎少年的父母將他帶走，為他的早天而悲泣，帶著他去約瑟家，責備約瑟說：「你的孩子是什麼人啊！他竟然做出這種事！」（多馬福音三1~3）

現代聖經是否可靠？

聖經中從未應許我們歷世歷代的聖經經文必然會保持完整無誤，但有許多證據可以證實：我們所讀的聖經與先知和使徒受神默示所寫出的原稿極為相近。證據可由我們所有抄本的正確性看出。這樣的可靠度可以幫助我們證明：聖經的珍貴不單因為它是由神而來的啟示，同時也是一部歷史文獻。新、舊約各有不同的傳統，因此我們將分別處理。

舊約手稿

如果我們想要知道有關舊約的事，必須到舊約保存者猶太人的宗教中去尋找。最初的發現不很樂觀。要保存寫在動物皮上的手稿三千到四千年，而欲完整無缺，不是一件易事，猶太人甚至也未嘗試如此作。相反地，出於對神聖經書的敬畏，他們有一個傳統，便是將所有有瑕疵的、用舊了的抄本都舉行儀式加以掩埋。同時，第五世紀的文士將希伯來文聖經標準化（統一所有口述傳統，為沒有母音的希伯來文書寫文字加上母音）時，可能已經將所有與他們不同的抄本都加以銷毀。因此，我們只有一些第十世紀的手稿，其中只有一份是完整的。這實在是壞消息。

好消息是我們手頭抄本的正確性有其他的證據支持。首先，不論是誰準備的或是在何處發現的，所有的手稿都極為吻合。由巴勒斯坦、敘利亞、埃及的手稿文句都相吻合這一事實，足見它們都可回溯至歷史上強固的原始傳承。其次，它們與另一舊約古卷來源——七十士譯本（第二、三世紀的希臘文譯本）——也相

吻合。最後，死海古卷比我們手頭上所有的手稿早一千年，提供比對的基礎，比對結果顯示經文的傳遞可靠地驚人。一位學者發現，昆蘭洞中出土的兩卷以賽亞書，「已經證實與我們標準的希伯來文聖經百分之九十五以上的經文字字雷同。其他百分之五的差異主要都是明顯的筆誤和字母拚音上的出入」（註3）。這麼高正確性的主要原因，出於抄寫的文士對經文極端地敬畏。猶太傳統將抄寫經文的每一細節都列出，好像它們是律法一樣，由抄寫所用的材料種類到一頁應當有多少欄、多少行都一應俱全。沒有任何部分是憑記憶寫下的。每一次寫到神的名字時，他們甚至要舉行一個宗教儀式。任何抄本只要發現有一個錯誤，便全本銷毀。這保證了過去二千年以來舊約的經文沒有大的變動，也證明在這之前可能也少有變動。

馬瑣拉經文本(Masoretic Text)的歷史

耶路撒冷於主後七十年被毀，導致猶太教一次大復興。因為對人而言，聖經變得更為重要，他們發現非常需要一本標準的希伯來經文，用來支持當時流行的口述傳統，這經文只有子音，沒有母音符號。抄寫這經文的文士為要保證不犯錯，甚至將每個字母和字都加以數算。他們發現利未記第十一章42節中有一個字裡面的「w」便是律法書最中間位置的字母，而第十一章42節中的「drsh」是律法書最中間的字。經文周圍加有記號，以註明重音、每周讀經，以及句法。母音符號是後來才發明，可以寫在子音之下，不會破壞經文。文士主要的工作是抄寫馬瑣拉經文註解，也就是寫在頁旁或頁底的註明，指出抄寫者發現有問題的瑕疵、一個字出現多少次，以及一個索引般的表。對那些人而言，傳遞舊約經文成為一個全人的生活方式。

新約手稿

　　至於今本新約的可靠性，證據就多如海沙了。新約共有5366份抄本可供比對和推論，其中年代最早的古卷是第二到第三世紀的。為探討這事實的重要性，可與荷馬的史詩《伊里亞德》(*Iliad*)相比，這是古希臘最出名的著作，竟然只有643份抄本存留下來！沒有人懷疑凱撒大帝的《高盧戰爭》(*Gallic Wars*)的真實性，但我們只有十份古卷存留，而最早的一份已距成書當時一千年了。相形之下，新約有如此豐富的古卷存留，最早的與成書時期相隔不到七十年，實在不得不令人嘆為觀止。

　　既有如此多的抄本，必有許多出入。有人誤以為：隨著歲月，聖經中竄入200,000個「錯誤」(errors)，實際上那些是「出入」(variants)。某個字，甲本與乙本不同，算一次出入，到甲本與丙本比對時，剛才那同樣的不同又出現，再算一次。因此，在3,000份抄本中，只要有一份有一個異文，則出入共計3,000個。事實上有出入的只有10,000處，大多都是拚音或是排字順序的問題。新約中我們無法確定文句原貌的不過40處，但沒有一處對基督教信仰的中心教義有任何影響。請注意：問題並非我們不知道經文是什麼，而是我們不確定那一個抄本才是正確的原貌。我們有100％的新約，其中99.5％我們能確定。

　　但即使我們沒有如此多的抄本為證，僅僅以第二、三世紀教父引用的新約為基礎，我們已可以重建幾乎整本新約聖經，只少11節經文（大部分出自約翰二、三書）。因此，就算在第三世紀末所有的新約抄本都被燒毀，光是研讀教父的寫作，我們已可以知道幾乎全本新約聖經的內容。

　　有些人指出「無誤論」是無法證實的教義，因為那是指受默

示的原始手稿，我們已失去所有的原始手稿，現有的全都是抄本，那不是「無誤論」所指的對象。但是如果我們可以確定新約的經文，舊約經文二千年以來也沒有太大的改變，則我們不需要原始手稿也知道它們的內容。現有的聖經與原稿既如此接近，所以我們可以有十足把握：它們的教導是真理。

新約經文問題

新約大部分的經文問題都很瑣碎，例如：「你是誰呢？是以利亞麼？」（約一21）有五種不同的語序，不知應選擇哪一種，其實每一種的意思都一樣。另有一些問題則很重要。例如：英文欽定本(Authorized Version)中，約翰壹書的第五章7節在較新的譯本中被刪去不譯，因為1520份希臘文抄本中，只有一份有這節經文。行淫時被拿的婦人（約八1～八11）可能是後來加上的，因為早期的手稿、譯本和教父都不予採用，甚至採用這段經文的手稿都有四種不同的安插地方。馬可福音的結尾（十六9～20）可能並非原來就有的，至於原本的結尾是什麼樣子，也沒有一致的看法。這是新約最困難的經文問題，可能永遠也無法得到解答。

總結

　　本章已顯示：聖經乃神的話，它在教導上的權威絲毫不遜於耶穌基督本人。耶穌確認舊約是神所默示的，並應許新約的著成。祂和祂使徒們的見證都指出：聖經所教導的每一件事，小至動詞的時態，一個字的最後一個字母，都無誤。同時，也有充分的證據顯示：我們手頭的聖經較之其他古代流傳下來的書，以高度的正確性呈現那些原始手稿。你手上的那本聖經正是神現在要

對你說的話！

附註

1.John W. Wenham, "Christ's View of Scripture" in *Inerrancy,* ed. by Norman L. Geisler (Grand Rapids: Zondervan, 1979), pp. 15~16.

2.Jack Rogers, "Church Doctrine and Biblical Inspiration" in *Biblical Authority* (Waco, Texas: Word, 1977),pp. 45~46.

3.Gleason Archer, Jr., *A Survey of Old Testament Introduction* (Chicago: Moody, 1964), p. 19. See also N. L. Geisler and W.E. Nix, *General Introduction to the Bible* (Chicago: Moody, 1968), pp. 249~266.

第八章

有關聖經難題的問題

　　「你怎麼會相信那些玩意兒啊！你不知道聖經充滿了矛盾和
錯誤嗎？」當基督徒根據聖經與非信徒討論時，可能常會遇到如
此的回應。格什溫(George Gershwin)在《寶齊和貝絲》(*Porgy
and Bess*)中寫了一首歌，說道：「你在聖經中可能讀到的那些
該死的東西，它們不一定是對的！」其實，有時候你只要回一
句：「請指出其中一個錯誤來！」批評的人很可能就會啞口無言
了。許多人只不過聽說聖經有問題，但他們從未親自去查考過證
據。然而，假使你打算照我們剛說的那樣反問，最好預先作好準
備回答難題。聖經裡有一些真正的難題，但是這些困難經文也有
真正的答案。

處理聖經困難經文有何原則？

　　在列出原則之前，讓我先談態度的問題。批評者應負起舉證
的責任。我們有足夠的理由相信聖經所說的是真理，因為有足夠
的證據證明整本聖經都是神所默示的（見第七章）。只要我們能

顯示：可能有解答（他們的非議『不一定是對的』），問題便已解決一大半了。就像任何一位美國公民在未經證實有罪以前，應假設他為無辜的一樣，聖經在未經證實有誤以前，也應假設它是正確的。也正如我們對可信靠的老友一樣，我們應採取對聖經有利的態度。科學家面對任何意料之外又未有滿意解釋的不規則現象時，總是假設那應該是可以解釋的。同理，聖經學者應當假設：即使有看似矛盾的地方，聖經應是和諧一致的。這類問題的出現，應當激勵學者更加鑽研，搜尋未逢挑戰時可能一輩子也碰不到的資料。

要搞清楚經文的內容為何

　　錯引經文通常會誤導他人。你的聖經譯本當中可能藏有一些字句問題，特別是舊約中與數字有關的經文，可能其中有抄寫的人所犯的一點小錯。一本好的註釋書會指出這些地方，並且可能可以回答九成你會遭逢的非難。請記住，我們的聖經與神默示的原始手稿吻合的地方才是無誤的，因此在我們嘗試回答任何問題以前，務必要先確定我們有正確的經文。

要搞清楚經文的意義為何

　　聽來似乎多此一舉，事實不然。聖經所用的字詞未必與你心目中所想的具有相同的意義。例如，有些人說：耶穌稱芥菜種為最小的種子，乃一個錯誤，因為蘭花種才是最小的。但仔細查考耶穌所「說」的，原來祂用的字「百種」意指會結果的田園種子。祂說那是一個人拿去種在田裡的種子（太十三31；可四31），並將它與田中各樣的菜相比較。

同時請記住，有些字的意義在不同的上下文裡有不同的意義。英文的"trunk"可以用來指象鼻、車尾箱、推銷員的皮箱，或樹幹，它的意義取決於它的上下文。使徒行傳第十九章33節中，通常用來指「教會」或「會眾」的那個字，竟被用來形容一羣聚集在市中心戲園裡的「暴徒」。細心查看上下文和字的意義，搞清楚你真的明白它在講什麼。就這層面而言，聖經是它本身的最佳詮釋。清楚的經文常可幫助我們了解比較模糊的經文的意思，在其他地方重複出現的詞句也有助於澄清它在這裡的意義。以經解經是無可取代的原則。

貪財是萬惡之根

這節經文（提前六10）經常被人引用，也經常被人誤用，這是為何必須了解經文內容和意義的最佳例證。經文是說：「貪財是萬惡之根。」貪財，而非錢財本身遭譴責。它不是罪惡唯一的來源，卻被稱作根源。萬惡這個詞在希臘原文意謂「所有的罪惡」，含有「所有種類」的意思。這是經文的內容。

但它有何意義？前面經文的主題是：應當為生活中的基本需求得到滿足而知足，第9節則以對照來說：「但那些想要發財的人，就陷在迷惑，落在網羅……裡。」第10節加以解釋，強調有一個根源無可避免地助長罪惡，極難拔除，而那根源是貪愛錢財。「萬惡」可能是為了強調而採用誇張的措辭，經文的重點是要人千萬別讓罪惡的根源種入自己的生活中。

勿將「不精確」當作「錯誤」

對飛機機師而言，量度精確極度重要，在其他的領域卻未必如此重要。在量度一物體的大小或軍隊的陣容時，約略的數目就

夠了。同理，引述經文不一定非要照出處逐字引述不可。聖經作者並非寫研究論文，也沒有人會照研究論文的格式去挑剔他們的寫作。只要能夠證明他們的引述忠於原義，「不精確」應當是可以接受的。今日的傳播媒介都接受這種標準，引述毋須一字不爽，照樣可以忠於原義。

銅海的尺寸

列王紀上第七章23節說到：在所羅門王所築聖殿中的銅海（洗滌用的大水盆）直徑十肘，圓周三十肘。任何一個學過幾何的學童都算得出：圓的直徑若為十肘，圓周應為31.4159肘（圓周＝直徑×π）。因此有些評論家便說：這可能是一個問題，但四捨五入後的整數與錯誤是兩碼子事。π(3.141)四捨五入後為3，正好得到圓周三十肘的答案。

勿將「個人角度」當作「欺騙」

一個目擊證人只見到一件意外的一部分，或是只站在他自己的角度來觀察，並不表示他的見證是騙人的。同理，當一位聖經作者記錄他所見到一件事情的一部分，沒有提及其他的人所見到的另外一部分時，他的記錄仍然是真實的。這些記錄上的參差反而使我們知道：作者們並沒有串通起來「編故事」。

用日常用語描述宇宙

描述宇宙的用語通常是用人通俗的觀點來表達。假使二千年後一位考古學家發現一本書《太陽也上昇》(*The Sun Also Rises*)，而下結論說：我們的文化對地球繞著太陽轉一無概念，我們認為

他說的合理嗎？當然不，我們雖然知道真正的情況如何，但仍常用它們在我們眼中的表現來描述。聖經的作者們便是用這樣的角度描述日頭停止（書十12）以及天在地球之上（賽四十22），並沒有認定：聖經在此支持地球是宇宙中心的理論；這不過是表達這些概念的慣常手法。

聖經所記載的不等於聖經所認可的

聖經一大部分是歷史，因此，有時它會記載一些它不一定認可的事。例如，大衛犯罪（撒下十一）、所羅門多妻（王上十一1～8）被記錄下來，但是，隨後並沒有責備他們的記載。聖經也記載撒但的謊話，但記載本身絲毫不意謂認可（創三4～5）。訓誡在此並非必要，因為聖經其他地方已清楚地譴責過那等行徑了。

我們如何解決那些難題？

我們有了這些大原則後，現在可以看看一些評論家提出的問題，實際應用上述原則。在本書的範圍內不可能回答每個問題，另有一些好書專門解答許多常被提出的標準難題。如果你想對這方面進一步掌握，我們推介艾基新(Gleason L. Archer)著，李笑英譯的《聖經難題彙篇》(*Encyclopedia of Bible Difficulties*)，角聲出版社一九八七年出版。下列一些難題解答中有些便是出自該書。

當務之急

艾基新在《聖經難題彙編》的自序中說:

最初動念撰寫這麼一本書是一九七八年十月的事,當時在芝加哥
正舉行研討聖經無誤的國際學術高峯會。在那個時期,反對聖經
無誤最主要的原由顯然出在:今本聖經中有重大的錯誤,有些錯
誤甚至授人以柄,激成高明無比的經文批駁。照我的看法,秉持
首尾一貫,福音派的觀點所作的客觀研究,足以拒斥那些指控,
並揭露它們的錯誤。在「聖經作為神的話乃絕對可靠」這場捍衛
戰中,沒有比書卷原稿全然無誤這點更能肩負立住陣腳的大任。

家譜問題

創世記第五章

有人認為創世記第五章家譜中的措辭,會使人不得不獲致一
個結論,即人類源始於主前四○○四年,這與考古學上人類歷史
遠較此為長的證據相衝突。我們知道有些基督徒駁斥或懷疑考古
學的發現,但實在無此必要,同時就聖經論聖經也未必對。路加
福音第三章36節清楚地顯示:創世記第十章那裏的家譜在第24節
的地方有一個缺環──亞法撒之子。創世記說亞法撒生沙拉,路
加卻在其間加了一個該南。因此創世記第五章的家譜並非完整
的,其中必有世系省略。

這聽來似乎是一個嚴重的問題,但是你如果查考一下聖經中
「生」字的用法,便會釋然。馬太福音第一章8節說的約蘭生烏
西亞,但他們中間隔了三代(王下八~十五章)。耶穌說:給大
衛吃陳設餅的大祭司是亞比亞他(可二26),撒母耳卻說是亞比

亞他的兒子亞希米勒（撒上二十一1；撒下八17）。聖經用
「生」或「兒子」這樣的字來表明直系祖宗或嫡裔。所以有人如
果想要證明像創世記第五章這類家譜沒有缺環，實在已經錯解了
經文的意義。同時，作者在那份家譜的末了，並未像總計以色列
人寄居埃及（出十二40），或北國由立國到被擄的時間（結四
5）一樣，指明由亞當到挪亞之間總共有多久。

基督的家譜

　　基督的兩個家譜在亞伯拉罕到大衛這部分是一致的，之後開
始歧異。馬太記述所羅門的後裔，路加則記述拿單的後裔。評論
家認為這兩個家譜不可能同時都正確。然而，從第五世紀以來，
教父都採取一個簡單的解答，認為馬太記述的是約瑟的家譜，路
加記述的乃馬利亞的家譜。馬太說：耶哥尼雅生撒拉鐵（這是父
子血親關係），路加則說：撒拉鐵是尼利的兒子（這應當屬於翁
婿姻親關係），可見半子可當作兒子一樣列入家譜。同理，約瑟
可以被列為馬利亞父親的兒子。這種區分與兩卷福音書各自的主
旨相吻合：馬太以王的角度記述基督，祂承繼祂法律上的父親約
瑟的皇室統緒。路加以人子的角度記述基督，祂藉著馬利亞道成
肉身（猶太律法規定一男人已聘的未婚妻所生之子是他的合法後
裔。在馬利亞以童貞女受孕時，馬利亞已經許配了約瑟，太一
18）。這個解釋似乎挺合理。

耶穌的兩個家譜

馬太第一章	兩者都有	路加第三章
沒有記錄		亞當
		塞特
		⋮
		⋮
		他拉
	亞伯拉罕	
	以撒	
	雅各	
	⋮	
	⋮	
	大衛	
所羅門		拿單
耶哥尼雅		尼利
	撒拉鐵	
	所羅巴伯	
亞比玉		利撒
⋮		⋮
⋮		⋮
雅各		希里
	約瑟	
	耶穌	

倫理問題

屠殺亞瑪力人

撒母耳記上第十五章2至3節說：「以色列人出埃及的時候，在路上亞瑪力人怎樣待他們、怎樣抵擋他們，我都沒忘。現在你要去擊打亞瑪力人，滅盡他們所有的，不可憐惜他們，將男女、孩童、喫奶的，並牛、羊、駱駝、和驢盡行殺死。」另外有些經文同樣吩咐以色列人進迦南時要屠殺迦南地的人（申七2；書六15～21，八26～27，十40，十一12、20）。一位評論家說：

> 我只代表我個人說出我的想法，我認為殺死無辜的人是不道德的行為。屠殺迦南地的老百姓，與以色列人為征服神應許的迦南地而必須在戰場上擊殺士兵，完全是兩回事。我實在難以置信神的旨意是要殺掉每一位迦南人──包括男人、女人、兒童。因為聖經清楚地說這是神的旨意，我唯有下結論說：聖經作者在這裡犯了錯誤。人類歷史上誤把族長的激情當作神的旨意原是常事，但不論如何仍然是錯誤。（註1）

聖經作者是否不代表神說話而在自說自話呢？神是否有可能下這樣的屠殺令？首先，我們必須認清，聲稱這是錯誤的理由是主觀的、個人的道德感情。他們用個人主觀的感情作為權威，來判斷何者可以、何者不能被稱為是神的話。其次，他們濫用了情感。人如果去殺無辜的人的確不對，但對神而言，未必一定是錯誤。生命是神賜的，祂有權按祂的旨意收回（伯一21；申三十二

39）。如果上述評論家的觀點是正確的，按同理豈非可以質疑所多瑪、蛾摩拉的毀滅以及挪亞時代的洪水？第三，假設這些人「無辜」是不對的。事實上，神說他們的罪惡滔天，連地也玷污了，所以神要追討他們的罪孽，要將他們「吐出」（利十八25）。連兒童在母腹裡的時候就有了罪（詩五十一5）。最後，我們是否僭妄地以為可以用我們自己的道德標準來論斷神，告訴祂何為是、何為非？神永不改變的公義性情才是公義的標準。

大衛核點民數

什麼驅使大衛去核點人數，導致以色列因瘟疫死了七萬百姓？撒母耳記下第二十四章1節說：耶和華向以色列人發怒，就激動大衛去數點民數，但是歷代志上第二十一章1節將此歸咎於撒但。到底是怎麼回事？

由情節發展可知：大衛對以色列國積聚的豐富物資和軍事力量開始過分倚賴，可能整個國家都開始感到驕傲自滿。顯然神要糾正這傾向。我們在約伯記第一章看到撒但向神挑戰，要神讓祂使約伯受苦，以試驗他。神應允了，好使約伯的信心更加完美。這裡的情況也很類似，神因以色列國和大衛對祂的能力缺乏信心而發怒，撒但巴不得盡可能地摧毀他們，所以神准許撒但去激動大衛核點民數。

神和撒但都是驅使大衛的動力。撒但是積極地做，神則按照祂的計畫消極地做。這個事件最後的結果是大衛購買了建築聖殿的基地。

撒但與信徒

在彼前四19、五8可以看到這裏所說，信徒必經的動力原則。神讓我們受苦，乃是希望我們能藉此更加瞭解在基督裏的生命生活。但撒但所圖的只是毀壞吞吃我們。神利用撒但毀壞的傾向來促進祂對我們的訓練計畫。有時我們非得以艱辛痛苦的方式才學到功課，而希伯來書第十二章6節提醒我們：「（祂）鞭打凡所收納的兒子。」正如該書作者下的結論：「凡管教的事，當時不覺得快樂，反覺得愁苦，後來卻為那經練過的人結出平安的果子，就是義。」

歷史問題

出埃及的日期

許多考古學家和學者都將以色列人出埃及的日期定在主前一二九〇年。主要的根據在於出埃及記第一章11節說：蘭塞這個城市是以色列奴隸工作的地方。假設這城市是以蘭塞大帝命名的，則出埃及的時候必然在主前一三〇〇年以後。然而，列王紀上第六章1節說：由出埃及記到所羅門聖殿啟用(主前966年)隔了四百八十年，如此出埃及時間應為主前一四四六年左右——比上述日期早了約一百五十年。到底何者為正確？聖經？還是那些學者？

我們首先應指出：聖經在這方面的日期是一致的。約在主前一一〇〇年的時候，耶弗他說，以色列人占據當地已經有三百年了，等於說征服迦南地應為主前一四〇〇年左右（士十一26）。再加上四十年的曠野漂流，出埃及的日期便很接近主前一四四〇年了。同理，使徒行傳第十三章19至20節說：由出埃及到撒母耳

時代結束，歷時四百五十年。撒母耳死於大衛王朝開始（主前約
1000年）前不久，如此計算出埃及的時間非常接近主前一四四六
年了。因此，假使列王紀的作者（可能是耶利米）犯了錯的話，
則士師記的作者（撒母耳？）和保羅豈不都錯了？因此，如果對
這較早的日期理論（約主前1400年）質疑，就等於對新舊約極大
部分的經文（士師記、撒母耳記上下、列王紀上下、耶利米書、
耶利米哀歌、使徒行傳，以及保羅的十三卷書信）質疑。

　　但是考古證據和蘭塞命名由來又如何呢？較晚日期理論與既
有證據向來兜不攏。事實上，約書亞所征服的城市中有六個在主
前一二○○年左右時無人居住。考古學家曾因某些證據原來認
為：以色列人於主前一三○○年以前不可能在巴勒斯坦遇到摩押
人和以東人，但隨著考古發現繼續出土，證明他們的觀點是錯
的。考古學家也發現：或者在以色列人初淪為奴，或者在主前一
四○○年前後這兩段時間內，蘭塞大帝建城所在的地區都有不少
其他的建築工程在進行。出埃及記中涉及的時間可能指其中任何
一段。唯一不可能的是主前一二九○年，因為照他們的說法，那
裏是摩西出世以前以色列奴工服苦役的地方，而摩西叫法老讓神
的子民離開的時候是八十歲，如此算來蘭塞城的工程豈非在蘭塞
大帝出世以前便開始了？另一方面，杜得模西士三世
（Thutmose Ⅲ，主前1482～1447年）的時代有一貴族名叫蘭
塞，有證據顯示他乃摩西出世以前的人物。不論如何，蘭塞大帝
只是蘭塞二世，早在幾世紀之前，已有一個以蘭塞為名的法老。
已有人提出：應更訂考古學證據的年代，重建這時期的歷史，將
會使得「聖經傳統和考古學證據之間顯著相應」。（註2）另外
一個理論指稱：埃及法老的記錄中有重複，打斷了埃及與以色列
歷史間的相關一致性。這理論主張蘭塞一世已完成了那些城市的
建築。然而，沒有理由推斷出埃及遲於主前一三○○年。許多證

據支持聖經學者所提出來的日期，沒有太大的問題。（詳見第九章）

數字的出入

舊約歷史書中，撒母耳記、列王紀中的數目偶爾與歷代志（寫於被擄到巴比倫之後）中的記載有出入。例如，撒母耳記下第十章18節記載大衛殺了亞蘭七百輛戰車的人，歷代志上第十九章18節則記載七千輛。這是通用希伯來文聖經中的數字，但沒有證據證明聖經原稿也有出入（無誤論乃指後者）。這錯誤源於抄寫時加多或減少了一個零。因為猶太人極端嚴謹地、一字不差地照抄，一旦經文中產生這類錯誤，這錯誤就會被繼續地照抄而流傳下去。

歷代志下第三十六章9節記載約雅斤登基時為八歲而非十八歲（王下二十四8）、列王紀上第四章26節將所羅門套車的馬加了十倍（四萬，而非代下九25的四千）也屬同樣的問題。有人說：以斯拉寫歷代志時將數字誇大來為以色列增光。然而，歷史書中十八處數字有出入的記載中，歷代志只有七處是較大的數字。至於其他有出入之處，我們必須請讀者參考別書。這裡只想指出：問題多出於抄寫的錯誤。

福音書中的平行經文

許多評論家因為四福音書對許多相同事件有不同記載而猛烈抨擊。有些人甚至說：簡直不可能獲得一個一致的整體四福音合參這類書，但是像羅伯森(A.T. Robertson)的著作問世，應當可以使他們息怨了，但是有些人仍然繼續批評。彼得不認主的記錄

便是一個常遭疵議的例子。所有的記載都同意基督預言彼得說他會三次不認主，但就記錄來看似乎超過三次。馬可福音第十四章30節說雞會叫兩次，後來也記載了兩次的雞叫（68、72節），但另外的福音書中只記載了一次雞叫。然而，能有辦法解釋這些現象間並無矛盾。

首先，就雞叫的次數而言，只要我們能接受馬可包含了一個其他福音書略去的細節，問題就不存在了。因為彼得本人可能便是馬可寫作素材的來源（他們在彼前五13中的關係密切），沒有理由懷疑他在這方面的話。彼得在第一次不認主後可能注意到一次雞叫。日後所以唯獨他傳述下來，而其他的門徒沒有留意到這個細節，則因為這整件事彼得涉入最深，是他的切身之痛。

不認主的經過可以合參如下：

第一次不認主	第二次不認主	第三次不認主
太二十六69～70; 可十四66～68; 路二十二55～57; 約十八17～18 彼得在院子裡烤火，大祭司的一位僕人知道彼得是跟約翰進來的，指認彼得。約翰的記載跟著便提到彼得的不認主。馬可記載到第一次雞叫。	太二十六71～72; 可十四69～70a; 路二十二58; 約十八25 彼得到了前院另一堆炭火前烤火，第二位僕人對他提出同樣的控訴。	太二十六73～74; 可十四70b～72; 路二十二59～60; 約十八26～27 馬勒古的一個親戚認出彼得，其他的人也開始注意到他有加利利的口音。雞第二次叫，所有的福音書都有記載。

其次，馬可福音第十四章68、72兩節可能有抄寫的錯誤。「雞就叫了」很可能原來只出現於第72節，卻不慎誤被抄入第68節中，成了衍文。「第二遍」很可能是後來有人想要澄清而加入的。有一份最好的希臘文抄本支持此說，另外一些抄本也是一樣。

只要能按上面任一方式來調停，看似矛盾之處便不存在了。因為有可能的答案，就應當給予有利聖經的結論——證據不足，撤銷控訴。

福音書合參

任何想要將四福音合併成一個單一故事的人，都面臨著兩大難題：馬太、馬可、路加的相似以及約翰的不同。有些早期的評論家認為，約翰記錄的是他自己編造出來的基督生平，但經詳細研究後，發現約翰所記載與眾不同的事件正好是其他福音書時序問題的關鍵所在。同時，約翰有時加添一些細節，使得原本難解的地方變得合理。前三本福音書因為十分相似，被稱為「符類福音書」（Synoptics意為「共看」，故又稱「對觀福音書」），它們雖然常記載同一事件，卻有不同的編次，內容經常也十分不同。有時我們會發現耶穌不止一次地使用同樣的句子或說同樣的比喻，這也造成混淆。路加傾向於用主題為經緯安排事件，馬可則將所有的比喻聚集在一處，接著才是所有的神蹟……等。

引用的問題

引用舊約作者

　　新約常常引用舊約經文，但有時指出的似乎並非正確出處。馬太福音第二十七章9節將一段話歸諸耶利米書，但實際上卻出自撒迦利亞書第十一章13節。這問題的解答可能在於猶太人的常規，當稱述一位以上的先知時，只寫出較著名的那位。在這個例子中，撒迦利亞的經文告訴我們：付給猶大的三十塊錢後來給了窯戶，但上下文理顯示：引用的要點在下一句，那是來自耶利米書的（十九2、11）。撒迦利亞沒有提到田地，耶利米則提到了。因此馬太不過是依照常規，只寫出較著名先知的名字。同理，馬可福音第一章2至3節引用瑪拉基和以賽亞二人的預言，但只提到以賽亞的名字。

新約中的舊約經文

任何認真讀聖經的人都會時而碰到兩種情況：新約作者要不是改動了舊約經文的措辭，就是似乎斷章取義，這是因為我們通常期盼使徒們照著我們記憶中的經文和引用方式來引用，但他們稱述時，或者自行意譯，或者依據希臘文譯本。當時還沒有畫一的譯本，某些希臘譯文誠然有欠準確，或不夠明晰。真正的問題是：使徒們使用的那些意義蘊涵在舊約經文裏嗎？就某些個案而言，得花上相當的工夫去探究，不過整體來說，新約已被證實乃舊約的最佳詮釋。

引用聖經以外的來源

　　有關引用聖經以外來源一事曾引起極大爭議，特別以猶大書

為然。猶大顯然引用兩約期間的僞經「以諾書」(the Book of Enoch)，好像亞當的七世孫以諾真的說過那些預言（14節）。他也提到同屬僞經的「摩西升天記」(the Assumption of Moses)，其中所載有關摩西屍首的爭辯（9節）。猶大真的相信那些來源可靠、甚至或許是神默示的嗎？

評論家的前提有兩個：猶大所知的僅可能來自他所讀的；他對他所讀的未加評核便接受了。然而這忽略了聖靈在猶大寫作時的運作。首先，經文並未提及他在引用任何書，最少有可能是神提供猶大這些事的資料，而我們只有猶大的記錄可資憑據。其次，也有可能猶大和其他的書都在稱引當時尚未被記入聖經，卻是真實歷史事件的口述傳統。這種口述傳統可能便是摩西撰寫由亞當到約瑟時期歷史的基礎。最後，就算猶大真的是引用那些僞經，我們沒有理由因為他確認僞經中一些細節，便假設他或我們連全本僞經也要接受。保羅引用異教詩人的詩句（徒十七28；林前十五33；多一12），但這並不表示他們的著作都是神所默示的，只有其中一些是真實的。保羅甚至在提多書第一章12節強調：只有他引用的那句才是真的，因那來自革哩底的一句話：「革哩底人常說謊話。」就算那詩人所有其他的話都是謊話，但保羅向我們保證：他引用的那句是真的。

科學問題

約書亞的長日

第十章會處理科學方面的問題，這裡將只就一則那裏未提及的問題加以討論。約書亞記載神將日頭延長了約一日之久，使以

色列人可以擊敗基遍人（書十12～14）。有人提出反對，認為地球假使停止轉動，則物理定律將使地球表面的萬物（包括海）都造成鉅大的破壞。對於這個問題有兩種回應方式，各有長處。首先，經文並未說地球必定是停止轉動，照第13節的文義：「日頭……不急速下落，約有一日之久」，乃是說它減速轉動。這顯示日頭仍然橫跨天空（就我們見到的角度而言），僅減慢了速度。當然，減速仍然有可能擾亂引力、運轉方面的平衡，因此導致第二種回應。如果神可以使日頭多照二十四小時，祂難道不能掌握要成就這事聯帶的其他要件嗎？這根本就是一個神蹟。神不論用的是什麼超自然因素使地球轉動減速，祂為何不能同時用另一些超自然因素去維持秩序？神如果偉大到一個地步可以成就前半部神蹟，祂也必有能力成就整件神蹟。反對此說唯一的理由便是完全不相信有神蹟。詳見第五章。

　　評論家可以大叫：「有矛盾！」、「有錯誤！」，叫上一整天，但他們最好先作足準備工夫。有時他們提出的問題確實值得回答，這也激發許多人去研究，因而幫助我們更了解聖經。但他們從未真能指證聖經有錯。我們提出的解答原則是合理的，並且常用最新最好的學術成果作實質回應。但我們也應當對本章有一個均衡全面的認識，坎特茲(Kenneth Kantzer)說得好：

> 福音派信徒並非嘗試去證明聖經沒有錯誤，好使他們確信聖經是神的話。我們可以證明報紙上的一篇文章完全沒有錯誤，但無法因此便證明那篇文章是神的話。基督徒相信聖經是神的話（是無誤的），因為他們相信耶穌（教會的主）如此相信，也要祂的門徒如此相信。（註3）

附註

1. Stephen T. Davis, *The Debate about the Bible* (Philadelphia: Westminster Press, 1977), pp. 96~97.

2. John J. Bimson and David Livingston, "Redating the Exodus" in *Biblical Archeology Review,* 8:5 September-October 1987, pp.40~53, 66~68.

3. 艾基新，《聖經難題彙篇》，角聲，1987【Kenneth Kantzer, Foreword to Gleason L. Archer, *Encyclopedia of Bible Difficulties* (Grand Rapids: Zondervan, 1982), p. 7.】

第九章

有關考古學的問題

　　聖經考古學是一門引人入勝的科目。考古學歷年來的發現一再昭揭聖經記載的歷史真實性和意義，使得考古學與聖經研究相得益彰。著名的考古學家格魯克(Nelson Glueck)曾大膽地斷言：

> 事實上，可以斬釘截鐵地這麼說：至今沒有任何考古發掘曾與任何一處聖經記載牴觸。許多考古發掘出來的，不論在大綱領或在細目上，都證實了聖經中的歷史記載。（註1）

　　在我們談細節以前，應先談談詮釋考古證據的一些特性。首先應當記住的是，沒有任何證據是可以自我詮釋的。任何一件事物的意義唯有從它所處的架構脈絡中方能推衍而得，例如：日期、地點、物質、格式等脈絡，會決定一個考古證據應如何看待。更重要的是，詮釋的人如何理解，取決於他的預設和世界觀。因此，並非所有出土物的詮釋都有利於基督教。

　　同時，考古學是一門特別的科學。物理和化學可作各種不同的實驗以重現他們研究的過程，一再地觀察。考古學家卻無法如

此作。他們只有過去某一時段的文明留下來的跡象。他們研究的乃是過去單一的情況,而非現在重複出現的情況。因此,他們不能夠重現他們所研究的過去社會,他們的結論也就不能像其他的科學一般接受試驗了。考古學嘗試對出土的文物跡象提出可能並似乎可採信的詮釋,卻無法像物理一樣訂出定律,因此所有的結論都有待修訂。對出土文物跡象能提出一致解說的,便是最好的詮釋。

考古學在幫助我們增加對聖經時代、人物的了解方面,所帶來的貢獻之大,就算用幾倍於本書的篇幅都無法盡述。本章無法回應所有對聖經權威的挑戰,我們的目的僅止於顯示考古學的確證實了聖經的歷史記載,也因而經常增進我們對經文的認識。

考古學是否印證舊約?

雖然有些問題尚未得到解答,有些問題可能永遠無法解答,但一般而言,結論依然:考古學不單在歷史梗概方面,而且在許多細節上證實舊約的記載。我們將討論歷史上幾個時期,指出考古學在各時期帶來的一些亮光。

創世

創世記第一至十一章通常被人視為對宇宙、人類來源的一種神話式說明,脫胎自古近東那流行故事中較早的幾種摹本。摩西真的可能對他出生數千年以前的事知道得那麼清楚?(亞當在園中的對話?造巴別塔的材料?方舟的尺寸?)考古學已證實:過去所有基於上述原因而企圖推翻聖經的斷案實在是言之過早。讓

我們逐件討論。

創世的記載是歷史還是神話？

　　有些人只選擇性地去注意創世記和其他古文化創世神話之間的相似處，但是彼此的差異更重要。相似之處會誤導人以為摩西只不過在抄襲古代神話，但實際上那些相似之處都是浮面的。按照巴比倫和蘇美人的記載，由於數位有限神祇間的衝突，這才導致創世。當一位神祇落敗，分裂為二，幼發拉底河（即伯拉大河）便由他的一眼流出，底格里斯河則由另外一眼中流出。一位邪惡神祇的血與土混合後，最終造成人。這些故事顯示當一件歷史事件被神話化時，會產生怎麼樣的曲解和粉飾。讀者都知道一個謠言會如何地膨脹變質，直到面目全非，難以辨認它與事實間最初的關係，大部分的故事都不例外。愈來愈多的人相信：神話和傳說通常建立在事實上。就創世的記載而言，多神論神話的面世雖然早於希伯來聖經，但顯然是基於創世記中的事實加以渲染粉飾而成。

> 照一般的假設，希伯來聖經的記錄不過是巴比倫神話淘洗、簡化後的版本（洪水故事也是如此），這個假設犯了方法論上的錯誤。古代近東常見的趨勢是將簡單的記錄或傳統加油添醋、渲染粉飾，變成精巧詳盡的神話，而非倒轉過來，將神話簡化或變得近乎歷史（所謂歷史化）。因此對創世記前幾章抱持這種的假設是錯誤的。（註2）

　　最近伊浦拉泥版(Ebla)出土，證實了這個事實，伊浦拉的圖書館藏有17,000塊以上的泥版，年代比巴比倫神話故事約早六百

年。記述創世那一塊版的鍥文與創世記十分相似，論及一存有創造了諸天、月亮、星辰以及地球。伊浦拉的人甚至相信萬有係由空無中被造出來的。這顯示聖經所記載的是更古遠、更少渲染的版本，並且記下了未經神話詮釋的事實。

創世的護教家？

像摩西這樣一位受過良好教育的人，對巴比倫人和蘇美人的創世說必然耳熟能詳，因那些神話在那個時代流行的情況，就如同荷馬史詩在古希臘、莎士比亞劇作在英國一樣，所以它們與聖經記載有相似之處並非巧合。摩西為何要將創世記錄寫得和其他創世故事如此近似？解答恐怕在於留心看它們相異之處。巴比倫神話說到查馬特神(Tiamat)與瑪爾杜克神(Marduk)間的爭戰，摩西用相似的字眼，卻不涉及爭戰，神便創造了海。巴比倫神話和聖經都提到天與地的分開，但在創世記是神吩咐便得成就，並未經過衝突。巴比倫神話中，太陽、月亮、星星是已經存在的，但摩西說它們也是神造的。巴比倫神話中，人被創造乃為了減輕異教眾神的工作量；然而，真神造人作為被造萬物的統治者，是要讓他領受神的祝福、情誼、形像。簡單地說，摩西可能是在作一個直接的比較，以顯示出神比其他任何所謂的神祇都優越。因此，當摩西清楚顯出其間的差異時，乃是在從事護教的工作。

洪水的記載是歷史還是神話？

聖經中洪水的記載與創世的記載一樣，已經證實遠較古代其他同類神話更加記實、更少神話化，兩下表面的相似之處非但不是因為摩西的抄襲，反而更顯出它們有共同的歷史事實為根源。雖然經過改名換姓〔聖經中的挪亞被蘇美人稱為宙要特烏﹝

Ziusudra），在巴比倫的傳統中則被稱為烏地拿比士（Ut-napishtim）〕，但基本的故事仍一樣，都說到：有一人被告知建造一特定尺寸的船隻，因為神（或諸神祇）要用洪水淹滅世界。他照著作了，安然度過浩劫。當他一下船，就獻祭。神（或諸神祇）對眾生毀滅表示懊悔，就和這人立了個約。這些核心情節表明它有一個事實基礎。近似的報導見諸世界各地，希臘人、印度人、中國人、墨西哥人、阿爾根金人以及夏威夷人都傳說有場大洪水。同時，蘇美人有一王的名單，他們都視洪水為真實事件。該名單在列出八個異常長壽（數萬歲）的王名後，行文突告中斷，插入洪水的記載：「後來洪水淹沒（地面），王朝被打下凡間，由凱司(Kish)開始。」（註3）

　　但是我們是否有充足的理由相信：摩西所記載的才是最可靠的歷史記錄？其他版本中的情節過分精巧，流露出訛變的痕跡。唯有創世記提到洪水及其他與挪亞生平有關的年代記錄。事實上，創世記讀來幾乎與日記或船上的航行記事一般。巴比倫立方體的船不可能拯救任何人免於洪水之災，因為洶湧的洪水會從各方面不斷地將船翻轉。然而聖經中的方舟是長方形的——又長、又寬、又低——可以在洪濤中安然漂浮。異教神話中的落雨期（七日）過短，不足以造成他們描述的鉅大破壞。水位得升到17,000呎以上，才能遮蓋大部分的山頂，必須有較長的落雨期才顯得合理；同理，說所有的洪水於一日之內退盡也屬荒誕不經。此外，在異教神話中的英雄被高舉為不死的英雄，而聖經中的挪亞仍會犯罪，也顯出它記載的真實性，因為唯有尋求報導實情的才會涵蓋這些部分。

　　有些人認為：洪水雖然嚴重，卻非普世的，只是地區性的。但有地理上的證據支持普世洪水說。有些「近世」動物的部分骸骨在世界不同地帶的深層裂縫中被發掘出來，洪水似乎是這種現

象最好的解釋。

> 維榮高(Rehwinkel)在《洪水》(*The Flood*)一書中指出：這些裂縫甚
> 至可在極高的山上找到，裂縫的深度由140呎到300呎不等。由於
> 沒有一件骸骨是完整的，因此可以大膽地假設：這些動物（長毛
> 象、熊、狼、公牛、土狼、犀牛、歐洲野牛、鹿以及許多其他較
> 小的哺乳類動物）全都不是活生生地跌入那些裂縫中，也並非被
> 大浪捲進去的。然而由於這麼多異種的骸骨都被方解石鞏固起
> 來，它們必然曾經沈於水底。像這樣的裂溝曾在黑海旁的敖得薩
> (Odessa)、伯羅奔尼撒(Peloponnesus)半島外的吉歇拉島
> (Kythera)、馬爾他島(Malta)、直布羅陀山(Rock of Gibraltar)，
> 甚至內布拉斯加(Nebraska)的亞基泉(Agate Springs)……等處發
> 現。這恰恰是普世洪水這樣一個短期（一年以內）但猛烈的事件
> 出現後應有的跡象。（註4）

到處發現這類骸骨說明普世洪水確有可能（參創六至九章，
彼後三5～7）。

且慢高興

中東、亞洲、夏威夷、北美、墨西哥都有洪水的傳說，最自然的
推論似乎就是：聖經所說的大洪水事件確實在那些地區發生了。
但是且慢高興，如果真有那場大洪水，挪亞一家是唯一的倖存
者，則其他地區怎會有人留下來講述這故事呢？這豈不證明它只
是流行的神話嗎？我們必須承認：流行世界各地那些故事並不能
證明大洪水在那些地區發生過，不過倒可以顯示：那些洪水故事
有一共同起源。如果挪亞和他的家人真是唯一的倖存者，他們後
來散佈在不同的地區，把那次巨變當作民間傳說的一部分，以解

釋他們要找尋新家定居的原因。那些故事不一定可以證實洪水是普世的，但它們的確顯明洪水乃是一件真實的事件，成為眾神話的基礎。

巴別塔的記載是歷史還是神話？

現在已有許多證據顯示：這個世界曾有一段時期只有一種語言。蘇美人的文學中好幾次提到這個情形，語言學家發現這理論有助於他們對語言的分類。但是巴別塔和語言的混亂到底是否為歷史事件呢？

據說吾珥(Ur)的王吾珥南模（Ur Nammu，約主前2044到2007年）曾接到命令，要他建造一座宏偉的金字塔型廟（廟塔），以敬拜月神那拿特(Nannat)。一出土的石柱（紀念碑）約有五呎寬、十呎高，顯示吾珥南模一些不同的活動，其中一欄雕畫著他攜帶一個裝灰泥的簍子出去，準備開始建造一座高塔。他如此做，是為了要表示他對諸神的忠心，以致甘心作一個卑微的工人。一塊出土的泥版記載：建塔觸怒了諸神，以致將人所建的夷為平地，將人驅散，使他們的語言變異。這段銘文與聖經中所記載的有許多相似之處（創十一）。（註5）

瑣碎的家譜

許多人有時會懷疑：神為何會不嫌麻煩，記下像創世記第十章那麼多人名的家譜。有些人覺得它們唯一的好處便是靈修時可以練習速讀。但這些名單對登錄者而言則絕非無足輕重，那是家譜(family tree)，你永難預料到：其中的一個名字因著某項考古發掘會突然變得有意義。例如，出土的伊浦拉泥版上有一個名字是伊

伯拉罕(Ibrium)，曾有人說過：這便是希伯，乃亞伯拉罕的祖先，亞伯拉罕和希伯來二名都由它衍生而來。後來發現原來希伯便是伊浦拉的王，這使他變成一個重要人物，也告訴我們有關亞伯拉罕社會地位的情況。當我們知道神可以感動亞伯拉罕這樣一位富裕、有王室血統的知名人物，對我們豈非有更多的啟發？而對亞伯拉罕來說，要離開如此根深蒂固的地方，又是一個多麼戲劇性的決定！

摩西從何得知這些歷史？

最簡單的答案便是神向他啟示這些事，但這個答案的前提在於：相信神能夠並且實際上向人啟示，而懷疑論者所懷疑的正是這些。不論如何，另有一個可能的解釋，雖不排除神的啟示，但也同時解釋古代的傳統何以能如實地傳遞到後世。魏斯曼(P.J. Wiseman)認為：創世記的歷史原來寫在泥版上，一代一代地傳遞下去，由「宗族領袖」負責編輯和增補。魏斯曼主要的線索是聖經中某些字、詞週期性地重複出現。泥版是按次序保存的，新的一塊泥版的開頭重複上一塊泥版最後的字。作者會將自己的名字置於「……的後代，記在下面」（創二4，五1，六9，十1，十一10、27，二十五12、29，三十六1、9，三十七2）這段記載的末尾。這或許不及頁數那麼簡潔，卻一樣有用。他頗有力地證明這種作法是古代東方的風俗。根據對創世記文學的評估，「本書每一部分都顯示：它是由摩西編纂成現有的形式，編纂所根據的乃是早於（當然不會晚於）摩西時代的文件。」（註6）創世記很可能是一個家族歷史，由族長們記錄，傳到摩西手上。

族長的記載是歷史還是神話？

有關亞伯拉罕、以撒、雅各生平的敘述不像創世記前幾章一樣引起那麼多的疑問，但仍被許多人視為傳說，因為它們似乎與那個年代已有的證據不符；然而愈來愈多的發現增加我們對那些故事的瞭解，並證實它們的真實性。新近發現的亞伯拉罕時代的法律也顯示：為何他不願將夏甲逐出，原來在法律上他有責任供養她。因此，只有當神頒佈的更高法律要他如此做時，亞伯拉罕才願意將她逐出。馬里(Mari)信件上發現Abam-ram（亞伯拉罕）、Jacob-el（雅各）以及Benjamites（便雅憫）等名，雖然這些並非聖經中的人物，但至少顯示這些是當時通用的名字。這些信件同時支持創世記第十四章的五王與四王爭戰的記載，因為這些王的名字與當時的主要國家頗為相稱。例如創世記第十四章1節提到一位亞摩利王亞略(Arioch)；馬里文件上則將王名讀作亞利吾克(Ariwwuk)。這些證據都證明創世記的材料可能來自亞伯拉罕時代某位目擊者的記錄。

所多瑪與蛾摩拉的毀滅一向被認為是杜撰出來的故事，直到現在愈來愈多的證據顯示：創世記第十四章提到的這五個城市原來都是當地的市集中心，它們的地理位置正如聖經所述。聖經對它們毀滅的描述似乎也不假。

倒退到事件當時：發生了大地震，有強有力的證據顯示不同的地層曾經斷裂、高彈向空中。歷青遍地皆是，硫黃自天降在這些棄絕神的城市的情景歷歷在目。有證據顯示沈澱的岩層曾因高熱而融化，所多瑪山（Jebel Usdum）山頂便發現這種燃燒的跡象。這是久遠的過去曾突發過的大火所留下的不滅痕跡，可能是死海底的油層起火、爆發所致。（註7）

這種解釋並未減少這事件的神蹟性，因為神同時也掌握著自然界的因素。這事發生於警告和天使造訪之後，顯示神直接參與。

法律專用術語

由古代證據可以得知：當時立約有專門的法律模式，申命記依循的正是這些法律模式中的一種，稱為宗主權條約(suzerainty covenant)，是一統治者和他的附庸間訂立的一種合約，摩西時代的赫人經常使用這種模式。它包括六個部分：

1. 前言：包括立約者的名字。
2. 歷史敘略：簡短地記載雙方過去的關係，強調附庸為何應當對過去所受的恩惠感恩。
3. 條文：宗主列出家臣應守的條款或義務。
4. 延續：合約的一份抄本應置於人民敬拜的場所，定期予以宣讀。
5. 見證：呼籲數位神祇擔任該合約的見證。
6. 賞罰：制訂一套祝福和咒詛，表明當僕從遵守或不遵守條約上所列的義務時，宗主將如何回應。

申命記採用的便是這種模式，因此本書實際上乃法律文件——一份神與以色列所立的約。

出埃及的日期

學者們雖不懷疑以色列族的確由埃及出來，進入巴勒斯坦，但他們卻對其年代無法下定論。一般人所接受進入迦南的年代(Generally Accepted Date)簡稱GAD，約為主前一二三〇至一二二〇年。聖經在三處不同的地方（王上六1；士十一26；徒十

三19～20）指示：主前一四○○年左右以色列族出埃及，進入迦南則為四十年之後的事。處理這個問題有幾種方法，孰優孰劣尚未分曉，但至少可以確定兩點：(1)GAD已無立足之地，(2)這個問題可能可以解決。

　　GAD乃建立於三個錯誤的假設上：出埃及記第一章11節的「蘭塞」乃以蘭塞大帝命名；主前一三○○年以前，在尼羅河三角洲沒有大型工程；主前十九到十三世紀在迦南地沒有重要文明。這些假如都是真的，則主前一三○○年以前不可能有出埃及記那裡所描述的景況出現。然而蘭塞在埃及古史中並非罕見之名，很有可能是為紀念某位早期貴族而採用。蘭塞大帝是蘭塞二世，因此必然曾有一個蘭塞一世。同時在創世記第四十七章11節中的蘭塞指尼羅河三角洲，是安頓雅各和他子孫的地方。這可能是摩西提到這地區時慣用的名稱。其次，現在在該地區發掘出的建築可追溯到主前十九至十七世紀（以色列人抵達埃及的時期），在蘭塞(Pi Ramesse)以及可能是比東所在的兩個地點，留下許多深染巴勒斯坦色彩的遺跡。一九八七年的挖掘顯示：主前十四世紀，在蘭塞和比東可能所在地之一已有建築存在。因此無論出埃及記第一章11節是指以色列淪為奴隸時的建築，還是指他們出埃及前正作的工程，有證據顯示上述兩個時期都有建築工程。最後，表面的調查雖然找不到：在以色列入迦南以前，當地有摩押人或以東人之類的文明，但是更深入的挖掘則已發現許多與該時期相吻合的地點，最初從事這方面研究的人近來也改變他的立場。因此，進一步的研究已證明，上面將出埃及訂為主前一三○○年以後的三個假設都不成立。這三個假設如果都不成立，則沒有理由不支持一個較早的出埃及日期，並為聖經所提出約主前一四四六年的日期尋找證據。

　　至少可用兩種方法，來協調現有資料與聖經所暗示的日期兩

者間的關係。兩種方法都認為：古代歷史的時代應當可以按證據來調整。第一個方法提供調整考古斷代的基礎，第二個方法則重新解釋埃及統治者的年代。因為這些調整動搖到許多廣為人所接受的古史，因此招到許多非議，但兩種理論都有相當多有利的證據。

賓森—李文斯登修訂(Bimson-Livingston revision)

第一個理論為賓森(John Bimson)和李文斯登(David Livingston)於一九八七年提出，主張應該修改青銅器中期過渡到晚期的日期。他們首先指出晚的日期不成立（就像我們上面所證明的）。但問題並未解決，因為迦南地的城市被毀約在主前一五〇〇年——早了一百五十年。這個斷代乃假設：它們是在埃及人將許克所斯（Hyksos，曾侵佔埃及數世紀的一民族）逐出時被毀的。賓森認為將青銅器中期的結束年代移後，可以顯示他們乃被以色列人摧毀，而非埃及人。

這樣的移動站得住腳嗎？青銅器中期(Middle Bronze，MB)的特徵為防禦堅固的城市，青銅器晚期(Late Bronze, LB)的特徵為較小的、無城牆的居所，因此我們可以根據導致這些城市毀滅的因素訂定中、晚期的分界點。傳統年代最近備受批評，因為證據零星模糊。同時，埃及新建立政府和軍隊，能否長征迦南也頗值得懷疑。最近挖掘得到的證據顯示，青銅器中期的下限較原本推想的要長，因此它的尾聲也更接近主前一四二〇年。

證據為何？從今日發現的迦南城市遺址來看，它們當年正如摩西所說的：「又廣大又堅固，高得頂天」（申一28）。同時這些城市毀滅的程度，除了少數例外，與聖經中所描述的相符。「一般而言，（青銅器中期）末葉遭毀滅的地區與以色列人殖民

的地區相吻合，倖存的城市都在該地區以外。」（註8）

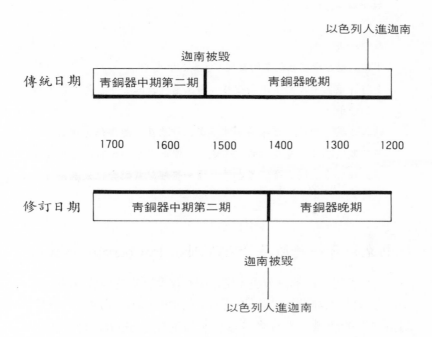

有些考古學家會問：「以色列人稱霸青銅器晚期的證據在那裡？他們一向被認為是主前一二○○年使青銅器時代進入鐵器時代(Iron Age)的主要變數。」這種觀點的問題在於：那些改變不僅僅在巴勒斯坦發生，更遍及整個地中海地區。希伯來人不可能造成那麼廣泛的改變。他們可能正如一般的遊牧民族，身無長

物，一段時期住帳篷，從迦南地的市場買到他們的陶器。此外，你是否曾經讀過士師記？當他們進入迦南地，數百年以來非但未曾統治任何人，反而不斷受他們周圍的人統治。

賓森總結他的理論：

> 我們建議：
> 1.回到聖經中征服迦南的日期（主前1400年前）
> 2.將青銅器中期的下限向後移，由主前一五五〇年移到主前一四〇〇年。
> 結論是原本相差數百年的兩件事現在被放在一起：於青銅器中期第二期(MBⅡ)遭滅亡的迦南城市，便是以色列征服迦南的考古學證據。這兩個建議使考古學證據和聖經記載配合得天衣無縫。（註9）

維利克斯奇—科腓耳修訂(Velikovsky-Courville revision)

另一個可能的解決方法，便是調整埃及歷史的傳統觀點。整個西方古代世界的編年都以埃及君王的次序和年代為基礎。我們對這方面的認識大部分來自古史家馬尼托(Manetho)排定的世系，另外有三位歷史家都以此為據。另外從紀念碑上也發現不完整的名單。排定的這個世系被認為嚴謹且確實；然而，唯一絕對可確定的日期在世系的結尾，也就是亞歷山大大帝征服埃及的年代。

維利克斯奇(Velikovsky)和科腓耳(Courville)聲稱：這樣編年將憑空多出六百年，使整個近東地區的大事記載出現一大片空白。

有何證據可支持這個理論？如果我們先把埃及歷史已固定的

觀念擱在一邊，有三件證據可以證實以色列的歷史與埃及歷史吻
合。當找到這吻合之處（也就是說兩個國家對同一件事都有記
載）後，我們稱之為「對照性」(synchronism)。我們發現的三
件對照性事件為摩西的災難、亞瑪力人落敗、亞哈的統治。

　　一位埃及祭司伊浦耳(Ipuwer)所寫的一份非常古老的蒲紙
（雖然對此曾有許多不同的解釋）說到兩件特別的事：一連串的
災難，以及一個外族的入侵。那些災難與出埃及記第七到十二章
記載的摩西十災十分吻合，例如河水變成血（參七20）、穀物被
毀（九25）、火（23、24節）以及黑暗（十22）。最後一災法老
之子遭擊殺也提到：「這是千真萬確，王侯的孩子們被撞在牆上
……監獄也遭災害……到處都有人將他的兄弟放在地上……全地
充滿了呻吟，夾雜著悲哀。」（蒲紙4:3，6:13，2:13，3:14）這
與聖經的記載極為相似：「耶和華把埃及地所有的長子，就是從
坐寶座的法老，直到被擄囚在監裡之人的長子……盡都殺了……
在埃及有大哀號，無一家不死一個人的。」（出十二29～30）在
災難之後，有「一個外族」自沙漠入侵（蒲紙3:1）。這次入侵
的必定是統治埃及中王朝(Middle Kingdom)和新王朝(New
Kingdom)的許克所斯族。

　　阿里什(El-Arish)的大石碑也述及，東(Thom)王朝的時候，
國內有黑暗和苦難的相似故事，也提到法老王「出去與黑暗之神
(Apopi)的朋友爭戰」，然而大軍一去不返：「陛下躍入所謂的
漩渦之處(the so-called Place of the Whirlpool)。」出事地點為
Pi－Kharoti，可能與以色列靠海安營的比哈希錄（Pi-
hahiroth，出十四9）相同。這是很有意思的事，因為以色列所
築的城稱為比東（Pi-Thom，意為東的居所）。在許克所斯入侵
之前的統治者正好是 *Timaios*（希臘文）。但是照一般的推斷，
埃及王朝東王的年代約早了六百餘年，在主前二千年左右。如果

不是埃及歷史編年錯誤，就是歷史不尋常地重演。

　　根據維利克斯奇，許克所斯應當便是亞瑪力人，以色列人未到西乃山以前已遇上他們（出十七8～16），可能在以色列人離開埃及後沒有幾天他們便已到達埃及。埃及人稱他們為阿姆(Amu)，阿拉伯歷史學家也提到過一些亞瑪力法老。但是聖經相似的記載極為有趣。當假先知巴蘭面對以色列時，他雖受吩咐要咒詛，卻仍祝福。但當他轉身面對埃及時，「巴蘭觀看亞瑪力，就題起詩歌，說：『亞瑪力原為諸國之首』」（民二十四20）。顯然若非埃及在亞瑪力的統治下，他不會捨埃及而咒詛亞瑪力？同時，聖經中亞瑪力第一任王（亞甲一世和二世，參第7節及撒上十五8）與許克所斯的第一任和最後一任王同名。這顯示許克所斯族在以色列出埃及不久便已入侵埃及，掌權直到掃羅將他們擊敗、釋放埃及俘虜為止。這也可以解釋在大衛和所羅門時代以色列與埃及間的關係為何如此溫和了。事實上，維利克斯奇指出：示巴女王(Queen of Sheba)和埃及皇后哈雪舒特(Hatshepsut)之間有極為相似之處。據說她曾去過聖地，她由所羅門那兒得到的禮物正如所羅門一向送給訪客的那麼多（參王上十10～22）。她同時也在埃及建了一座聖殿，與所羅門的聖殿極為相似。但根據埃及歷史年代，她活動的年代早在以色列人出埃及之前。唯有將那編年修訂才有可能解釋這個相似的記載。杜得模西士三世入侵巴勒斯坦也可能便是埃及王示撒的攻擊（代下十二2～9）。

　　第三件對照性事件是泥版上的一連串信件，稱為亞馬拿(el-Amarna)書信。這是巴勒斯坦〔耶路撒冷、敘利亞及蘇姆(Sumur)〕統治者們與亞門何帖三世(AmenhotepⅢ)法老以及他的兒子亞肯亞頓(Ahknaton)之間的通信。巴勒斯坦人對由南方而來、大肆破壞的哈比魯(Habiru)軍隊十分擔心。根據這種敘述，傳統

認為這些信件所說的是以色列人入迦南。維利克斯奇指出：如果再仔細觀察這些泥版，可以看出完全不同的景象。首先，蘇姆可能便是撒瑪利亞城，是所羅門以後才建成的（王上十六24）。其次，「Hatti 的王」威脅說要由北方入侵，顯然是指「赫人」(Hittite)的入侵。第三，泥版信上的名字沒有一個與約書亞記中的名字吻合。換言之，假使說這些信是寫自出埃及的時代，政治情勢完全不對。如果將它們的時代挪後到亞哈統治撒瑪利亞之時，受到摩押人和赫人的威脅，則所有的人名、地點、事件都可以在列王紀和歷代志中找到，甚至連軍隊統帥的名字也不例外。但這將使亞門何帖三世的年代比標準歷史斷代晚五百年！要不就是歷史編年有錯，否則便是歷史在五百年後照樣重演。

只要我們用以色列歷史來定埃及事件的年代，出現的景象便能首尾一貫。如此的解釋也使得必須為埃及歷史重新編年。維利克斯奇對這種編年的處理備受批評，但科腓耳指出：埃及列王的世系並非一脈相承，例如世系上有些「王」實際上並非法老，而是地方統治者或高官，其中也提到約瑟(Yufni)和摩西的養父的名字（他乃因姻親關係成為王子）。

> 辨認出第十三代王朝統治者中許多「王」，其實不過是冠上王銜的諸侯國王子、政府中的重要官員，或副首長，使我們更明白馬尼托所謂的「和解一個王朝」(compromising a dynasty)。顯然他是將主線列王的名字串起，組成一個朝代，接著在同一時期次要的統治者中串連出另一世系，視為另一獨立的朝代。不但如此，他還稱呼這些次要的統治者為「王」……顯然這是為什麼有人認為埃及的歷史因這種錯誤而被拉長。（註10）

歷史學家過去總假設每一王朝緊跟在另一王朝之後；事實

上，許多王朝把它們同時代的次要統治者，比照前一王朝的統治者般，一一記下。完成重新編年，便會使出埃及一事被置於約主前一四四○年，並會使得以色列歷史其他的時期與上述的埃及諸王遇合。

我們未能確定那一個理論是最好的解決方案，學者也未就此達成共識。重點在於：我們並非一定要接受較遲的出埃及年代，可以有辦法解釋：聖經為什麼會說這事是主前一四○○年前後發生的。

希臘問題

按照埃及歷史編年，不止在以色列歷史上，同時也使希臘歷史產生編年問題。歷史學家常為希臘歷史中，由多利安人(Dorian)的入侵到斯巴達(Spartan)王朝開始之間，有三百年空白大惑不解，好像希臘文明突然消失過一段時間。斯巴達王朝的時間是根據希臘歷史中的已知年代倒推上去而得，但多利安人的入侵則是參照埃及歷史而訂的。科腓耳指出：解決這個問題的方法與解決出埃及記年代的方法一樣，應重編埃及歷史的年代。如果知道傳統埃及編年中羼入次要統治者的王朝，便可消除三百年的空白。如此修訂會使上述兩事件相隔僅僅五十年，同時也增強希臘和羅馬歷史間的對照性。

維利克斯奇處理的一些枝節

1. 第十二王朝的結束解釋了：為何聖經說不再有人尋索摩西的命（出四19）。

2. 以色列奴隸所建的城市可能按埃及最後的二位法老而命名（蘭塞和比東，Pi Ramesse & Pi Thom)，因為他們在第十二王朝末期掌權。

維利克斯奇—科腓耳修訂

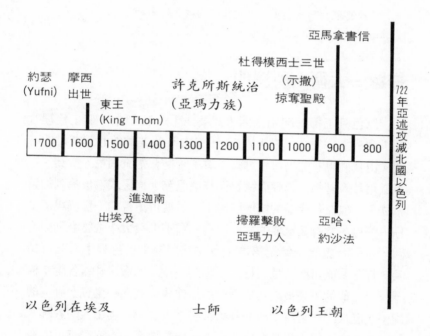

第十二王朝　　　　　　　　　第十八至十九王朝

約瑟
(Yufni)

摩西
出世

東王
(King Thom)

許克所斯統治
（亞瑪力族）

杜得模西士三世
（示撒）
掠奪聖殿

亞馬拿書信

722年亞述攻滅北國以色列

| 1700 | 1600 | 1500 | 1400 | 1300 | 1200 | 1100 | 1000 | 900 | 800 |

進迦南

出埃及

掃羅擊敗
亞瑪力人

亞哈、
約沙法

以色列在埃及　　　　　士師　　　以色列王朝

＊備註：只包括主要的王朝

3. 新王朝名符其實：在四百年外族侵占後重建埃及文化。雖然大部分的保守派學者認為：出埃及是在杜得模西士三世或是亞門何帖二世的時候，但這些統治者實際的編年應當在所羅門時代以後。

4. 詩篇第一○四篇與亞肯亞頓法老寫的一首詩頗為相似，並非如某些人所說的：詩人抄襲埃及古歌，而是因為兩者乃同時代的作品。因為亞肯亞頓法老可能受到哈雪舒特一神論的影響，因此可能詩篇寫成後，再被改編為埃及格調的詩。

掃羅、大衛、所羅門

以色列王權的開始全因人民要求「為我們立一個王治理我們，像列國一樣」（撒上八5），但當時並非神的心意或神的時間。由我們現有的描述中可知：有王管轄會帶來高稅、徵兵、軍事徵用私人財物、為政府徵召作無償服務。掃羅成為以色列的第一位王，他在基比亞的城堡已出土，最值得重視的一樣發現便是——彈弓，當時最重要的武器之一。這不但與大衛戰勝歌利亞有關，也同時證實士師記第二十章16節所說：以色列中有七百精兵，都是「能用機弦甩石打人，毫髮不差」。撒母耳報告說：掃羅死後，他的軍裝被放在伯珊的亞斯他錄（迦南的生育女神）的廟中，歷代志作者說：他的首級被釘在大袞（非利士人的穀神）的廟中。有人認為這是聖經的錯誤，因為敵對雙方似乎不可能在同時同地都有他們的廟。然而，由出土遺址發現當地確有兩個廟，用一走道隔開：一是大袞的廟，一是亞斯他錄廟。顯然非利士人也將迦南的女神視為他們的神來奉祀。

大衛統治最大的成就之一便是攻取耶路撒冷，經文記載以色

列人經由連接至西羅亞池的水溝進入城裡，然而該池一直被認為當時是在城牆以外，直到一九六〇年遺址出土，才證實那池子當時的確在城牆內。

很多人說大衛的詩是後人寫的，因為詩題下的小字顯示當時有樂師同業公會（例如：可拉後裔）。如此的組織規模令人懷疑這些詩的年代應當為主前二世紀的馬喀比時代。自從拉斯珊拉(Ras Shamra)的發掘後，我們知道：在大衛的時代敘利亞和巴勒斯坦已有這樣的公會，因此若要將這樣的詩定在馬喀比時代，是不合理的。所羅門的時代也有一樣多的考古確證。所羅門聖殿的原址離回教的聖地圓頂清真寺(Dome of the Rock)很近，現在也已出土。然而，就我們所知，所羅門時代的非利士廟宇與聖經中所說的聖殿規格，在設計、裝飾、材料方面都十分吻合。我們所有有關聖殿唯一的證據是一小塊飾物，也就是竿頂的一個石榴，刻有「歸於耶和華的聖殿」的字樣。一九七九年首見於耶路撒冷的一家店鋪，於一九八四年被證實，一九八八年歸以色列博物館收藏。

所羅門的城牆？

大部分的學者堅持認為耶路撒冷已沒有任何所羅門時代的遺跡，但另有一人振振有詞地指稱：原來靠東的防土牆仍然有一部分在支撐聖殿山。拉彭羅撒滋(Ernest-Marie Laperrousaz)指出，當所羅門和希律建牆環衛聖殿時，花了三十到四十年之久才竣工。然而，聖經告訴我們：被擄歸回後，他們立聖殿根基只花了三個月，建聖殿只花了約五年。這表示他們必定是建築在已有的遺跡上。這圈舊牆並未被巴比倫人摧毀，因為它面對陡峭的汲淪溪谷(Kidron Valley)，並且它是一個支撐，而非防禦工事。我們也知道希律並未重建這部分的舊牆，因為我們可以清楚看到他加築的

部分與原有的接縫處。這些都證明所羅門便是這塊存留至今地基的建築者。(*Biblical Archeology Review*,13.3 May-June 1987, pp 34~44)

一九六九年基色(Gezer)的出土中發現了許多層的灰，複蓋在大部分的土墩上。灰的中間可找出許多塊希伯來、埃及和非利士器物。顯然這三種文化曾同時期在那裡出現過。這使許多研究人員大惑不解，直到他們在聖經中讀到一段與發掘現象正相呼應的記載，才恍然大悟：「先前埃及王法老上來攻取基色，用火焚燒；殺了城內居住的迦南人，將城賜給他女兒所羅門的妻作妝奩。」(王上九16)

亞述入侵

我們對亞述所知甚多，主要是因為在亞述巴尼帕王（Ashurbanipal，他的父親是以撒哈頓），曾於主前七二二年擄掠北國，宮殿中發現26,000塊泥版，其中記載亞述帝國多次征伐，並且記載他們對反抗者殘酷暴戾的懲罰，還引以為榮。

其中有一些記錄證實了聖經的準確性，舊約裡有關亞述王的每一項記錄都已經證實為正確，就算是本來有一段時期我們對撒珥根(Sargon)一無所知，但後來他的宮殿出土，其中有一幅壁畫，敘述的正是以賽亞書第二十章的戰役。撒縵以色(Shalmaneser)的黑色方尖形碑(Black Obelisk)顯示耶戶（或他的使者）向亞述王下拜，更增加我們對聖經人物的認識。

最有趣的發現之一是西拿基立(Sennacherib)圍攻耶路撒冷的記錄。當他打算攻取耶路撒冷時，人馬死傷累累，其餘的人都潰散，正如以賽亞所預言的，他無法征服耶城。因為他無法誇口

稱勝，便用另一種方法逞強，不願承認失敗：

> 猶太人希西家並未伏在我的軛下，我圍攻了他四十六個大城、要塞，還有附近無數的村鎮……我趕出他們200,150人，男女老少，還有馬、騾、驢、駱駝、大大小小數不清的牛，視為我的戰利品。我使希西家成為在耶路撒冷的囚犯，他在他的皇宮中，如同籠中鳥一樣。（註12）

推羅的毀滅

預言實現通常不會叫我們太過驚奇，但是它們實現的方式往往會叫我們大吃一驚。例如，以西結曾說推羅會被摧毀，殘垣會被拋入水中（二十六12）。這個預言曾備受譏笑，因為當尼布甲尼撒王摧毀推羅時，任憑它的殘垣頹地不理。但二百年後，當亞歷山大大帝攻擊推羅時，其中的居民退避到離海岸不遠的一個島上偷安。亞歷山大為了要攻打他們，便將所有的岩屑、石頭、木頭、塵土，以及其他找得到的東西都扔入海中，填成一道連接該島的通道。正如以西結所說：「我必使你成為淨光的磐石，作曬網的地方。」（14節）

被擄

舊約歷史中各種不同的問題跟被擄有關都已被證實。巴比倫著名的空中花園(Hanging Gardens)中發現有記錄顯示：約雅斤和他的五子都享有月俸和居所，受到良好的待遇（王下二十五27～30）。伯沙撒此名曾經引起很多的問題，因為不但未有文獻提及他，在巴比倫列王的名單中也沒有他的位置。然而，拿波尼度(Nabodonius)曾留下一記錄，任命他的兒子伯沙撒在他出遊數

年的期間代他統治。因此，拿波尼度仍然為王，但伯沙撒在首都統治。另外，以斯拉記載的古列詔諭似乎與以賽亞的預言配合得太好，不像真的。但是一圓柱形的土器被發現，證實該詔諭所有重要的細節。

　　在舊約歷史的每一時期中，我們都找到考古學中極強有力的證據，證明經文的正確。有些情況，經文甚至顯示有關它所記錄的時代風俗人情的第一手資料。許多人曾經懷疑聖經的正確性，但時間和研究繼續不斷地顯示：神的話比批評聖經的人信實。

考古學是否印證新約？

　　士師時代過後，考古證據更加清楚地顯示，聖經作者知道他們在說什麼。到新約時期，更有多得數不清的證據支持記載的可信度，以下將歸結為三方面陳述：路加福音的正確歷史性、俗世史家的印證、耶穌之死的證據。至於復活的證據，已詳見第六章。

路加福音的正確歷史性

　　一度有人懷疑：路加的敘事是由他的幻想虛構而成，因為他記述的官銜奇特，提到的巡撫也名不見經傳。現在卻有證據顯示實情恰好相反。

路加福音第二章1至5節的戶口普查

　　路加記錄說，該撒亞古士督在居里扭和希律在位的時候，下

令進行全國戶口普查，而歷史上沒有這次戶口普查的記錄。但我們現在知道埃及、高盧(Gaul)以及古利奈 (Cyrene)在當時都有定期的戶口普查。路加的意思很可能是，當時全國先先後後進行戶口普查，這次大規模的作業由亞古士督發動。路加使用現在進行式的動詞，更加顯示這可能是重複出現的事件。居里扭的確作過一次戶口普查，但那是在主後六年的事，耶穌已出世許久了。希律在居里扭成為巡撫之前便已去世。路加是否弄混了？沒有。事實上，他在使徒行傳第五章37節提到居里扭後來那次戶口普查。路加顯然分得清：希律時代的戶口普查，與較為人知居里扭時代的戶口普查乃兩回事。這節經文的翻譯有幾處新約平行經文可對照。（註13）

亞該亞方伯迦流

使徒行傳第十八章12至17節的這個稱呼，原本被人認為不可能存在。但在特耳菲(Delphi)碑文上赫然出現這個頭銜，冠在迦流這人名上，其任職年代正當保羅在哥林多的時候（主後51年）。（註14）

亞比利尼分封的王呂撒聶

近代歷史學家一直不知有此人的存在，後來有一塊獻廟碑文出土，上面提到這個名稱、頭銜，出土地點正在亞比利尼這地區內。碑文的年代大約是在主前十四到二十九年之間，與施洗約翰事工開始的時間（根據路加的編年，為呂撒聶在位期，路三1）相當。

以拉都(Erastus)

使徒行傳第十九章22節記載，哥林多人以拉都成為保羅的同工。路加想要編造任何姓名的話，這裡是最理想的地方，有誰會知道呢？但是，當挖掘古哥林多城時，在城中戲園附近發現一塊碑，上面刻著：「以拉都自費鋪路以回報他營造司(aedileship)的官職。」如果這是指同一人──一位如此顯赫富有的哥林多公民信主，且獻身於主的事工，就可以解釋路加敘事時為何連一個同工名字這細節也不放過。

此外，下列路加記錄中的官銜都是正確的：帖撒羅尼迦的「politarchs」、以弗所的「temple wardens」、塞浦路斯（Cyprus，聖經中稱為居比路）的「方伯」(proconsul)、馬爾他〔Malta，聖經中稱為米利大的『島長』(the first man of the island)〕。以上每一種官銜都為羅馬的用法所印證。總而言之，路加共記錄了三十二個國家、五十四個城市、九個島嶼，其中連一個錯誤都沒有，以致著名的歷史學家蘭賽爵士(Sir William Ramsay)都撤回他的批評：

> 我開始時對它（使徒行傳）懷著不信任的態度，因為杜平根理論(Tubingen theory)的巧妙和表面的完備一度令我十分信服。當時我完全不打算浪費任何精神探討這題目，但最近我發現自己常有機會接觸到使徒行傳，它成為探究小亞細亞地形、古代民風以及社會的權威指南。我逐漸發現：在許多的細節上，該敘述都顯示出奇妙的真實性。（註15）

史溫懷特(A.N. Sherwin-White)對此完全同意，他寫道：

「使徒行傳乃實錄的印證多不可當……任何想要推翻它歷史真實性的嘗試都屬荒謬。羅馬歷史學家一向便認為其中的記錄當然屬實。（註16）至於由十九世紀初開始直至今日的批評理論，反倒是鑿空無據。著名的考古學家奧伯萊(William F. Albright)說：「所有批評新約的激進學派，不論是過去的或現在仍然存在的，都未經考古學鑑定，既然它們俱屬空中樓閣，因此就現代的眼光來看都已相當落伍。」（註17）

俗世史家的印證

　　一般人對耶穌有項誤解，認為：聖經以外，祂的事跡不見於任何其他的古代文獻。事實正好相反，有許多地方提到祂這位歷史人物死於彼拉多手下，有些甚至注意到祂據說由死裡復活，被所有跟從祂的人當神來敬拜。哈伯曼斯(Gary Habermas)在他的大作《耶穌生平的古代證據》〔*Ancient Evidences for the Life of Jesus*,(Nashville: Thomas Nelson, 1984)〕中對此有全面探討，茲引述部分如下：

塔西圖(Tacitus)

　　塔西圖（主後55～120年）乃一位羅馬歷史家，在他的著作中最少有三處提及耶穌。首先，他解釋尼祿皇帝如何將火燒羅馬一事嫁禍基督徒。

　　最後，為了消弭流言，尼祿將這罪名和最酷烈的虐待加諸受人憎惡的一羣人身上，就是人稱為基督徒的。他們的名稱源自「基督」，曾在提庇留治下的巡撫之一彼拉多手中遭受嚴刑。一個為

害甚大的迷信一度因而被扼止，後來卻再度流行，不單在那罪惡的源頭猶太地，甚至遠及羅馬——這塊世界各地所有可怕及可恥的事都會前來生根蔓延之處。因此，所有伏首認罪的基督徒先遭逮捕，然後根據他們的口供，株連無數，他們被定罪並非因為放火燒城，乃因憎惡人類。許多人對他們的死也極盡嘲弄之能事。他們被蓋上獸皮，在日落之後，引火焚燒，作為夜間的照明。（註18）

請注意上述記載證實了基督被害的基本細節，其中提到的那「為害甚大的迷信」可能是指耶穌會復活的預言。

歷史上另一段有關基督的有趣記載，來自一位羅馬諷刺詩人路其安努(Lucian)的筆下。他的詞句聽起來與羅瑟(Mark Russell)或卡爾森(Johnny Carson)有異曲同工之處：「你知道嗎？那些基督徒至今都敬拜一個人——一位出色的人，為他們新奇的儀式的創始者，他也因此被釘十架……這羣被迷惑的傢伙相信他們是永遠不死的，這是為什麼他們中間如此多的人輕看死亡和自願獻身的原因。他們最初的立法者使他們相信：他們由歸化的那一刻起便成為弟兄姊妹，要他們否認希臘眾神，敬拜那位被釘十架的聖人，並依照他的律法生活。他們全憑信心領受這些信念，並因此輕看所有屬世的東西，視之為俗劣的產業。」【*The Death of Peregrine*, 11～13, in *The Works of Lucian of Samasota*, trans. by H.W. Fowler and F.G. Fowler，4 Vols. (Oxford: Clarendon Press, 1949.)】

綏屯紐(Suetonius)

羅馬皇帝哈德良（Hadrian，主後117～138）的首席秘書也說：「羅馬大火之後……聲稱相信一個新興、邪惡宗教的基督徒也受到一些刑罰。」（註19）他同時論到皇帝革老丟時，一羣猶太人因為「受到基里斯督(Chrestus)的煽惑」（註20）經常騷動，以致在主後四十九年被逐出羅馬。這也解釋了亞居拉和百基拉為何必須離開義大利家園，而在哥林多遇見保羅（徒十八2）。

約瑟夫(Josephus)

約瑟夫乃猶太歷史家，於第一世紀為羅馬帝國工作。他在一段頗具爭議性的作品中對耶穌描述如下：

> 那時候有一位智者叫耶穌，他的行為善良，也以道德著稱。許多猶太人和其他國家的人成為他的門徒。彼拉多判他有罪，將他釘死在十字架上。那些跟從他的人並沒有就此放棄他們的門徒身分，他們說他死後第三天復活，並向他們顯現，因此，他可能便是眾先知預言會有許多神蹟奇事的彌賽亞。（註21）

這段話不應被視為約瑟夫相信這些為事實，但值得重視的是：約瑟夫或其他與使徒同時代的人中沒有任何人試圖駁斥復活這事。倘若基督的墳墓仍被封得嚴嚴地，或者祂的身體被發現，則他們必然會提及，但他們只是將復活一事當作基督徒的信仰來說，未予置評。

他勒目(The Talmud)

拉比對律法書(Torah)的註解中有段關於耶穌的有趣記載：

> 逾越節前夕耶穌被掛起。行刑四十天以前，有傳訊者在各處喊
> 道：「他將要被用石頭打死，因為他行巫術，引誘以色列人叛
> 教。任何人想要為他說話的，出來為他辯護吧！」但是沒有任何
> 人為他說話，他便在逾越節的前夕被掛起。（註22）

　　這裡有些資料令我們大感意外，新約並未提及任何傳訊者，
但是就耶穌生命所受到的威脅而言，是可以預料得到的。同時這
可能與約翰福音第十一章8、16節間接有關，可以解釋：為何多
馬如此相信去伯大尼（就在耶路撒冷城外）便必死無疑。請注意
該文說耶穌應被用石頭打死（這是行巫術者和假先知應受的刑
罰），但承認祂最後是被釘死的（「掛起」一字在路二十三39和
加三13中與釘十架同義）。因為猶太人無權執行死刑，因此祂的
死必定是出於羅馬人之手，死刑的方式便是十字架。但是為何耶
穌被捕前在耶路撒冷能有一個星期的自由呢？可能這是因為四十
天的期限未過，也可能是因為他們畏於祂的知名度（記得祂於棕
枝主日進城時是如何受歡迎嗎？）遲疑未下手。這些歧異點不過
更加顯出福音記錄的真實性罷了！
　　以上的史料舉隅顯示：有關耶穌生平的基本細節，特別是在
祂的死、死因，以及門徒相信祂由死裡復活等事上，俗世史家的
報導相當一致。

耶穌之死的證據

　　有兩件引人注目的考古發現能幫助我們更加認清基督的死，並在某種程度上兼及復活。首先，是一份非比尋常的詔令，其次，是另一位釘十字架而死的犯人。

拿撒勒詔令

　　這塊石版於一八七八年在拿撒勒出土，是皇帝革老丟（主後41～54）頒發的詔令，禁止干擾任何墳墓、挖掘或移動任何屍體。這種詔令本身並不希奇，但令人希奇的是「違者將以侵犯墳場的罪名判死刑」。其他的詔令是罰鍰，但干擾墳墓為何要判死刑呢？很可能的解釋便是革老丟在調查主後四十九年的動亂時，聽說過基督教復活的教義，因此決意防止任何類似的報告再次出現。當時猶太人中的傳言是說屍體被偷走了（太二十八11～13），因此這個詔令如此吩咐是可以理解的。當時許多人對耶穌死裡復活的信念堅固且持久，這個詔令可為明證。

釘十字架的工具

考古學已告訴我們釘十字架所用的工具如下：

　　十字架：羅馬人用幾種高度和形狀不同的十字架，但在耶穌那時最普遍的一種，狀如英文大寫的「T」。頂端離地約六至八呎，有些有座位，有些沒有。受刑人通常會背負著橫的，而非直的那條木頭，去刑場。橫樑重約75到125磅，頂端可能釘塊寫著受刑人姓名和罪名的橫區。

　　釘子：方釘長約五至七吋，寬八分之三吋，有些受刑人僅被

繩子綁在橫樑上。釘子從受刑人足、掌的骨間釘入。

　　槌(Crucifragium)：看來像現代的敲肉槌，更大也更重，這種槌是特別為了一擊便可敲斷人的腿而設計的，作用是防止受刑人用腿來支撐自己，使他因胸腔壓縮而加速死亡。

鞭笞

羅馬歷史家和考古家都透露許多有關鞭笞犯人的事。用的工具為羅馬皮鞭(flagrum)，三股合成，尾端嵌有鐵塊或硬骨。這種鞭子可撕裂皮、肉、神經，甚至使骨頭都破碎。受刑人通常被綁在一根直立的木樁上，或屈身伏在一受笞柱上。兩個持鞭者站在兩邊，輪流鞭打，不單打背後，鞭子經常會繞到前胸和兩腿。羅馬人是否按猶太人的習慣鞭笞不超過三十九下，還不清楚。羅馬兵丁通常在行刑後嘲弄當事者，因此受刑人總是面部瘀青、腫脹，鼻樑斷裂、一部分的鬍鬚被拔掉。

一位釘十字架而死的犯人──約翰

　　一九六八年，一座古墳場在耶路撒冷出土，內有約三十五具屍體。估計大部分的人都是在主後七十年猶太人反羅馬暴動時橫死的。其中有一個人叫作約翰(Yohanan Ben Ha′galgol)，死時約二十七、八歲，他有缺唇，足間仍有一隻七吋長的釘子穿過。兩隻腳被扳向外，以便方釘可以由足踝側邊釘入〔正好在跟腱(Achilles tendon)上〕，這種姿勢會使雙腿彎曲，以致無法在十字架上支撐身體。釘子乃穿過一塊楔形的槐木，再穿過足踝、釘入一塊橄欖樑木。同時有證據顯示同樣的長釘也曾分別釘入兩隻手掌的骨間。十架受刑人因手臂舉起，呼吸困難，必須撐起自己，使胸肌開放，才能呼吸。但全身重量不一會兒又使他下墜，

這一上一下將上部的手骨都磨圓了。當他愈來愈軟弱無法支撐身體時，便因窒息而死。約翰的腿因受重擊而斷裂，與當時羅馬人使用十架槌的習慣吻合（約十九31～32）。這些詳情都證實新約對十架酷刑的描述。

　　本章已概述：聖經記載的真實性在面對挑戰時，如何經由考古發掘獲得印證。大量的證據可幫助我們增加對聖經的了解和信心，十分值得我們不辭辛勞去研究。

附註

1. Nelson Glueck, *Rivers in the Desert* (New York: Farrar, Strauss and Cudahy, 1959), p. 136.

2. K.A. Kitchen, *Ancient Orient and the Old Testament* (Chicago: Inter Varsity Press, 1966), p. 89.

3. Translation by A. Leo Oppenheim in *Ancient Near East Texts,* ed. by James B. Pritchard (Princeton: The Princeton Press, 1950), p. 265.

4. 艾基新，《聖經難題彙篇》，角聲，1987【Gleason L. Archer, *Encyclopedia of Bible Difficulties* (Grand Rapids: Zondervan, 1982), pp. 82～83.】

5. Clifford A. Wilson, *Rocks, Relics and Biblical Reliability* (Grand Rapids: Zondervan, 1977), p. 29.

6. P.J. Wiseman, *Ancient Records and the Structure of Genesis* (Nashville: Thomas Nelson, 1985), p. 74.

7. Wilson, op. cit., p. 42.

8. John J. Bimson and David Livingston, "Redating the Exodus" in *Biblical Archeology Review,* 8:5, September-October 1987, p. 46.

9. Ibid, p. 51.

10. Donovan A. Courville, *The Exodus Problem and Its Ramifications* (Loma Linda, Calif.: Challenge Books, 1971), pp. 158~59.

11. W.F. Albright, *History, Archaeology, and Christian Humanism* (New York: MacGraw-Hill, 1964), pp. 34~35.

12. Pritchard, op. cit., p. 288.

13. See Harold W. Hoehner, *Chronological Aspects of the Life of Christ* (Grand Rapids: Zondervan, 1977), pp. 13~23 for a full argument.

14. F.F. Bruce, *New Testament History* (Garden City, N.Y.: Doubleday, 1980), pp.298,316.

15. William M. Ramsay, *St. Paul the Traveler and the Roman Citizen* (Grand Rapids: Baker, 1982), p.8.

16. A.N. Sherwin-White, *Roman Society and Roman Law in the New Testament* (Oxford: Clarendon Press, 1963), p.189.

17. William F. Albright, "Retrospect and Prospect in New Testament Archaeology," in *The Teacher's Yoke,* ed. by E. Jerry Vardaman (Waco, Texas: Baylor University, 1964), p. 288以下.

18. Tacitus, 15:44.

19. Suetonius, Nero, 16.

20. ＿＿＿＿＿,*Claudius*, 25.

21. Josephus, *Antiquities,* 18:3 from the Arabic text as it appeared in "New Evidence on the Life of Jesus," *The New York Times,* February 12, 1972, pp. 1, 24.

22. *The Babylonian Talmud,* Sanhedrin, 43a.

第十章

有關科學和進化論的問題

　　有兩個人在林中漫步，忽然在一堆樹枝和棕針上面發現一顆玻璃球。當時除了倆人自己的腳步聲外，一片沉寂，了無人蹤。但由玻璃球這個證據看來，明顯可推知有人將它放在那裏。倆人中有一位是訓練有素、持現代起源觀的科學家，另外一位則是科學門外漢。門外漢說：「如果這顆球再大些，假設圓周有十呎，你仍然會說是有人將它放在這裡的嗎？」科學家自然表示：球再大一些，仍然不能改變他的判斷。「那麼，假設這球是巨形的，直徑一公里？」門外漢繼續追問。科學家朋友回答：不但可確定是有人將它放在那裡的，更應當進行調查，找出為什麼將它放在那裡。門外漢繼續問道：「假設那球跟宇宙一樣大呢？如果小球的出現必有成因，大球也有成因，則最大的球豈不更需要有成因嗎？」

　　聖經對宇宙的起源、第一生命的起源、新生命形式的起源等觀點，曾經令許多人躊躇不前，不願接受聖經為真理。現在科學宣稱：它們已百分之百證明聖經在這方面的觀點錯了。進化論被當成事實。到底哪一個對？聖經還是科學？

　　本章處理這個問題的時候，將先陳述一個基本論證，接著將

這論證應用在宇宙、第一生命、新生命形式三種起源問題上。但在此之前，我們必須先明白：什麼是進化論，以及現代進化論者如何看起源。

　　大部分的人以為進化是達爾文(Charles Darwin)於一八五九年發明的，實際上它是一個非常古老的觀點，源出自然主義的哲學觀。我們在第三章中曾提到無神論者說：宇宙無成因──宇宙一直存在，也會永遠存在。所有的物質（不論以任何方式存在）本身都有生命的原則。由這個前提，推衍出：生物出自無生物，自然不成問題，事實上那是無可避免的事。同樣，較簡單的生命形式進展為較複雜的，也是必有的推論，因所有的東西都不斷奮力要達到完美，實現更高的境界。

　　現在進化論呈現的進化景觀與上述的頗不一樣，因為許多科學家都是唯物主義者，他們雖仍持守基本的設計，設計中原有的精神內涵却遭揚棄。然而，缺乏精神層面的引導，系統中將無機制可解釋物種的進步。達爾文便趁虛而入。他提供一個機制，進化可單由物質開始，他稱之為天擇(natural selection)。達爾文大部分的說法都已被現代進化論者捨棄且凌駕，但天擇的理論仍獲保存。

　　至於宇宙的起源，傳統的進化論者說世界是無起源的。塞根的說法表達這觀點：「宇宙便是集過去、現在、未來的大成。」（註1）那些跟不上宇宙研究新發現的人如今仍在教這套。進化論者也教導：生命起源於達爾文所謂一個溫暖小水池(a warm little pool)內的化學反應。過去三十年的實驗已證明：只要用少量基本的氣體、水，以及一下電擊，便可產生生命必須的氨基酸。這使得相信生物可衍生於無生物的人大為振奮。至於新生命形式則經由天擇進化而來。當地球的環境變化時，動物衍生新的特徵來應付新的挑戰，適者生存，不適者滅絕。化石中所發現的

已滅絕動物與仍存活物種的相似處曾被用來證實這理論。如果幾乎所有的科學家都同意這些原則，並能提出證據加以證明，則我們仍能相信聖經嗎？

進化論質疑

首先我必須聲明：我們並非一定要站在宗教立場來辯論。純然堅持立場地喊：「聖經如此說，我如此相信，事情便如此定案！」這種態度可能很好，但我們也有很好的科學證據來駁斥進化論、相信創造論。事實上，根本的問題在於「科學」到底是什麼。

科學的基礎在於因果關係：每一事件都有一成因。事情絕不會就這麼發生。縱使我們無法說出什麼特定的成因造成一特定的事件發生，我們也能因為見到有何種的成果而說出它必定有何種的成因。另外，無論過去造成某種成果的成因是什麼，必能在現在也造成同樣的成果，我們將這觀念稱作一致原理(the principle of uniformity)。所謂科學，其實便是利用因果關係和一致原理這兩個原則來尋找成因。

科學家如培根(Francis Bacon)、開普勒(Johannes Kepler)、牛頓(Issac Newton)、克爾文(Willian Kelvin)等人在把科學原則發展成為科學方法時，曾將主因和次因區分。主因(primary cause)便是可解釋單一事件的第一因（單一事件是指僅發生一次、無自然解釋的事件）。次因(secondary cause)被認為是管理事物正常運作方式的自然成因和自然律。不幸的是，剛開始時有些科學家用超自然成因去解釋自然的非常規事件〔例如地震和大氣現象（如虹、旋風、雹、流星等）〕，但當發現這些事件的真

理後，科學家們又全然排除主因的可能性，尋求以自然成因解釋每一件事物。超自然主義者用主因來解釋普通事件，固然犯錯，自然主義者用自然成因去解釋所有的單一事件，同樣在以驢唇兜馬嘴。

現代科學始祖中的創造論者

開普勒	（Johannes Kepler）	－天文學(Astronomy)
巴斯噶	（Blaise Pascal）	－流體靜力學(Hydrostatics)
波義耳	（Robert Boyle）	－化學(Chemistry)
牛頓	（Isaac Newton）	－物理學(Physics)
斯蒂諾	（Steno）	－地層學(Stratigraphy)
法拉第	（Michael Faraday）	－磁學(Magnetic theory)
巴貝奇	（Babbage）	－電腦(Computers)
阿加西	（Agassiz）	－魚類學(Ichthyology)
辛普森	（Simpson）	－婦科醫學(Gynecology)
孟德爾	（Gregor Johann Mendel）	－遺傳學(Genetics)
巴斯德	（Louis Pasteur）	－細菌學(Bacteriology)
克爾文	（William Kelvin）	－熱力學(Thermodynamics)
李斯特	（Joseph Lister）	－消毒法外科(Antiseptic surgery)
馬克士威	（James Clerk Maxwell）	－電氣力學(Electrodynamics)
賴姆塞	（William Ramsay）	－同位素化學(Isotopic chemistry)

運作科學和起源科學的區別

運作科學處理事物正常運作的方式，它檢視這個世界現在如何正常運作，研究以常規和重複方式一再發生的事件。運作科學的答案可藉著重複實驗加以測試，如果成因並非不變地引出同樣

成果，則提出的答案可被證明為偽(falsifiable)；它的結論應當可供預測將來的實驗會有何結果。運作科學喜歡凡事非常規律、可預期，沒有改變，沒有驚奇，當然也就強烈排拒超自然成因偶然可能出現攪和事物這樣的觀點。因此，運作科學通常為所研究的事件尋找自然成因（次因）。

起源科學並非以證據來支持創造論的學術代名詞，而是一種不同的科學。起源科學研究過去的單一事件，而非現在的正常事件；關注的乃事件如何開始，而非它們如何運作。研究的事件按性質來說必然是只此一次，下不為例。既是不同類型的科學，就需要用不同的研究方法。它並非像物理或生物是實驗科學(empirical science)，乃是辯論科學(forensic science)。有一個關於一位醫學檢驗員的電視節目，每個星期主角昆西(Quincy)都會藉著檢驗結果（死屍），以及判定是那類事件引起的，來找出：什麼人和什麼東西導致過去那單一事件（一個人死亡）。這便是起源科學嘗試作的。

起源科學與運作科學有不同的原則。因為它所研究的已成過去，今日無法重演，所以它需要用我們今日可見的因果關係和所研究的個案進行類比。同時，起源科學無從提供確定的答案，僅能提供似乎頗可採信的解說。我們並未觀察到事件的開始，我們也無法使它重演（正如昆西無法叫謀殺者再次殺死受害者一樣），因此必須研究所留下的證據，看哪一種說法最能解釋證據。正如運作科學會承認：某些事件必有「智慧的主因」一樣，起源科學在證據要求之下也會接受有「智慧的主因」。

起源科學 (Origin Science)	運作科學 (Operation Science)
研究過去	研究現在
研究單一事件	研究規律事件
研究不可重複事件	研究可重複事件
不可能重演	可能重演
事物如何開始	事物如何運作
可能找到主因	尋找次因
結論無從反證	結論可以反證

　　質疑進化論的基本論證第一步是指出它用錯了研究方法。進化論使用運作科學的原則去研究起源科學,為只發生一次的事件尋找規則、重複的成因。進化論強用現行在世界中運作的原則,來解釋這個世界當初是如何開始的,這樣一來,雖還沒正式研究,卻等於已預作結論,認為世界乃由一過程所產生的。但宇宙或第一生命的開始乃是特殊、單一的事件,不應當認為也要按照研究規律、重複過程的方式來研究,否則就是混淆界域了。我們若要了解起源,必須用起源科學,而非運作科學。

要求「有智慧主因」的證據

　　這論證的第二部分如下:因為起源科學不受次因(運作宇宙的自然成因)的限制,有時會發現證據指向一個「有智慧的主因」。在上述的電視節目中,昆西必須決定:他是在找尋一個自然死亡的成因,還是一位謀殺者(一個「有智慧的成因」)。何種證據會顯示:一位「有智慧成因」曾介入呢?塞根曾說:只

要外太空有一個信息傳到，就可以印證他對外太空有生命的信念。換言之，某些正常事件（例如溝通）必須有一個「有智慧的成因」。這種次序被稱為「特定的複雜」(specified complexity)。

「特定的複雜」不止有設計或有次序，乃是一種性質複雜的次序，具有清楚和特定的功用。一塊石英的結晶結合有次序，但那次序是重複的，如同「面、面、面、面」(FACE,FACE,FACE,FACE)這樣的信息。一串隨意的聚合體（例如：聚合縮氨酸，polypeptide)固然複雜，並沒有任何特定的功用或信息，就像「知複聚體慧」(DLAKI CHNAOR NVKOEN)一樣。但屬於「特定的複雜」的次序則非重複的，乃傳送一個信息或具有某項清楚的功用，例如：「這是一個意義的句子。」(THIS SENTENCE CARRIES A MESSAGE)。

三種次序

1. 規則（重複）且特定的

   GIFT GIFT GIFT GIFT

   例：結晶、尼龍

2. 複雜（非重複）但非特定的

   TGELDHT TBWMHQC PUQXHBT

   例：隨意的聚合體

3. 複雜（非重複）且特定的

   A MESSAGE IS RIDING ON THIS SEQUENCE

   例：去氧核糖核酸(DNA)

上述三種設計中有一種有智慧作為的介入，我相信你已心裡有數。無論在何處我們見到一個清楚且特定的信息（一個帶有特

定功用的複雜設計），那都顯然出諸某種形式的智慧的介入，使得自然而然不會成就的事得以成就。自然現象中固定有令人嘆為觀止的次序，卻明顯是由自然的力量造成的，例如我們見到大峽谷和尼加拉瓜大瀑布時，不會尋找智慧的介入，會看出那是由風和水的力量塑造出來的。然而，國家公園或一座水力發電廠卻無法用自然的力量來解釋，因為其中清楚可見特定的信息或功用。不論我們看見的是一件雕刻品、沙灘上寫的一個名字，或是一陣煙，都會立刻意識到：必定有有智慧的成因，因為那些現象不可能是自然而然地產生的。我們現有的經驗都證實這點。現今的世界裡如此，因此可以合理地假設過去一向如此。

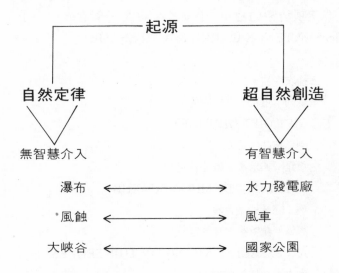

基本論證

我們的基本論證已有兩點，首先，就顯示智慧跡象的事件尋找有智慧的主因是正確的。考古學家一向如此。當他們找到陶器或箭頭時，他們直接推論這些必為有智慧的存有所製造。運作科學只關心自然的成因，但是起源科學不侷限於此，乃研究過去特殊事件的適當方法。其次，現在的經驗告訴我們：當我們發現「特定的複雜」時，便應尋找一有智慧的成因。這為我們提供了一個標準，可以鑑定：什麼事件有有智慧的成因，什麼事件沒有。科學既可以去尋找主因，也有標準可以鑑定何為主因，則創造的基本論證可敘述如下：

Ⅰ.研究起源應採用起源科學。
　　A.科學有兩種：運作科學和起源科學，研究起源必須採用其
　　　　　中的一種。
　　B.運作科學不應當用來研究特殊、不可重複的過去事件，
　　　因為運作科學目的是研究現在正常的運作。
　　C.因此，研究起源應當採用起源科學，
　　　因為起源科學的目的在研究特殊、不可重複的事件，
　　　而特殊、不可重複正好是起源的定義。
Ⅱ.起源科學承認有智慧主因存在的可能性。
Ⅲ.從「特定的複雜」這跡象上可辨識出有「有智慧的主因」。
Ⅳ.因此，當發現有「特定的複雜」的跡象時，起源科學應當假
　定有一個「有智慧的主因」。

　　現在我們將這論式應用於三方面：宇宙的起源、第一生命的

起源、新生命形式的起源。

宇宙的起源

關於起源有兩種觀點:一說萬物發生都可歸結於自然成因;另一則尋求超自然的成因。就宇宙的起源這問題來說,宇宙有開始、還是宇宙無開始?如果有開始,則它有成因、還是無成因?如果有成因,則是什麼成因導致萬物產生?

進化論科學家告訴我們:宇宙不是從無變有憑空出現,就是一直存在的。宇宙永恆說(steady state theory)便是這樣的一種理論,認為宇宙不斷地憑空產生出氫原子。科學家不論採取這兩種信念中的哪一種,都要付出極高的代價,因為這兩種信念都違反了科學的一個基本定律:因果律。這兩種信念都要求科學家相信事件無須成因便可發生。甚至懷疑論者休謨都說:「我從不會提出好像『無成因便可有任何成果』這樣荒謬的言論。」(註2)然而這樣荒謬的言論卻被一生靠因果律吃飯的人所接受。倘若整個宇宙都是無成因的,則為何我們要相信:其中某部分是需要有成因的呢?如果每一部分都是有成因的,則我們有何證據可以說:整體是無成因的呢?因果律的原則絕對不支持這種一無憑據的結論。

相反的,有許多證據支持宇宙有開始的立場。NASA高大德(NASA Goddard)太空研究中心的創始人兼前任總幹事傑士托在他的著作《神與天文家》(*God and the Astronomers*)中,為那些證據作總結時說:「有三種證據:銀河的運行、熱力學定律、星球的生滅歷程,共同指向一個結論:宇宙曾有開始。」(註3)我們現在所談的是宇宙的開始,由無到有,顯然這是在無法重複

事件的範圍內，屬於起源科學。

熱力學定律

　　熱力學第一定律指出：宇宙間實際的能量維持一定，不會改變。熱力學第二定律指出：在任何封閉的系統內（整個宇宙便為封閉的系統），可用的能量在遞減，其間每一件事物趨向混亂，宇宙逐漸走下坡。如果能量的整體不變，可用的能量卻逐漸減少，那麼我們一開始所擁有的必定不是無限量的能量。無限量的能量是不會遞減甚至被用光的。這意謂著宇宙現在是，也一直是有限的。它不可能在永恆的過去曾存在，也不會在永恆的將來仍存在，因此它必定有一個開始。

銀河的運行

　　科學家同意宇宙並非持守原狀，永遠不改變它的運行。宇宙在膨脹中，所有的銀河系都在向外擴展，好像由一個起源的中心向外擴展一樣，並且過去擴展的速度較現在擴展的速度要快。請記住，當我們看太空時，看到的並非現在的景況，而是所距的光年以前的景況。因此由一個相隔七百萬光年的星球所放出來的光，告訴我們在七百萬光年以前它曾是什麼樣子、曾經在那裡。

　　至今最完整的研究是由桑狄基(Allan Sandage)用200吋的望遠鏡完成的。他搜集了四十二個銀河系的資料，遠至離我們六十億光年以外的太空。他的測量指出：宇宙過去擴展的速度比現在要快。這結果更支持宇宙乃由爆炸而後存在的信念。（註4）

這種爆炸，有時稱為「大爆炸」(the Big Bang)，是整個宇宙的開端。將宇宙的擴展過程倒退回去，它將會愈來愈小，直到消失、空無一物。因此可知：宇宙在過去的某一時刻由無變為有。

輻射反射

第三種宇宙有開始的跡象便是：似乎每一事物都會有輻射的「回應」(echo)。起初有人認為那是一種功能故障或是物體的靜電。但研究結果發現：到處都有靜電——宇宙本身像一個巨形的火球一樣，具有從過去某個大災難而來的低水平輻射。

> 除了大爆炸論以外，無法解釋這種火球輻射現象。朋吉司(Penzias)和威爾森(Wilson)所發現的輻射波長模式與經過一大爆炸後產生出來的光和熱波長的模式完全一樣，這項決定性的發現使得最抱懷疑態度的湯姆斯(Thomas)都啞口無言。支持宇宙永恆說的人迫切地想找出另外的解釋，卻沒有成功。（註5）

這種跡象又一次地使人相信宇宙必定有一個開始。

因果律告訴我們：凡事發生，必有原因，所以是什麼導致這宇宙開始存在的呢？這個大爆炸很可能不過是一連串爆炸中最後的一個，摧毀了以前所有的證據。但這只不過將問題往後推回幾步：「是什麼導致第一次的爆炸呢？」另外，宇宙永恆說也有可能說對了：宇宙無開始，且正在不斷地憑空產生出氫原子，以維持能量不致耗盡。但這個解釋與因果律和證據相衝突。這兩種解說都有可能，但都不合理。

按邏輯來說，如果我們尋找一個在這整個自然（宇宙）存在以前便已存在的成因，則我們是在尋找一個超自然的成因。甚至

堅持自己為不可知論者的傑士托都說：「我想，我或任何其他人所謂的超自然力量的確在發揮作用，這是現在科學上已被證實的事實了。」（註6）因為他是站在運作科學的角度上說這話的，他的意思可能是：沒有任何次因可以解釋宇宙的起源。但如果我們採用起源科學，則這個問題可以有一個最合理的解說：一個超自然的主因。傑士托在他的著作《神與天文家》結束時寫道：

> 科學家靠著對理性能力的信心而存活，對他們而言，這個故事的結局似乎是個惡夢。他已攀越過無數的高山，正要征服最高的山峯，當他努力地翻躍過最後一塊岩石的時候，受到一羣已坐在那裡幾千年的神學家的歡迎。（註7）

第一生命的起源

關於起源有兩種觀點：一說萬物發生都可歸結於自然成因；另一則尋求超自然的成因。就第一生命的起源這問題來說，它是源自沒有智慧外力介入自然的化學變化？還是藉著一位有智慧存有的介入，特別創造而成？

進化論者相信：生命以一種自發的方式開始，從無生命的化學物質經由純粹自然的過程而來。他們說：在地球降溫到合適的程度時，簡單的氣體，如：氫、氮、氨、二氧化碳等混合在一起，起化學反應，產生基本的氨基酸(amino acids)，適當的時候便發展成為DNA的鏈，最終成為細胞。當然，據說這要花費幾十億年的時間，而且有賴太陽額外的能量、火山的作用、雷電、宇宙射線等共同維繫這過程的進行。史坦利(Stanley Miller)和歐雷(Harold Urey)曾經作實驗，試圖重演這些情況，也成功地製

造出生命所需不同的氨基酸。科學界大部分的人據此認為：生命是由一濃湯(prebiotic soup)狀似的化學物質中自然發生的。

然而，我們有一些極好的理由拒絕這種觀點。首先，要產生生命必備的早先地球環境，同樣可能把生命摧毀掉。實驗顯示：在反應的時候不能夠同時有任何氧氣。同時，產生生命需要從陽光和宇宙射線吸取能量，那對所產生的物質實際上有害。在自然產生生命所必須的環境中，生命要素摧毀的速度可能更快於產生的速度。即使正確的化學元素能夠產生出來，也沒有令人滿意的答案來解釋：它們是如何得以被適當地安排、包在一個細胞膜裡面。這需要另一套完全不同的環境才能發生。

其次，地質證據並不支持這個觀點。進化論學者將生命的起源定為約三十五億年以前，然而，在南非一塊被定為三十一億年以前的岩石中，發現能夠進行光合作用的細胞；在澳洲一塊被定為三十五億年以前的岩石中，辨識出五種不同的細胞。在格陵蘭一塊被定為三十八億年以前的岩石中，也看到活細胞的跡象。就地質記錄來看，並無任何細胞以前的生命跡象。但如果地球的年齡大約是四十六億年，在三十五億年以前時似乎已有豐富的、複雜的、多樣化的生命存在，則地球降溫和進化的時間大約只有一億七千萬年，這與原來估計的二十億年相差太遠。再加上有愈來愈多的證據顯示：早期的地球充滿氧氣，缺乏氨氣——與進化所需正好相反。這發現使得這立場更加複雜。

第三，支持無生命的化學物質能產生生物的實驗本身有缺陷，因為那些實驗由有智慧的科學家介入執行的，它們並非真的重演早期地球的情況。好比：當時並沒有只收集氨基酸的門瓣設計；當時的化學元素也遠遠不及實驗室中的濃縮，也非為了達到更好的反應事先有一番精心篩選；當時有許多能源同時對化學元素產生作用，並非處於協調狀況；能量和光的波長也未經控制。

換言之，做這些實驗的人只不過在自欺，以為他們在觀察一個自然的過程。實際上，因著他們自己的介入，他們已操縱了整個過程。

最後，進化論者從未指出是什麼機制在利用能量，去選擇氨基酸，將它們分類，構成不同的基因，以發展成一個活的有機體。我們縱有滿抽屜的電池，卻沒有一個手電筒（收容電池的機制）可供放入使用，仍是枉然。DNA的分子非常複雜，事實上它便是我們前面所說的「特定的複雜」。英文有二十六個字母，希臘文有二十四個字母，基因只有四個字母，但它們都是用字母的排列作為溝通方法。資訊科學家姚其(Hubert P. Yockey)堅持：「重要的是，我們必須明白我們並非按類比(analogy)來理論。直接適用在蛋白質和基因內容上的排列假說(sequence hypothesis)同樣適用在書寫語言上，因此在數學上的處理也完全相同。」（註8）實際上，單單一串DNA攜帶的資訊等於一本百科全書所包含的。就算當時有足夠的能量可以成就這樣的工作，但據我們所知，唯一可以利用這些能量成就這種工作的系統若非是活的（但生命開始以前沒有生物），就是有智慧的。將一大堆的能量隨意打進一系統中，如果你只是想要使它加溫的話，那很容易。但如果你想要組織它——按次序將它安置，並製造資訊——則非智慧不可。

什麼可以解釋生命突然出現，同時提供生物所需的資訊組織？如果我們將一致原理（類比）應用在這個問題上，則我們所知如今經常不變地做這種工作的既是智慧，合理的假設便是：過去也需要智慧才能做成那樣的工。一致的經驗向我們證明這點，正如休謨所說：「當一律不變的經歷相當於證明時，按事實本質而言，我們已可將之視為直接和完整的證明。」也就是生物中與生具有的資訊非智慧的成因不能成就。因為我們這裡所說的不可

能是人的智慧,更不可能是自然界生物的智慧,則必然是一位超自然的智慧。這的確造成與自然程序脫節,激起大部分科學家反感的莫過於此。然而,我們一旦承認:在宇宙的開始,由無到有的確是一徹底的脫節時,則當證據清楚顯示有其他外力介入,這觀念便不應當太難以令人接受了。

　　另有人提出其他的理論,來解釋地球上第一生命的起源。其中之一便是猶有新的自然律尚待發現,但科學家只能指出這需要,卻無法解釋組織的工作是如何作成。另有人說:地球上的生命可能來自宇宙其他的地方,它們或者附在一塊隕石上,或者搭乘一艘遠古的太空船,但這些解答都只不過將問題往後推一步:那樣的生命又從何而來呢?此外還有人借用泛神論的思想,主張宇宙裡的一些精神能夠解釋生命的起源。海底的熱量排氣孔或是泥土沈澱都曾被認為是可能蘊育生命的溫床。但沒有一種觀點可以解釋:是什麼方法使得利用能量構成「特定的複雜」成為可能。最合理的成因是一位超自然的智慧。

第一生命的起源

自然發生　　　　特別創造

（無智慧介入）　（有智慧介入）

DNA碼古今一致

智慧和自然選擇

	人工選種	天擇
目標	有既定目的	無既定目的
過程	智慧指引過程	盲目過程
選擇	智慧篩選育種	無智慧篩選育種
保護	使育種不受到毀滅的力量	育種暴露在毀滅的力量下
畸形	保存想要的變種	消除大部分的變種
介入	不斷介入以達到設定的目標	沒有不斷的介入以達到任何目標
生存	選擇性的存活	一視同仁的存活

結論：在這些最重要的方面，天擇和人工選種與其說可相類比，倒不如說恰恰相反。

新生命形式的起源（各式各樣新生命）

　　關於起源有兩種觀點：一說萬物發生都可歸結於自然成因；另一則尋求超自然成因。就新生命形式的起源這個問題來說，它們是不待智慧外力的介入、從天擇過程衍化而來的？還是一位有智慧的設計者特別創造成的？

　　達爾文對進化理論最大的貢獻之一，是用農夫和牧場主人的人工選種作為天擇的類比。天擇的原則成為進化論的招牌，因為它不需要訴諸超自然成因，就能對生命形式新的發展提供一個解釋系統。他提出用來支持這個類比的主要證據便是化石記錄。從此以後，導論性的生物課本便接受他的觀點，生動地描述生命形式由簡單而複雜的演進歷程。

　　達爾文自己知道：在人工選種和天擇間進行類比存在著極大

的問題，但他希望人類在幾個世代所能作的，自然在幾百個世代中也能作到。然而，這種類比的缺點並非只有時間一項因素。如瑟(E. S. Russell)寫道：

> 達爾文提出「天擇」這個名詞實在是大不幸，因為它引發了許多思想上的混亂。他之所以會提出這個理論，當然是因為他經由研究人在家畜和農作物中人工選種的結果，而後得到的。他的用字完全沒有問題。但是人工選種的作為與「天擇」的作為不但無法類比，而且根本是完全相反的兩回事……人有一個既定目標，「天擇」則無。人按著他希望延續或加強的特徵，來選擇他希望交配的個體，不惜使盡一切力量，保護它們和它們的後代免受「天擇」的運作影響，這樣便可加速消除許多畸形變種；他繼續積極並有目的地選種，一代又一代，直到達成他的目標（這個目標是可能達成的話）。這一種改變從未、也絕無可能在消滅或保留差異的盲目過程中發生，我們卻誤將這過程稱為「天擇」。（註9）

至今這仍是進化論的一個主要問題，相當於我們討論第一生命起源時指出的那同一問題。被用來證明天擇果效的類比，實際上包含著太多智慧的介入，這關鍵點竟被那些理論家忽略了。農夫或牧場主人根據一個有智慧的計畫進行操縱，以便製造出特定的進展。就資訊而言，這是由一個複雜的DNA碼層面進入一個更高、或至少更特定的複雜層面。又好像將「她有褐色頭髮」這樣的句子，改成「她那一頭赭色的雲鬢在陽光下更加觸目」那般複雜的陳述一樣。在DNA中增加資訊碼需要智慧，就跟原來用來產生生命的資訊碼需要智慧，無疑是一樣的。老實講，若說達爾文的類比能證實任何事的話，那麼他所證實的是：產生新生命

形式的確需要智慧的介入。只要知道我們是在處理起源科學，而非運作科學的問題，一致原理會再度將我們導向這結論。

　　但是廣為人知的化石證據又如何呢？達爾文也意識到這是個問題，他在《物種源始》*(The Origin of Species)*一書中說：「為何並非每個地質的形成，以及每個地層都充斥了這些中間過渡的接環呢？地質學當然從未顯示任何如此精細漸進的器官鏈鎖。這可能是會被用來反對我的理論最明顯也最嚴重的理由。」（註10）自達爾文發表這書至今，一百三十多年來，對他的理論不利的情況有增無減。哈佛著名的古生物學家高盧得(Stephen Jay Gould)寫道：「化石中過渡形式的跡象記錄極端缺乏，這一直是古代生物學同行間的秘密。裝飾我們課本的進化樹只有在樹枝的尖端和莖節點有資料可憑據。其餘的都是推論，不論是如何合理的推論，都並非化石的證據。」（註11）艾得(Eldredge)和泰得司(Tattersall)也同意：

> 我們對生物進化的理解帶有太多一廂情願的色彩，漸染到一個地步，以致有關生物進化最明顯的事實——至今物種都未改變——極少真的被納入任何用來解釋，生命到底如何進化而來的科學概念中。如果有神話的話，最大的神話便是進化是一個不斷改變的過程。（註12）

　　化石的證據到底有何意義？進化論者如高盧得，現在支持創造論者，如阿如西(Agassiz)、吉斯(Gisg)等人一向所持的觀點：大部分物種化石的歷史都顯示與循序漸進主義相悖的兩大特點：

1.**停滯**。大部分的物種在地上生存的時期，絕少顯出方向性的改變。就反映在化石的記錄來說，它們出現時和消失時的形狀並無改變；形態上的改變通常是很有限的、非方向性的改變。

2.突然出現在任何地區。一物種的出現並非由它祖先循序轉變，漸漸出現；通常都是突然出現，一出現便已「完全成形」。（註13）

化石證據清楚地顯示一幅成熟的、功能完全的物種突然出現，持久不變的景象。我們看不到任何由一種生命形式轉變成為另外一種完全不同生命形式的情形。上述兩個特點看似抵觸傳統的進化論，但對創造論者而言也不無問題。

有些創造論者說化石記錄反映出大洪水的殘餘，可能因為有些動物較會逃生，或是死屍沈澱時受水壓的影響。這些科學家極欲保持一個年輕的地球理論，因為他們相信：創世記的創造期限是按字義解為六天、一天二十四小時，早期的家譜中沒有缺環。另有被稱為古老地球創造論者，主張地球並非一定只有幾千年之久。他們對化石記錄的了解是：它顯示創造乃一連串不同的階段，地層中每一次出現的新的事物便是一個新的直接創造——無脊椎動物首先出現，接著便有一段很長的時間，是自然在下一次創造以前進行自我平衡；接著出現魚；接著是兩棲類；如此類推，一直到人被創造。這個立場與化石記錄吻合，但是創造論者對地球的年齡卻無共識。這一個問題廣受爭議，但不論它如何解決，他們都同意：現有的化石證據支持創造論多於進化論。

有些進化論者試圖用中斷平衡(punctuated equilibrium)這個概念，來解釋化石證據的問題。這些科學家說：化石記錄的飛躍反映出進化中的飛躍，也就是在較短的時間內產生主要的改變。因此，進化並非漸進，乃由一階段突然飛躍至下一階段，形成中斷現象。這個理論備受非議，因為他們無法找出任何證據可以證明：有一個可能造成這種突然進展的次因機制，他們的理論以致顯得好像純粹建立在過渡化石的缺乏上面。達爾文明白這種突然是創造論的證據。果真那樣，創造論者所一向堅持的將更加得到

支持——完全成形動物的突然出現是創造的證據。

　　創造論者認為：基因改變有它的限制，這顯示每一種主要的生命形式都是特別創造的。每一種新生命形式的出現都有智慧的介入，指定它的基因資訊，賦與它特別的功能。正如字母的順序造成不同的字，不同的DNA碼也造成不同的物種。如果創作《李爾王》需要智慧對字彙進行挑選和分類，基因資訊的挑選和分類同樣地需要智慧，以造成不同的物種，在自然系統中共同生活。這些生命形式的突然出現只能加強我們的證據，顯明這個宇宙的形成乃是一位超自然的智慧工作的成果。根據一致原理，這是這個問題最合理的解答。

何時開始？

我們採取年輕地球、還是古老地球模式，取決於我們對大多數證據（特別是化石證據）如何解釋。採取年輕地球說的主要動機是因為支持者認為聖經如此教導。如果創世記第一章所說的一日按字面解釋作二十四小時，第五和第十章的家譜是完整的，則創世的時間應當大約為主前四千年。說實在的，只有少數提倡年輕地球說的人會如此地訂定一個時間。他們真正想要作的只是指出：進化論所說的長時間不但對進化無益，也缺乏前提。

當然，有許多創造論者支持古老地球說。按聖經來說，「日」這個字甚至在創世記第二章4節已經被用來指，超過二十四小時的時期，因此第六日的創造必然超過二十四小時，希伯來書第四章4至5節暗示：神仍然在祂第七日的安息中。這安息日如果可以如此之長，則其他日子也同樣可以很長。按科學來說，這個立場不需要任何新穎的理論來解釋它的證據。年輕地球說最大的問題之一來自天文學。我們可以看到相隔一百五十億光年的星球所發出來的光。辯稱神創造它們時已有年齡，並不足以回答它們的光如何射

到我們這裡來的問題。我們觀察到數十億年以前的星球爆炸，假如宇宙並非有數十億年的年齡，則我們所見的光是來自從未存在過的星球——因為在創世以前它們都應已消滅了。神為何要用這些跡象來欺騙我們呢？古老地球說似乎與證據較為吻合，也不會造成抵觸聖經的問題。

結論

現在我們有宇宙性質，DNA分子裡儲存的資訊，以及更多化石方面的證據，阿加西的話因此比一八六〇年寫成時更顯得有力：「（達爾文）顯然忽略了最重要、同時也是遍佈各處的一點，那就是：與我們自己頭腦運作相呼應，自然界中有不可能錯過的思想證據，因此對我們有頭腦的人而言，事實再清晰不過了，這一切的存在除了歸諸智慧的成果以外，再無法用任何其他的原因加以解釋。任何忽略這因素的理論都是對自然不忠實。」（註14）

關於起源有兩種觀點，一說萬物發生都可歸結於自然成因，另一則尋求超自然成因。多如排山倒海的證據支持創造論者的觀點。

附註

1. Carl Sagan, *Cosmos* (New York: Random House, 1980), p.4.

2. David Hume, *Letters,* ed. by J. Y. T. Greig (Oxford: Clarendon, 1932), vol. 1, p. 187.

3. Robert Jastrow, *God and the Astronomers* (New York: Warner

Books, 1978), p.111.

4. Ibid., p.95.

5. Ibid., p.5.

6. Ibid., p.15, 18.

7. Ibid., pp.105~106.

8. Hubert P. Yockey, "Self-Organization, Origin of Life Scenarios, and Information Theory" in *Journal of Theoretical Biology,* 1981, p. 16.

9. E.S. Russell, *The Diversity of Animals* ([1915] 1962), p. 124. Cited in James R. Moore, *The Post-Darwinian Controversies* (New York: Oxford University Press, 1979).

10. Darwin, *On the Origin of Species* (London: John Murray, 1859), p. 280.

11. Stephen Jay Gould, "Evolution's Erratic Pace" in *Natural History,* May 1977, p.14.

12. Niles Eldredge and Ian Tattersall, *The Myths of Human Evolution* (New York: Columbia University Press, 1982), p.8.

13. Gould, op. cit. pp. 13~14.

14. Louis Agassiz, "Contribution to the Natural History of the United States" in *American Journal of Science,* 1860.

第十一章

有關死後的問題

「如果你第一次不成功，再試一次！」在今生遇到挑戰時，這不失為一個很好的建議。但死後仍然適用嗎？有些人如此認為。他們相信：要獲得救贖，一生時間的工夫是不夠的；因此我們一試再試，直到我們成功為止。這種教義稱為轉世(reincarnation)，已經很快地成為人相信福音的主要障礙。

什麼是轉世？

如果你會拉丁文，這個字的意義便不言而喻了。辣椒(con carne)意為辣椒加肉，由caro這個字加上in 組成的incarnatus，基本上意謂「在身體中」。我們通常說基督道成肉身(incarnation)，因為祂在肉身中降世。「轉世」(reincarnation)的意思便是誕生一再地發生，我們不斷地回到肉身中——不同的身體，但相同的魂或靈。這跟你的思考方式可能相當疏隔，我們待會兒會進一步解釋它如何發生以及人們為何會相信它。現在先將定義弄清。轉世，是相信人死後，他的靈魂會取得新的軀殼再度入世。

誰相信轉世？

根據一九八二年蓋洛普民意調查，百分之二十三或幾乎每四個美國人當中就有一個相信轉世。在大學生年齡(18～24歲)層的人中間，相信人數的比例增加到百分之三十。這數據所以可怕，在於有十分之九的美國人自稱為基督徒。事實上，在自稱為基督徒的人中間，比率也並無不同：基督徒中有百分之二十一，天主教徒中有百分之二十五的人隨波逐流，相信此說。轉世成為當代信仰中的潮流。

除了這些統計數字顯示出一般民眾的趣好，有些名人也宣稱相信轉世，其中最活躍的便是莎莉麥克琳(Shirley MacLaine)了。她寫的有關靈界的三本書和辦的講座一直非常叫座。那三部曲中的第一本是《面臨困境》*(Out on a Limb)*，她在其中描述「自我的追尋」──追尋這個轉世了許多次的自我。「『我知道我必定曾在許多不同的時候成為許多不同的人……我曾是一個妓女、我女兒的女兒、一個宮庭中的弄臣，被法王路易十五斬首』──這些全是她的前生，她相信她乃經由靈媒、靜坐默想，以及最少有一次藉助針灸發現的。」（註1）新時代運動(New Age Movement)教導轉世是邁向成為神的途徑，而莎莉麥克琳正是其中一份子。

新時代運動中的轉世

新時代運動如何解釋耶穌的復活？很簡單，祂達到了「解脫」(moksha)，脫離了身體的存在。朵林(Levi Dowling)在他的著作《大同新紀元的福音》(*Aquarian Gospel*)中說道：「耶穌並未睡在墳墓中。身體是靈魂的彰顯；但靈魂便是靈魂，無須身體。」因

此，當耶穌以脫離身體的靈迎見玄學祕術的大師們時，祂宣稱：
「我的弟兄們，安靜的一羣弟兄們，平安，平安歸於地上；幸福
歸於人！」

「歷世歷代的問題解決了；人子由死裡復活；祂顯示人的身體可
以轉化為神聖的身體。」

「我來到你們這裡時所穿戴的身體，已以光速般的速度被改變，
現在在你們眾人的眼前。所以我就是我要帶給你們的信息本身。
我來到你們中間，是人類中首先被轉化成神的形像的。」

「我所做的，所有的人都將能做到；我所是的，所有的人都將能
成為如是。」【*The Aquarian Gospel of Jesus Christ* (Santa
Monica：DeVorss &Co. ,1907 ,1964)，172：15；176：26-30.】

與莎莉麥克琳同樣知名（但較不活躍）的新時代運動份子有
弗德 (Glenn Ford)，弗蘭西斯 (Anne Francis)，史塔羅內
(Sylvester Stallone)，連得斯 (Audry Landers)，查耶弗斯基
(Paddy Chayevsky *Marty,The Hospital, Altered States* 等書的作
者)，貝頓將軍 (George S.Patton)，享利‧弗得 (Henry Ford),戴
理 (Salvador Dali)。在音樂界中，前披頭四中的哈里森 (George
Harrison), 香卡 (Ravi Shankar), 麥賴福林 (Mahavishnu John
McLaughlin),以及 John Denver 等人也都致力傳揚他們對第二次
機會的精神信仰。甚至有些漫畫書上場了 (*Camelot 3000, Robin*,
以及 *Dr. Strange* 都涉及轉世這一主題)。

這個教義出自印度的吠陀經 (Veda)，由此衍生而出的似乎
有佛教、耆那教 (Jainist)、錫克教 (Sikhist) 等各種形態，此外還
有超覺靜坐 (Transcendental Meditation)、克立什拿 (Hare
Krishnas) 等支裔。西方有些未必知道印度教教義的人也有某種
形式的轉世說，例如：柏拉圖便為一例。靈媒凱司 (Edgar

Cayce)和神智學(theosophy)作者，好比：布萊維司奇(Helena Blavatsky)等同樣教導多次轉世。有些基督教神學家曾嘗試將轉世與基督教教義相協調，其中包括麥葛革(Geddes MacGregor)和海克(John Hick)。

轉世如何發生？

按哲學來說，轉世被包裝在東方的宗教外衣裡，例如印度教、佛教、道教（非回教，回教相信一位會審判的神）。但是轉世的信念並不限於東方，有些早期的西方哲學家也相信靈魂會以不同的形式繼續存活。畢達哥拉斯(Pythagoras)、柏拉圖以及普羅提諾都相信靈或魂是永恆的，無法摧毀。

柏拉圖十分清楚地教導：不死的靈魂會因某些罪受罰，而穿上另一個身體，好為他的罪受報十倍。因此，靈魂被迫離開理想的境界，進入物質的世界。他在一段對話中說到天堂有兩道門；一道是為靈魂進入，另一道是為了靈魂離開。（註2）在一個新生開始以前，每一個人都必須經過遺忘河(the River of Forget-fulness)。「靈魂是不死的、曾經轉世多次、見過存在的萬事（不論是人世或陰間）、有一切知識……因為所有的追尋和學習都只不過是回想。」（註3）柏拉圖也說：人可能投胎為動物。（註4）

柏拉圖和印度教教義間相似之處十分驚人，特別是刺馬努札(Ramanuja)的「位格」系統(「personal」system)。這個學派發展自早期的「非位格」觀，但兩者的中心思想一致。靈魂被稱為是「個人我」或「個我」(jiva or jivatman)，在死後成為一個心靈個體，也稱作「微妙的身體」(the subtle body)。這個個體會進入一個新的胚胎中，帶著所有前生的業(Karma)。業乃是所作

所為加上隨之而來無可改變的後果，帶有一些「種瓜得瓜，種豆得豆」的意味。如果你曾行善，便會進入「可喜的胎中」。如果你曾為惡，你的後果便會相同程度地降卑。你甚至可能發現你自己在一個「污穢發臭的胎中」，例如在動物、植物，或礦物的胎中。死和轉世循環通常被形容為一個轉輪，死亡是通向新生的門。然而，最終的目標是自這個循環中逃脫出來。

逃脫出來叫作解脫(moksha)，個人和非個人形式的教義便由此開始歧異。無位格的模式認為：一旦所有業債都被消除後，靈魂失去所有的自我，與那「一」合而為一；自我融入梵天(Brahman)，也就是那神聖的、非位格的力量。有位格的模式則認為：靈魂得解放，返歸真我，全心敬拜那位「有位格的神」（Bhagwan）。

其他形式的轉世教義對於死時會發生何事，以及最終解脫時是何境界，說法不同，但一般的形態則一樣。佛教說無知覺的靈魂(vinnana)繼續存在，但自我（包括理智、情感、知覺等）在死時被塗抹淨盡。它的業力則停留在稱作轉世的循環（samsara，生死輪迴）內。佛教中對最終境界(涅槃，nirvana)有四種不同的解釋，其中一種是藉著佛陀的恩典而得到的。耆那教和錫克教分別沿襲有位格和無位格的印度教模式。

同樣的，「基督教」形式的轉世教義在基本概念上並無不同，但另有些其他因素滲入。最重要的是在人存在的時候，要作接受基督或棄絕基督的決定。最簡單的模型便是接受基督者在死後與神同在，棄絕祂的則不斷轉世，直到他們肯承認基督為止。按這種方式，最終每個人都會得救。「基督徒」轉世理論中只有兩個例子〔麥葛革和亞提迦(de Arteaga)〕提到：失喪者最終將遭刑罰，麥葛革認為：刑罰是蕩然無跡(annihilation)。

印度再生模式

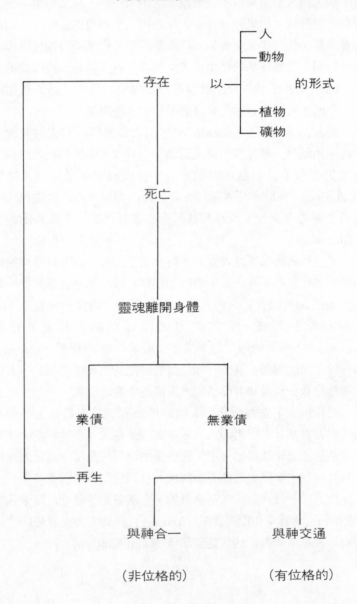

存在　　　　　以┬人

　　　　　　　　├動物

　　　　　　　　　　　的形式

　　　　　　　　├植物

　　　　　　　　└礦物

死亡

靈魂離開身體

業債　　　　　無業債

再生

與神合一　　　　　與神交通

（非位格的）　　　（有位格的）

基督教的再生模式

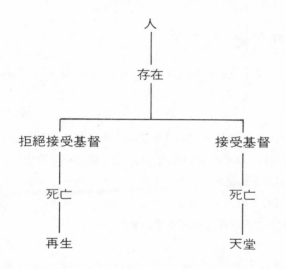

為何會有人相信轉世？

　　轉世這信念有一些理論基礎，其中最普遍的為靈魂不死、心理學上的前生證明，以及轉世系統的公義性。

靈魂不死

　　柏拉圖相信輪廻（transmigration，靈魂進入不同身體的另一種說法）的主要原因，在於他認為：人非物質的那部分非被造、不可毀滅，它在我們出生以前便已存在，在我們死後繼續存在；沒有任何因素（不論好或壞）能使它朽壞。果真如此，則很有可能靈魂在不同的時代以不同的身體顯現於世界之中。這是使

靈魂完美的過程之一。同時，泛神論的哲學家認為萬物都是永恆、神聖的，所以靈魂也是不會朽壞的。

心理學證明前生

史提文生(Ian Stevenson) 乃一超心理學家，研究追憶前生，他曾說：

> 轉世的觀念可幫助增加對以下不同事物的瞭解，例如：童年的恐怖症(phobias)以及病態的嗜戀(philias)、幼年時學不會的技能、親子間不正常的關係、血仇和好戰的民族主義、童年在性的興趣和性別認同上的混淆、胎記、天生的畸形、內在的疾病、同卵雙胞胎之間的差別、懷孕時不正常的食慾。（註5）

在催眠或其他改變了的意識狀態中追憶起前生，對幫助一些病人解釋他們無法交待或克服的感覺曾經頗有幫助。藉著發掘在前生中的一些經驗，可以幫助某些人疏導恐懼、沮喪、不被需要的感覺。雖然許多從事幫助病人追憶前生的心理學家或催眠師並不真的相信：他們的病人追憶起的事件是真實的，但他們仍採用這方法，因為它有效。就像一位治療師所言：「那些是真的、還是幻想，並不重要，重要的是它幫助病人瞭解他們的生命⋯⋯。既有成效，誰會在乎那是真是假呢？」（註6）

轉世的公義

對許多人而言，一個人有一次以上的生存機會似乎是最公平的方案。理由如下：首先，業力是公平的。如果你做壞事，你要

付代價；如果你做善事，你會得好報。刑罰與你的業債成正比，既非以瑕掩瑜，也非一筆勾消。為了某人有限的罪而咒詛他受無限的地獄刑罰似乎是太嚴厲了；但是業力是公平的。

其次，如果今生的苦難真的是前生業債的後果，今生的苦難就說得通了。這使得我們不需要叫神為任何的苦難負責，所有的苦難都可以用前生行惡的後果來解釋。

第三，就像候葳(Quincy Howe)曾寫過的：「轉世最吸引人的地方在於它完全消除咒詛的可能性。」（註7）對許多人而言，對任何人施以永刑的教義似乎與神的愛全然無法相容。轉世則意味著神有一種方法可以刑罰罪惡（藉著業力的定律），要求人相信基督（至少在某一生如此做），最終仍然可以拯救所有的人。如果有人棄絕基督，他仍有第二次的機會，第三次……直到他相信為止。這甚至使人的自由得到保障，因為神並非強迫任何人去相信；祂只不過是給他們超過一次以上的機會去練習運用他們的自由意志。不斷轉世也可幫助人在道德上和屬靈上成長，使人更能明白神的愛。說實在的，有些人認為：若非藉著轉世，是無法達到道德完美的。

最後，有人認為轉世是公義的，因為這使得救贖成為個人與神之間的事。人不需要承擔由亞當而來的罪，也不需要因信而被稱為義，每個人都只要為他自己的業力負責。認為由一代罪羔羊補贖的想法不再成立，他說：「人必須尋求自己與神和好。」（註8）麥葛革也清楚地表示：「我的業力是我個人的，那是我的問題，而我勝過它也是我的勝利。」（註9）這使得我們不需要為亞當的罪受不公義的審判，基督也不需要為祂沒有犯的罪不公義地受死。相反的，耶穌的死成為我們的激勵，「一個完美的催化劑」（註10），鼓勵我們行善得救贖，也向我們保證「我們是站在神的愛永不褪色的光中。」（註11）祂的死成為我們的榜

樣，並非我們的代替品。在這些方面，轉世滿足了公義。

地獄或解體

麥葛革稱永刑的教義為「野蠻的」，他無法忍受「甚至一個罪人
會遭受永遠刑罰折磨」的想法。相反的，他認為「可能有許多人
滅絕(extinguished)，漸漸消失不再存在，這對我來說更合理。那
樣的人不希望存在，那麼，為何要將存在這禮物丟在他們身上
呢？」因此他教導：「地獄」只不過是一個蕩然無跡的隱喻——
解體進入不存在。但他如何知道其他人想要什麼呢？無神論者尼
采說：他情願選擇永遠有知覺地受苦，也不願不存在。一個痛苦
的存在也強過不存在。

一位隨意消滅人的神，比起一位准許人自由去選擇他自己的命運
的神，豈不同樣（或更加）殘忍嗎？我們其實可以使用他的論
式：「那樣的人不希望（與神同在）。為何要將（與神同在）這
禮物丟在他們身上呢？」【*Reincarnation as a Christian Hope*
(Totowa, N.J.: Barnes and Noble Imports, 1982)，P.146】

轉世這一信念有何錯誤？

要回答這問題有兩種方式。我們可以說它與聖經的教導不
合，但對於不相信聖經便是神的話的人而言，這個答案有什麼用
處呢？讓我們留待討論聖經中的觀念（復活）時再用這論證。現
在，讓我們集中由邏輯方面來看：轉世為何是錯誤的。

首先，我們必須承認：轉世最起碼是有關來生、具刺激性的
討論，但在基督教圈子中，很難找到這方面真正的好書——也就
是嚴肅討論這個問題的書。其次，他們在面對罪惡的問題時，嘗
試為神的愛、憐憫、公義辯護。第三，他們主張人有尊嚴，承認

人是有道德、有自由意志的。我們必須欣賞這幾方面加上它們所反映出來的真理，但我們不需要接受那整個系統。

轉世並不能解決罪惡的問題

轉世並未解決不公義受苦的問題，只不過將受苦說成是公義的。沒有人是真正無辜的，因為他前生的業力導致今生的苦難。轉世論者抱怨：在面對一個母親因她四個月大的嬰兒垂危而憂傷時，基督徒無法解釋個中原因，只能說：「我不知道。」但是業力卻能夠給她一個解答：「你的心肝寶貝快要死了，因為她在前生是個無賴。」這會使你覺得舒服一點嗎？這並非解決問題，只不過是壓抑問題。這也沒處理艱困，只不過是置之不理。

神如果為了大人的罪懲罰孩子，公平嗎？特別是當他們不記得這些罪的時候。對一個甚至完全不知自己罪狀的人施行審判，似乎大悖道德、不公地可怕。此外，將這罪歸咎前生，會引發無限回溯，以期找出解答，但實際上，永遠尋不到解答。假如每一世的苦難都是因為前世的罪，則這個循環到底是如何開始的呢？假如有所謂第一世，則從何有業債可以解釋第一世的苦難呢？惡是否與神一樣，是一個永恆的元始？我們不能永無窮盡地倒退，以解決惡的問題。甚至海克都承認業力無法解決這個矛盾：「它只不過將問題推回前生，卻連解答的門檻都沒摸著。」（註12）

惡的無限回溯

將苦難解釋為前生業力的結果，實在無法得到真正的解釋。就每一個前生而言，必須在它前面另有一前生才能解釋該生的苦難。一個人可以不斷如此回溯，卻永遠無法得到一個答案，只不過是無盡地拖延罷了。

比方你開了一張空頭支票之後，想要補救，便開另一家銀行的另
一張空頭支票，把它存進戶頭，如此類推。但，終究會有銀行問
你：「錢在那裡？」果真如此，你在開出最後一張支票的銀行中
最好有存款，不論如何都必須要有一處是可以兌現的。用轉世來
解釋惡，也永無兌現，只不過是不斷地開空頭支票。

業力≠律法

有些人以為業力與舊約律法一樣——是一個嚴謹的、普世性
的道德律。然而，業力並非道德指令，只不過是一個報復系統，
並無內容告訴我們應當如何行。它執法，而非建立道德；它是一
個沒有法律的刑罰系統。至多說它是機械的，因果關係式的道德
律。甚至也不當將它與舊約的箴言相提並論，因為箴言不過是一
般性的原則，並非絕對的、打不破的報復制裁。就這一點而言，
律法並非像業力一樣無從更改——它可以被一條更高的律（在獻
祭中隱涵的因那犧牲蒙赦免的律）超越。

業力所執行的道德標準又是從何而來呢？實際上什麼也沒！
在泛神論中，善與惡、對與錯等等之間，最終是沒有分別的。業
力並不是一個道德律。就道德而言，萬事都是相對的。禪宗的華
茲(Allan Watts)曾說：

> 佛教不同於西方的觀念，認為由神或自然頒訂一個道德律，人的
> 責任就是服從它。佛對行為的箴誡——例如：戒殺生、戒偷、戒
> 色、戒說謊、戒醉酒——都是隨緣取用的權宜規則。（註13）

權宜是情境倫理(situational ethics)的口號。什麼行得通，
便做什麼。任何道德性的行為，甚至謀殺或殘酷，都可以用權宜

之計辯解。這種相對主義替轉世帶來很大的問題。在倫理中，你不可能持守相對主義的立場。你不能說：「萬事都是相對的。」甚至不能說：「相對主義比絕對主義優越。」因為這兩句話都已採取了絕對的價值，與相對主義相矛盾的。正如魯益師所說：

> 當你說一套價值觀比另一套更優越時，你事實上已經用了一個標準來衡量它們二者，發現其中一套比另外一套更符合那標準。但是你衡量這二者所用的標準既非彼，又非此，你其實在將它們與某一真正的道德相比，承認有一個真正的公理，獨立於人們的看法之外，而某些人的觀點比其他人的觀點更符合那真正的公理。（註14）

換言之，你若想要主張相對主義是正確的，你必須假定有某個絕對的公理存在，而這是無法見容於相對主義的。除非有某事物是絕對的正確，否則沒有任何事物在實際上能稱為正確；假如沒有正確或錯誤之分，則業力無權為了正確或錯誤懲罰任何人。

新時代運動的倫理

沙丁在他的著作《新紀元策略》(*New Age Politics*) 中有一章論及這運動的價值觀：「在心靈的（也就是神秘的）狀態中，道德是不可能的……如果你還希望為自己得到什麼，即使是指南或原則，你已經與一不一了。（此外，所有事情都已在它應有的狀況之下）」（頁98）。他進一步地提出四項與政治和社會價值有關的原則：「這便是超物質世界觀的時代了……那是一個全新人生觀，全新的一套倫理、價值、目標以及優先次序。」其中第一項便是自我發展的倫理，與轉世有些關係。「觸摸到真實的自我，不僅是為好玩的緣故（當然那可以是很好玩的），也絕對不是自

　　我放縱，而是生存所必須，這項無上命令乃宇宙結構的一部分
　　（甚至可能是進化所必須的）。」（頁102～103）

轉世實際上是反人道的

　　你曾否見過任何印度的圖片？你知道那裡的生活是什麼樣子
的嗎？成千上萬貧窮、殘廢、受傷、無家、飢餓的人躺在路邊，
好像沒有任何人注意到他們。為何會有這個現象呢？這乃業力使
然。根據傳統的印度教，如果有人要幫助這樣的人減輕他們的痛
苦，乃是與業力對抗。人受苦是為了要彌補他的業債，你幫助他
們，則他們必須再投胎，受更多的苦，才能彌補那業債。此外，
你不讓他們受苦，既形同做一件很殘酷的事，將因此增加你自己
的業債。在一個相信轉世的社會中，幫助人是完全不可能的一件
事。

漠不關心

當釋迦牟尼離開他安全舒適的家，發現世界上存在著罪惡和痛苦
後，他必須面對這項道德衝突：是容許業力運作？還是行善事干
涉業力的運作？他的結論是：人必須學會漠不關心。人必須撇棄
對其他人的關懷，認清：

　　1.善與惡之間並無真正的區別。

　　2.萬事都在它應有的狀況之下。

因此，不論你是去幫助受苦的人，或是漠視他們，你必須全然不
動心地去做，做此好似與做彼一般。不論你選擇那一條路，都是
在命運的引導下。只要你對正確與否漠不關心，做什麼都無所
謂。

轉世並不保證靈魂的進步

　　轉世論者有時會用進化論來證明：我們正不斷邁向更好、更高、更屬靈取向的生命形式。問題是：不論在生物或屬靈的層面都沒有證據證明這種進化真的發生過。自達爾文以後已有一百多年的實驗和科學觀察，從未有過任何人能由化石記錄或實驗室中，證明有任何從某一主要生命形式變成另一生命形式的異動。一位進化論者承認：

> 經過這麼多次努力的失敗後，科學現在的立場頗為尷尬，一方面，它必須提出生命起源的理論；另一方面，它卻又無法證實自己所提出的。科學曾經斥責神學家倚賴神話和神蹟，現在發現它自己身處同樣的景況，必須為自己製造一個神話；也就是，雖經長久的努力都無法證實進化在當前出現，仍要假設在遠古的過去曾經真正發生過。（註15）

　　主要進化的改變如果在生物層面未曾出現，則我們有何理由可以假設：精神意義的進化發生過？我們是否正進化成為一種新的存有，具有更高、神般的意識(God-consciousness)？你只要隨意瀏覽一下早報的新聞，便足以提出一個絕對否定的答案了。

　　此外，我們沒有理由認為道德進步必須是漸進的。人為何不能有立即、徹底的改變？甚至轉世論者都相信：道德的進展中可能出現大躍進，正如在死亡和投胎之間有極大的改變發生。不論經過多少有限的人生，我們都絕無可能進步到與神同一層面、有神無限的良善。我們與神中間永遠有一無限的差異。要跨越這樣的鴻溝，唯一的方法，便是一個突然、神蹟式的轉變，毋須長遠

的道德累積過程，也非它所能成就。如果人生結束時會有戲劇性的改變，則一生已足夠有餘，這正是聖經所教導的（林後五1～5），並非轉世的教導。

我們也有理由相信，一百世或一千世都不夠。沒有人能保證任何人終能達到解脫。不論他們寄寓多少身體，每一個身體都可能無法清償它本身的業債，甚至有增無減。我們如何能確定我們真的能修成正果呢？如果我們在今生搞得一塌糊塗，有什麼能令我們相信：來生我們便會做得更好呢？至於基督化的轉世版說：可以給人第二次機會接受基督，等於說人需要一生以上的時間去作一個一生的決定一樣，根本不通。假如一生不夠他去做這樣的決定，沒有人可以保證：要有多少次的轉世、多長的時間才夠。

輪迴轉世論在邏輯上存在著這麼多的基本問題，可能不值得再討論下去了。但聖經中對來生有何教導呢？聖經對轉世表示過什麼立場呢？讓我們探討復活的教義，以及該教義對轉世有何重要性。

什麼是復活？

我們已講過：轉世觀相信人死後靈魂會轉入另一個身體。相對來說，復活觀相信人死後原來的身體會變成不會朽壞的身體。復活使得原來死去的身體永遠活著，而非如轉世會有許多先後死去的身體。復活觀將人的靈與體視為一整全單位，轉世觀則將人的靈、體二分，前者寓於後者內。復活是一個完美的境界，不像轉世是一個朝向完美的歷程。復活是最終的境界，整個人（靈和體）享受神的良善；轉世則是一過渡境界，靈魂嚮往脫離身體，歸於神。兩者之間差異不少，對嗎？

轉世	復活
泛神論	有神論
靈／體二元論	靈／體一元論
會死的身體	不死的身體
多次事件	一次事件
過渡境界	最終境界
歷程中	已完全
以業力為基礎	以恩典為基礎

　　許多基督徒知道我們在來生會有一個真正的身體時，都大感吃驚。但有何理由我們不能有呢？耶穌就有啊！耶穌在復活後說：「你們看我的手、我的腳，就知道實在是我了。摸我看看；魂無骨無肉，你們看我是有的。」（路二十四39）祂不但有骨有肉，同時祂的朋友能認出那是祂原來的身體，並非任何其他的身體。祂甚至與他們一同吃了一些魚（41～43節）！倘若你想要用轉世論者所說的虛幻的身體來吃魚，魚會穿過身體，掉在地上。耶穌復活的身體和祂在世生活時所有的身體一樣，是血肉作的（約二十11～19，二十一1～23；徒一4～9）。

　　但這個身體也有所不同。祂能夠隨意出現和消失（路二十四31；約二十19、26）。祂升入雲中，不需要佩帶噴射背包（徒一9～11）。這些差異顯示出拉撒路（約十一1～44）以及寡婦之子（路七11～17）的復活並非同類的復活，只是他們會死的身體被重賦生機、還原過來罷了（因為他們後來又都死了）。因此，復活的身體是物質的，卻是不死的；是肉身的，卻是不朽壞的（林前十五50～54）。

　　保羅說我們也會被改變時，他並不是說天上屬靈的存在。他

稱基督為「睡了之人初熟的果子」（林前十五20），認為耶穌的復活是後來之人將經歷的類型。保羅所作的對照並非指靈魂脫離身體的境界，而是指一個完全的身體。他說：我們「都要改變，就在一霎時，眨眼之間」（林前十五51～52）。這改變是由會朽壞的變成不朽壞的；必死的變成不死的；羞辱的變成榮耀的；軟弱的變成強壯的。這身體變完美了，不是藉著將它丟棄，乃藉著移開那些不完美。當保羅說離開身體與主同住（林後五8）時，我們很容易便可看出他是指離開這個塵世的身體。在復活的時候，我們將會與這個塵世的、但當時已改變為不死的身體重新連合。

　　復活將在何時發生？聖經提到兩種復活：一種復活得生命；另一種復活受審判（但十二2；約五29；來十一35）。最清楚的經文在啟示錄第二十章4至6節，那裡指出第一種的復活是在耶穌再來時，只有復活得永生的人會復活。第二種復活則會隨後發生，輪到那些復活受審判的人（啟二十11～15有更仔細的記載）。在復活以前死去的基督徒又處於什麼狀況下呢？保羅向我保證說，死亡意味著與基督同在（林後五6），比起今生來說「好得無比」（腓一23），是有知覺地享受與神同在那極大的福樂（啟六9）。

復活如何發生？

　　我們已討論過：轉世是說當我們死亡時，我們失去我們的身體，但我們的靈魂繼續活下去，帶著業債，進入一個新的身體，如此繼續不斷地轉世，直到所有的業債都已付清為止，那時我們的靈魂便與神（不論是有位格的或無位格的）合為一。復活則大不相同。兩下的差別始於人的性質，然後是死、審判以及最終境

界的性質。

人的性質

轉世乃根據泛神論的世界觀，否定物質的實在性。即使是在泛神主義的系統中，例如海克以及有位格形式的印度教中，物質仍被視為惡，乃實體的敗壞。以此為開端，難怪轉世論者將物質銷解視為完美了。聖經所持的世界觀乃一神論，認為物質是神創造的，乃是好的（創一31；提前四4）。神藉著塵土加生氣——體和靈造人（創二7），人的靈、魂、體都將成為完美（帖前五23）。甚至亞當這個名字都源自意為塵土的那個希伯來文：*adamah*。根據聖經的觀點，人若沒有身體便非完整。

死的性質

著名的印度學者拉達克理錫南(Swami Radhakrishnan) 承認：

> 基督教和印度教間有一基本的差異，據說差異如下：不論屬於那一個宗派的印度教徒，都相信一繼續不斷的人生，而基督徒則相信「按著定命，人人都有一死，死後且有審判。」（註16）

這節經文（來九27）的確道破聖經對於死所持的觀點，它不但清楚地聲明人只有一生，同時將死與審判聯繫起來。這一聯繫更加澄清這兩種觀點之間的差異。神並未因為亞當犯罪而將他放入另一個身體中，祂乃因審判亞當的罪而引入死亡——靈、體分隔。當這個咒詛被除去時，身體便得完全，那時罪和所有罪的後

果便被消滅。轉世論認為：世上的生命是一個咒詛，死亡是逃避咒詛；復活論則正好相反：生命是一個祝福，是神所賜的厚恩，死亡則是罪的刑罰（羅六23）。

代贖合乎公義嗎？

不懲罰有罪的，而懲罰無辜的，這如何能算公義？惡人的惡報當然該歸自己（結十八20），聖經明確反對無辜者受苦，但這裏涉及另一項原則：「人為朋友捨命，人的愛心沒有比這個大的。」（約十五13）基督將依循上述哪一種訓示？如果是前者，人類將如何能得救呢？如果是後者，公義的原則豈非遭破壞？解決之道在了悟：道德原則內有輕重先後，就像對於當年在埃及的希伯來接生婆，拯救初生兒的性命遠較服從神建立的政府更重要（出一15～21）。因此，提供全人類救贖以展示神的大愛，比以西結所說的公義原則居於優先位階。拯救所有人的生命，但懲罰他們的罪，或是堅持所有人自行承荷罪責，究竟是哪一套原則更能顯示愛呢？

審判的性質

人根據什麼受審判？轉世論者說：每一個人都得還他自己的業債。但聖經則說神的恩典為審判的根據。聖經中說救贖是一種「恩賜」（約四10；羅三24，五15～17，六23；林後九15；弗二8；來六4），藉著信心便可得到。信徒並非靠著行為去賺取神的悅納，乃是被施恩（得到不當得的好處），藉此被宣告為義。正如基督所明言的：

神愛世人，甚至將祂的獨生子賜給他們，叫一切信祂的，不至滅

亡，反得永生，……信祂的人不被定罪；不信的人，罪已經定了，因為他不信神獨生子的名（約三16、18）。

補　贖

自贖	代贖
由冒犯一方來作	由被冒犯一方來作
由罪犯付出	由罪犯接受
與慈憐不相容	慈憐最高的表現形式

審判的根據是當事人是否相信：受差降世為要救他的耶穌是神的兒子。

但神的公義又在哪裡呢？倘若神任憑有罪不受罰，怎能說祂是公義的呢？這就引進代贖的教義了。新約教導：耶穌的死是為了全世界人的罪而受刑罰。我們的罪並未被漠視或置之不理。耶穌作我們的替身，擔當我們的罪，「滿足」了神公義的要求（羅三25；來二17；約壹二2，四10）。基督承受的刑罰也就構成我們的「贖價」（可十45）、「和好」（羅五10；林後五18～20；西一22）、「救贖」（羅三24，八23；弗一7、14；西一14；來九12～15）、「稱義」（羅四25，五1、9、16～18；加二16～17；多三7）。耶穌被稱為「替我們成為罪」（林後五21；來七26～27；彼前二24）、受苦的僕人（徒三13，八32以下）、為我們受了咒詛（加三13）以及犧牲的羔羊（約一29、36；徒八32；彼前一19）。

自贖（為你自己的罪付代價）和代贖（由另一個人來接受刑罰）之間有很重要的差別。前者是業力，後者則是恩典的原則。

因為基督是無罪的（來四15），祂的死並非因為祂自己有罪

而必須死；相反地，祂自願捨命（約十17～18），為其他人的罪
接受刑罰。「神使那無罪的，替我們成為罪，好叫我們在祂裡面
成為神的義。」（林後五21）莫瑞(Robert Morey)曾用轉世的觀
念對此重述：

> 基督教最終用其基督代贖的教義取代了業力輪迴，因為基督藉著
> 自己受苦，償還了我們所有的業債。祂自己沒有業債，但祂為了
> 我們的罪受苦受死。（註17）

最終境界的性質

轉世論者幾乎全部都是普救論者（universalists，每個人都
將會得救），聖經卻告誡：有些人會受永刑。雖然有些人抱怨：
這與神的愛不相容，但這種非議乃出於誤解。泛神論認為萬事都
是神存有的必然作為，一神論卻承認神有自由去做祂選擇要做的
事。以此為前提，那麼「人的救恩完全以神的屬性（例如祂的愛
或良善）為根據」顯然是錯誤的說法。神並非受制於祂的本性，
必須去愛，那乃是一個選擇。因此現在真正的問題在於神用什麼
行動來顯示祂的愛。

> 因此就神的愛本身而言，是不能救任何人的，更別說全人類了。
> 神的屬性本身不能救任何人，是神在基督裏彰顯的愛拯救罪人，
> 而非「愛」這個情操本身。（註18）

神選擇如何彰顯祂的愛？「基督在我們還作罪人的時候為我
們死，神的愛就在此向我們顯明了。」（羅五8）祂可以任憑我
們去償還我們自己的業債，但祂並未如此作。

我們可能不喜歡地獄這觀念，但聖經絲毫不容我們規避它。聖經清楚地教導：信徒會復活得生命，與神同在，乃基於他們對耶穌基督的信心。不信的人也會復活，就像他們中間有許多人所情願的，會根據他們行為受審判（啟二十11～15）。然而，沒有任何不信基督的人（「若有人名字沒記在生命冊上」）根據他們的行為記錄（第12節的「案卷」），能夠逃脫火湖的刑罰。每一個人都將得到一個新的、不死的身體。唯一的問題是：那個身體將在哪裡度過永恆──與神同在，享受祂的良善和愛？還是在地獄中，永遠與神分隔？

復活的模式

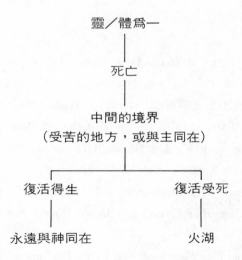

人存在

靈／體爲一
|
死亡
|
中間的境界
（受苦的地方，或與主同在）

復活得生　　　　　　　　復活受死
|　　　　　　　　　　　　　|
永遠與神同在　　　　　　　火湖

地獄是一個假設嗎？

海克說：耶穌只不過用地獄這個概念作為威脅，實際上祂無意送
任何人去地獄。哲學家赫曼認為：如果地獄只是一個假設的威
脅，非真實的，則隱涵的推論不出下列二者：

     1.這個威脅可能實現，但不會實現。

     2.神設計的人性會使他們全部都得救，因此不需要實現這個
       威脅。

假使第二種推論是真的，則我們必須質疑耶穌的誠實，因為祂給
我們的印象是：這個威脅千真萬確。此外，何必要威脅那些遲早
一定會信的人呢？第一種推論同樣有這些窒礙難通之處。不論是
容許人有選擇惡的可能性，還是容許人們實際上去選擇惡，神在
這方面的道德性不會改變。人必須要為選擇天堂或地獄自負責
任，神只不過是要使他們清楚這兩個選擇的性質。

附註

1. William A. Henry III, "The Best Year of Her Lives, "*Time,* May 14, 1984, p. 62.

2. 柏拉圖，《理想國》，聯經，1980（Plato, *Republic,* Book X, 614.）

3. _____ , "Meno" [81b], in *The Dialogues of Plato,* trans. by B. Jowett (New York: Random House,1937), vol.1, p. 360.

4. *Republic,* Book X, 620.

5. Ian Stevenson,"The Explanatory Value of the Idea of Reincarnation, "*The Journal of Nervous and Mental Disease,* September 1977, p. 305.

6. Jennifer Boeth,"In Search of Past Lives: Looking at Yesterday to Find Answers for Today, "*Dallas Times Herald,* April 3, 1983, HI.

7. Quincy Howe, Jr., *Reincarnation for the Christian* (Philadelphia: Westminster Press: 1974), p.51.

8. Ibid.,p. 107.

9. Geddes MacGregor, *Reincarnation in Christianity* (Wheaton, Ⅰ ll.: Theosophical Publishing House, 1975), p. 168.

10. _____,"The Christening of Karma,"in *Karma: The Universal Law of Harmony* (Wheaton, Ⅰ ll.: Theosophical Publishing House, 1975), p. 4.

11. Howe, op. cit., p. 107.

12. John H. Hick, untitled review, *Religion,* Autumn 1975, p. 175.

13. Allan Watts, *The Way of Zen* (New York: Vintage Books, 1957), p. 52.

14. C. S. Lewis, *Mere Christianity* (New York: MacMillan Co., 1943), p. 25.

15. Loren Eisley, *The Immense Journey* (New York: Random House, 1957), p. 199.

16. S. Radhakrishnan, *The Principal Upanishads* (London: George Allen & Unwin, 1958), p. 114.

17. Robert A. Morey, *Death and the Afterlife* (Minneapolis: Bethany House, 1984), p. 12.

18. Ibid., p. 233.

第十二章

有關真理的問題

　　「真理是甚麼呢？」彼拉多的問話中迴盪著一個曾尋找真理卻從未找到的人的諷刺。他言下之意是沒有真理。彼拉多並不孤單，許多人都走上了同一條路，所以現在學校裡所教的也是同樣諷刺的結論：沒有真理。

　　對基督徒而言，這觀點並不成立。耶穌說：「祢的道就是真理」（約十七17），祂又說：「我就是……真理」（約十四6）。真理是存在的，但什麼是真理的性質呢？更重要的是，我們如何而可得知真理呢？

　　你是否曾聽過這樣的說辭：「對你來說是真理，對我來說不一定是真理。」或者「我真高興你找到對你而言有用的東西了。」如果你向人傳講耶穌，而對方不知道你是在說：「這在任何地方、任何時間、對任何人都是真的，任何與此相對的信仰系統都無法並存。」又有什麼用呢？如果我們要向世界宣揚：我們有真理，則我們最好對真理是甚麼有一些概念。否則我們怎能幫助別人去瞭解真理呢？

真理是相對的還是絕對的？

　　有人宣稱：真理是相對的，所謂相對可從兩方面來理解。一是時間和空間的意義上的相對（以前是真理，現在不是）；另一是適用對象意義上的相對（對我來說是真的，對你則不是）。另一方面，絕對真理則最少蘊涵下列兩點：(1)某時某地的真理在任何時候任何地方都是真理，(2)對某人而言是真理的，對任何人而言也是真理。絕對的真理不改變；相對的真理則因時因人而異。

　　相對主義者會說：「筆在筆記本的左邊」是個相對的陳述，因為那得看你站在桌子的那一邊而定，所以他們說地點總是依照當事人的角度而定。真理也有可能是受時間限制的。以前說：「雷根是總統」毫無問題，現在卻絕不能這麼說了。那句話曾經一度是真的，但現在不是。諸如此類的陳述是否真實，全看它們是在什麼時候說的。

　　同理，相對主義者宣稱真理乃視發言人而定。如果一基督徒說：「你們是神」（約十34），意謂我們有神的形像，是祂的代表。如果一位摩門教徒這麼說，他是在表示：他希望成為自己星球的神。如果一位泛神論者如此說，他的意思是人類都是神。真理是隨發言者的立場和他的原意而定。「我感到不舒服」對我而言可能是真的，但對世界上其他任何人則不然。這些陳述只對發言者而言才是真的。

　　但這裡似乎有些誤解。相對主義者的解釋似乎已經造成誤導。在那些陳述中，發言者的角度、時間、空間都已經包含在內了。例如，「雷根是總統」在一九八六年來說是真的，也永遠是真的。沒有任何時候雷根會不再是一九八六年的總統。假使有人

在一九九〇仍這麼說，則他是在發表一句新的、不同的話，因為
這陳述中的現在時態離上述陳述已經隔了四年。陳述中的時與空
是該陳述的一部分，決定該陳述的意義。然則，一九八六年所說
的「雷根是總統」如果對任何地方的任何人都是真的，則那是一
個絕對真理。上述的筆和桌子也一樣，發言者的角度是發言的一
部分，已為人所了解，因此那是一個絕對真理。

　　相對主義的第二個論點是真理乃因人而異。以上面所舉「你
們是神」那句話來說，我們可以看到同樣的問題，便是未將發言
人的角度考慮進去。使用同樣的字句並不保證它們的意義一定相
同。我們必須先考慮那句話是在什麼樣的場合之下說的，才能夠
決定它是否真實。至於「我感到不舒服」又如何呢？坦白說，人
身代名詞和動詞時態一樣不能轉移。不同的人儘管同樣那麼表
示，不論是否用完全相同的詞句，意義都不同。那些陳述是否對
任何人都是真實的呢？是的，所有以「我」的身分那般陳述的人
在當時都感到不舒服，因此任何人都應當承認那是真的（雖然我
們必須相信：「我……」所說的真是他所感受的）。同理，「你
們是神」這陳述的意思真的反映說這話的人的觀點（雖然他們以
後可能改變觀點），對任何時代、任何人而言，那都是真的。

　　這個時候相對主義者可能會說：「你跟我們一致，因為你說
真理隨場合而異。」這真可謂失之毫釐，繆以千里。隨場合而異
的是意義，至於真理，我們是說一旦該場合被納入考慮，弄懂
後，明顯地這些便是絕對的真理。所以我們與相對主義者斷乎不
同。

「所謂的真理全都是某一觀點下的真理」

　　很多人會告訴你：所有的真理從某一個觀點來講的確都是真的。
　　瞎子摸象那個古老的寓言經常被用來作例子，支持這立場。只摸

到象鼻的盲人以為那個對象是條蛇；另一個只發現耳朵的斷定對象是把扇子；碰觸到象身的說那是堵牆；握到尾巴的宣稱那是條繩子；最後一個盲人摸到象牙，告訴其他人：他們認知的對象是根長矛。對於某些人而言，這證實了：你認為某事物是真是假，全繫於你看待該事物的角度。然而我們應該指出被忽略掉的一點，就是：那六個盲人全錯了，他們的結論沒有一個是真的，所以那個寓言根本沒有說明真相的問題。那裏確實有一客觀實物，只是他們都沒發現罷了。同時，「所謂的真理全都是某一觀點下的真理」，這陳述若非絕對正確，就是僅在某一觀點下才正確。若屬前者，則並非所有的真理都是某一觀點下的真理；若屬後者，則沒有理由把它當真，它不過代表某一觀點。不論如何取捨，它在論辯上都敗績。

相對主義還有其他的問題。相對主義假使是真的，則這個世界會充滿矛盾的情況。前面所舉案例中的那支筆會同時在那本筆記簿的四邊。「我」可能同時感到不舒服、很舒服、憤怒、高興、飢餓、過飽、興奮、百感交雜。多麼混亂！這種矛盾的情況於理難容。

同時，沒有相對主義者能夠說：「『這對我而言是真的』乃絕對的真理。」如果真理只能是相對的，則對他而言那真理才是真的。但是等一等！按照前提，這聲明不可以具有任何絕對的意義——「這對他而言是真的」這聲明只有對他而言才是真的。我們還需要繼續下去嗎？這聲明宣稱真理是相對的。這聲明如果是絕對的，則證明相對主義乃錯誤的；這聲明如果是相對的，則你每一次宣稱時都必須加上另一句「相對而言」，以致你根本不可能說出這聲明，只不過開始一個無限的回溯，永遠無法完成一句真正的陳述。

當然，相對主義也有些好處，它意味著你永遠不會犯錯，只要對我而言是對的，則即使我是錯的時候，我仍然是對的。豈不是很方便嗎？缺點是我也永遠無法學會任何事，因為學習是由一個錯誤的信仰進入一個真實的信仰，也就是說，由一個絕對錯誤的信仰進入一個絕對真實的信仰。或許我們應當再看看有關絕對主義的論點。

有些人認為絕對主義有問題。「你們難道不需要有絕對的證據才相信絕對的真理嗎？」不。真理如果是絕對的，不論你根據什麼理由來相信它，它都是絕對的真理。我們甚至可能不知道有真理，但它本身仍舊是絕對的。真理不會因為我們知道它與否而改變。

「個人性的事又如何呢？例如何謂溫暖、不刮臉會變成大鬍子等等，這些事怎麼可能是絕對的呢？這些對我而言是個人性的，這事實對其他人而言是絕對的事實（雖然這些對他們而言可能不是個人性的）。同時，情況本身（真實的溫度以及鬍子的長度）是客觀、真實的情況。那也是不變的真理。」

「若真理永不改變，則不可能有任何新的真理。」新的真理可以兩種方法來理解。它可能意為「對我們而言是新的」，好像科學中的新發現，但這只不過是我們發現一個已有的真理。另一理解新的真理的方法是有些新的真理開始存在。在處理這問題上，絕對主義毫無困難。當二○二二年一月一日來臨時，一個新的真理誕生了，因為那時才能說：「今天是二○二二年一月一日。」在那以前的任何時候說都不是真的。「舊」真理並不改變，但是「新」的真理則可能出現。

「人生不過是一場夢」

有些人會告訴你，我們每一個人都創造我們自己的真實(reality)。

對你而言真實的對我不一定真實，因為你的夢並非我的夢。事實上，你只是在你的夢中覺察到有我，你不知道我是真的不是。非但真理是主觀的，更沒有可為人知的絕對實體。所有的真實都只不過是不受控制的想像。有些事已直覺地告訴我們：這個觀點不可能是對的，首先，「只不過是」一詞假設你所知的「不止於是」。但怎可能有任何人具有超越他們自己想像以外的知識？你所知的，怎麼可能不止於所有的真實？除非全知的人才能如此誇口。此外，這究竟是有關絕對實體、還僅是個人想像的陳述？如果它真是與「所有真實」有關的絕對真理，則它不可能是真的，因為無論人是否想像得到它，但最少這聲明是真的。如果它只是有關個人夢想的主觀說法，則它並沒有宣稱它是真的，我們也不需要加以考慮，同時不妨提醒這樣的人在作夢時最好不要說夢話。

「你們基督徒的心胸太閉塞了！」

在我們的社會中，心胸開放乃美德已被視為當然，心胸閉塞則是無知和敗壞的指標。然而，這種想法是建立在片面真理之上。當然，承認自己可能犯錯是很好的態度；無論是否有相反的證據，都堅持自己的立場，則絕非佳事。同時，在不偏不倚地檢驗所有的證據以前，我們不應當作任何堅定的決定。就是這種片面真理使我們落入上述那種觀點中。但是片面真理實為徹底的謊話。如果所有的推理都說只可能有一個結論時，我們是否仍舊應當保持心胸開放呢？論心胸閉塞的錯誤也同樣。事實上，心胸開放是最閉塞的立場，因為它完全排除考慮可能有任何絕對的真理。如果真有絕對真理，那該怎麼辦呢？他們豈非將心胸開放絕對化了嗎？長期而言，心胸開放不可能是真的，除非它對一些無可否認的絕對真理也持開放態度。心胸開放不應與心胸空洞混為一談。

當只有一樣是真實的時候，我們絕對不應當對另一個立場抱開放的態度。

真理是相應性的還是連貫性的？

對真理有兩個基本觀點。有人認為：真理是與事實相應的；另有人認為：只要一個觀點首尾連貫，能構成一套內部一致的陳述，它便是真的。前者是說真理應與事實相應，也就是「依樣畫葫蘆」。後者則將真理比擬作懸在空中的一張蜘蛛網，認為它本身的關係網(network of connections)便足以支持它。好像一條鏈子，每一個接環都倚賴其他的接環才能聯絡在一起。

連貫理論等於是說：有些真理比其他真理更加真實，因為它連貫得更加緊密。真理變成有等級的，一項陳述的真理性取決於它適應整個系統的程度。

說真理是有等級的（就像連貫論者為然），同時所有的真理都互相倚賴，其實是在用另一種方法說真理是相對的。倘若所有的陳述都得依賴（根據）整個系統而定，則不可能有絕對的真理，甚至這系統的整體都不是絕對的，因為它倚賴它每一部分之間的連貫性。如果一項陳述可能比另一項陳述更加真實或更不真實，則豈不形同說：它的真實性是相對於另一陳述的真實性？但我們已經證明真理是絕對的，也必須是絕對的。因此連貫性理論若說真理是相對的，則它必為錯誤的。

如何證實真理？

反對連貫性理論的另一原因是：該立場使真理墜入無限回

溯，至終無法達到任何真理。倘若每一個有關真理的聲明都以其他的聲明為前提，如此不斷類推下去，則我們將面臨無法保證我們可得到真理的無窮後退。當我們為所相信的真理提出任何解釋時，我們也必須解釋它的前提，然後對該解釋再加以解釋，永遠如此延續下去。我們永遠無法結束我們的解釋。如果我們找到了一個解釋是無須另加解釋的，則我們已到達目的地（一個不證自明的真理，或無可否認的第一原則），如此則證明連貫論一開始便為錯誤的。魯益師說：

> 你無法不斷把事情「解釋掉」，你會發現你解釋不下去了，因為你把解釋本身都解釋掉了。你無法永遠如此「看穿」事情。看穿某事的要點是在其中看到一些事情。窗子透明是好的，因為它後面的街道或花園是不透明的。倘若花園也透明，被看穿了，那怎麼辦呢？你若想「看穿」第一原則是無用的。倘若你可以看穿每一件事物，則每一件事物都是透明的。但一個完全透明的世界是無形、看不見的世界。要「看穿」萬物其實與不看是一樣的。（註1）

如果我們要「看穿」每一個解釋，則我們永遠無法找到任何解釋。但我們尋找真理豈不是因為我們想找到某些東西嗎？

這種無限回溯使得連貫論不可能立足，那實在是一條互不相連的聲明所組成的鏈子。一條鏈子畢竟不能但憑本身懸在空中，必須在某處有一個掛鉤作為整條鏈子的碇泊點。蜘蛛不會在半空中織網，而是將它們附著在牆上。沒有一個系統能夠在無絕對真理的支持下獨立存在。同時，一個連貫論者最多只能說：他在評估其他信仰系統後，發現他的系統比其他的更連貫。他絕對不能說：任何其他有連貫性的系統是錯的。果真如此，我們永遠無法

反對泛神論，因為一旦將邏輯棄置不用，管它什麼都可說是連貫一致的了。

真理必須以與真實相呼應、不證自明的真理或第一原則為基礎。我們待一會兒會討論不證自明的真理，現在讓我們集中討論這定義中相應性的部分。我們基於數個——既有來自聖經的，也有來自哲學的——理由接受它。

聖經常常採用相應性的真理觀，第九條誡命便以它為前提：「不可作假見證陷害人」（出二十16），暗示一項陳述的真假可以憑它是否與事實相呼應來驗證。當撒但說「你們不一定死」的時候，牠被稱為是說謊，因為那與神實際上所說的不合。

約瑟對他的兄弟們說：「須要打發你們中間一個人去……好證驗你們的話真不真」（創四十二16）時，他也是使用相應論。摩西說，一個先知應受試驗，看他的預言是否與真實事件相呼應（申十八22）。當所羅門建聖殿時，他說：「神阿，求祢使祢向祢僕人大衛所應許的話成真」（王上八26，按NIV翻譯）。任何事如果與神的律法不合，都被視為謊話（詩一一九163）。在新約中，耶穌說，祂的聲明可以得到施洗約翰的證實：「你們曾差人到約翰那裡，他為真理作過見證。」（約五33）猶太人告訴巡撫：他能夠藉著查證事實而「知道」真相（徒二十四8、11），知道他們對保羅的控訴是否屬實。

就哲學而言，倘若沒有相應的事實，將不可能有所謂的說謊。因為你所說的話既不需要與事實相呼應，則那些話不可能因不符事實而被視為錯誤。沒有與真理相應的觀點，也就不可能有真假之分。一個系統描述既有事實準確性有多少，其實都沒多大差別了，反正我們不能訴諸任何事實為證。任何的陳述都無法以真假質異來判斷，只有連貫程度的量差。我們要想作真假判斷，則在我們思想中的事物與事物自身之間必須有所分別。此外，所

有有關事實的溝通都將瓦解。我的一番陳述告知你有關某事的資訊，它們必須與所宣稱的事實相呼應。這些事實如果無法用來評估這番陳述，則等於什麼也沒有告訴你，我不過是咕噥一通，你聽到後，要按照你自己的思想系統來考慮、衡量它在其中的關涉。這會是一件很危險的事，例如：當你穿越馬路時，我告訴你有輛大卡車正向你衝來。你應當花多少時間來衡量，那句話是否可與你整體的信仰網路相連貫？（福音豈不正是同樣緊急的信息？）就哲學上而言，與事實相呼應乃真理和真實溝通的前提。

真理繫於用意或是人嗎？

另一理論是說真理不繫於命題(proposition)的質素，乃看命題背後的用意而定。持此觀點者主張：任何陳述的意義不在於它所說有關的事，而在於陳述者原來想要表達的內容。除非陳述者原意便想誤導別人，否則只要那原來的目的達到了，我們便認為那陳述是真的。因此，一個人想要說真話、不想欺騙人，就算他說的話與事實不符，都不算說謊、不算錯誤。這個觀點與聖經是否有誤的爭論關係尤其密切，因為有人宣稱：就算聖經中有與事實不符之處，仍然可以說聖經是可靠的，因為聖經可靠地成就了領人信主的目的，而且它的作者們並非有意要欺騙任何人。

相應性理論認為：真理繫於命題，命題意義乃作者原意的展現，但唯有查看他實際所說的，才能夠發現作者原意為何。因為當我們想要知道一個陳述的原意時，我們不是陳述者肚子裏的蛔蟲，無從一窺他的心聲，所能探個究竟的獨獨那陳述本身。唯有當我們瞭解一段中句與句之間、一句中字與字之間的正確關係時，我們才能知道他想表達的真正意義。接著我們按著實際來查看他陳述的是真是假。

　　真理可是在人裡面而不在命題中？新約中「真理」一詞出現了約百來次，其中只有一次是無可置疑地用來指耶穌其人（約十四6）。其他的經文則指真理在人裡面（一14、17，八44；約壹二4）或人行在真理裡面（約貳4）。然而，由那些上下文可知：在那人裏面的、或那人所在的是否有待檢證，就看真理、當事人的行為是否合乎神的命令（而它們都是以命題呈現的），因此即使在這裡，真理也是相應性的。人和人的性格、行為可以與事實相應，如同命題可以與事實相應。聖經經文強調的真理毫無疑問是寓於命題中的真理，至於有些經文把真理用到人身上，乃是指涉那人言行的真實性，而真實性的判準，如上所述，端看它們是否合乎神的要求。

　　即使有些經文的確用真理來形容人的品格，唯有相應性理論可以在兩方面都解釋得通。真理在人的理論認為真理不在命題中，但相應性理論則認為所涉及的人或作為必須與神的標準相應。有些經文清楚地指真理由命題呈現、為相應性的，不能用不相應理論的方式來解釋。

　　總之，任何想要否定真理是能夠用命題來表示的企圖都是自我矛盾的，因為否定本身便是一個以命題表示「真理」的主張。因此，不論是主張真理在人或在命題的理論，都必須接受真理的相應性。

羅吉斯的真理觀

羅吉斯是富勒神學院的一位教授，他曾為真理下定義，現在被用來指稱：聖經就它的用意（目的）來說是可靠的，但就它的斷言來說並非無誤。他說：「誤將技術性準確意義下的『錯誤』與聖經中所說有意欺騙的錯誤相混淆，導致我們看不到聖經中嚴肅的用意。」他不承認真理在「技術性的準確」上必須與實際相呼

應。相反的,他主張「聖經中所說的錯誤」是明知故犯地說謊。
真理在於作者的用意,而非作者實際上說了些什麼。因此他說無
誤論使我們偏離聖經的「用意」(而非聖經的信息)。只要先知
和門徒是在不知情的情況下作出不合科學的陳述,便不能視他們
為犯了錯誤,因為他們並非故意欺騙。耶穌雖然可能知道得較
多,但祂選擇將就普遍的觀點,以便人們不會因分心而把握不到
祂想要傳的信息,也就是福音。持這種觀點的人用意是很誠摯
的,但他們犯的錯誤也很真實。

二種真理觀

	相應性立場	非相應性立場
根據:	事實的	實際的
性質:	命題式的	人格式的
參照:	現實	結果
媒介:	語文	生命
落腳處:	斷言	意圖
錯誤性質:	誤差	欺騙
含義:	所有的誤差都算錯	並非所有的誤差都算錯

真理是可知的嗎?

即使在基督徒中間,對於真理是否可知、可知多少等問題,
特別是在有關神的真理上面,都有許多不同的立場。如果到目前
為止我們所說的都對,則下列立場中只有一種是合理的。

不可知論／懷疑論

不可知論與懷疑論之間的差別極大，但破解兩者的論式則一樣。不可知論者說：人無法知道任何事，而懷疑論只說：我們應當懷疑人是否能知道任何事。懷疑論較先產生，但當康德讀到休謨對絕對知識的懷疑時，他決定更進一步，否定所有關乎實體的知識。實際上這兩種理論都是自我矛盾的。倘若你知道你不知道任何事，則最少你知道這一件事。這意味著你已對某件事有正面的知識，因此你不需要作不可知論者。同理，你可以說你應當懷疑所有的事，但你對你剛說的那句話卻不懷疑，也就是說，你並不懷疑你應當懷疑。如果有一件事是你可以確定的（對懷疑論者而言），或有一事是你可以知道的（對不可知論者而言），則可能有其他的事是你可以確定或知道的，你的立場也正好證明它自己是錯誤的。

與懷疑論者對話

一位大哲學家發明了一個對付懷疑論者的妙方，當碰到有人對每件事都抱懷疑態度時，他會問：「你是否懷疑你自己的存在？」如果他們回答是，則他會指出：他們必須存在，才能夠懷疑，這應當可以消除他們的懷疑。如果他們回答否，則他會指出最少有一件事是他們不懷疑的。有些懷疑論者為要避免墮入這個陷阱，便決定保持沈默以對抗這種對他們學說的挑戰。那時他便會說：「我想這裡實在是沒有人存在。我應該去找一個存在的人談天。」跟著他便會走開。

理性主義

　　理性主義不只是說我們應當用理性來試驗真理，它同時說我們可以用邏輯來決定所有的真理。於是我們可以理性地證明神的存在和祂的本性。對理性主義者而言，沒有任何證據可以推翻一個邏輯的論證。這便是為什麼斯賓諾莎在滿意地證明所有的實體都在絕對的存有中合而為一後，仍然能夠否認世界上有任何東西是與神分開存在、或世界上有任何自由意志的原因了。這也是為什麼萊布尼茲不管世界變得多麼敗壞，仍然堅持這是所有可能的世界中最好的世界。理性主義使他相信唯有最大的善才能存在。對理性主義者而言，所有的真理都是邏輯上的必然。

　　理性主義最大的問題在於它是空中樓閣，與現實脫節。它假設（卻無法證明）理性上不可避免的便是真實的。事實上，都不論作了多少邏輯上的理性分析，它從未證明任何真實的東西是存在的。理性主義如果想要克服這些缺點，唯一的方法便是放棄理性主義，開始接受一些經驗上的證據。同時，我本身的存在是事實上無法否認的，卻非邏輯上的必然。沒有任何理據可以說：我或任何其他東西必須存在，然而理性主義者認為那是邏輯上的必然，卻未能提出任何堅實的證據。最後，當理性主義企圖證明它自己的原則，顯明它自己是合理的時候，它在兩方面都失敗了。那企圖本身便是徒勞無功的，因為由亞里斯多德至今，每一個人都同意：第一原則是無法證實的；它們必須是不證自明的真理，不需要進一步解釋，否則你會永遠需要不斷提出解釋。但理性主義者另一項失敗，便是他們自己都無法在第一原則是什麼上取得共識。有些人變為泛神論者，有些人變為有神論者，有些人投向有限神論，但都無法提出他們所說理性上必須的基礎，來證明他

們的信仰。

非理性的理性主義

世界上最頑固的理性主義者是不相信理性的泛神論者。由西方文化中泛神論最早提出的陳述開始，泛神論主義者便以一個原則作為前提，導出其他理論，這個原則是：萬物為一(All is one)。他們說：如果這是真的，則任何看來不止於一的必然是幻象。因此，沒有物質、沒有罪惡、沒有是非等等。所有這些都由那一個原則衍生，並受制於理性主義的方法，不容任何證據與它對抗。更奇怪的是，理性主義導致他們棄絕理性。是非之間的分別既被消除，理性主義進而要求推翻邏輯。理性已將他們帶到這個地步，現在卻必須被丟棄，因為他們最初的原則就隱涵這決定性的本質。理性主義變為理性的敵人。

唯信論

唯信論主張：我們要想知道任何有關神的唯一途徑，是藉著信心。真理是主觀的、個人的，因此我們可以相信它，卻不能證明它。世上沒有理性的證明或經驗的證據可以引導我們認識神。我們必須單純地相信：祂在祂的話中所說的以及祂在我們生命中所作的真實無妄。最終，就像那古老的詩歌所說：「你問我怎知主活著，因主活在我心。」齊克果(Soren Kierkegaard)便是這種觀點的代言人。

我們當然無意貶低信心的重要，事實上，我們經常引用奧古斯丁名言：「我相信以便我能明白(I believe in order that I may understand)。」同時，邏輯論證顯然不是宗教委身的基礎。然而，唯信論雖有正確的答案，卻提出了錯誤的理由。我們

不能以神存在、祂在聖經中啟示祂自己、祂在祂子民的生命生活中工作為前提，因為那些正是不信的人質疑的問題。

唯信論主要的問題在於未能區分信仰的內容與信靠的實際。證據和邏輯證明能夠幫助我們得到信仰的內容：神存在、聖經是祂的話等等，卻無法令我們對這些真理委身。委身是相信並倚靠這位主。唯信論者只看到後者，忽略了前者的重要性。因此，他們也未將對神信心的基礎（祂的話的真理），以及那信心所需要的支持或保障加以區分。他們要求人信靠神，卻未容許他們首先明白信仰內容：有一位值得我們相信的神（參來十一6）。

此外，倘若信心是認識真理唯一的道路，則為何不相信可蘭經或是摩門經呢？唯信論並未企圖去證實任何信仰，所以我們只能相信我們想要信的任何對象。結果是唯信論並未提出任何真理的宣稱。它必須在提供真理的宣稱之前提供一些檢驗真理的方式。因為它並沒有任何可以檢驗真理的方法，它也無法作任何真理的宣告。它甚至並沒有呼籲世人相信它的宣稱是真的。如果有任何人開始為他為何是一個唯信論者提出任何解釋或辯護，他馬上就不是唯信論者了。當他除了「只要相信」，還想提供任何其他的東西來支持他的立場的那一刻，他已經離開了唯信論的立場，開始使用可經證實的信心。因此唯信論除非不作任何真理的宣告，否則它便是自我矛盾。在這兩種情況之下，它都不能回答我們是如何知道神這個問題。

「真理是主觀的」

存在主義之父齊克果以此為題寫了一篇論文。他擔心，基督教如果只被人當作一套文字來接受，則永遠無法帶領人與神建立一種關係。他不但沒有因此集中焦點於信仰的客觀真理，反而強調信仰對個人必須是真實的，否則那就不是真實的信仰。信仰某對象

凌駕信仰對象的真實性。

「但上述對真實的定義正說明什麼叫信心。沒有風險，就沒有信心。信心恰恰是一個人內在無限的激情與客觀不確定性之間的矛盾。倘若我能夠客觀地抓住神，則我無須相信。正因為我無法如此做到，所以我必須相信。如果我想要保持我的信心，則我必須不斷地、一心一意地抓緊客觀的不確定，以致我能停留在深水中，在深不可測的水下面，仍然能夠保持我的信心。」

【*Kierkegaard's Concluding Unscientific Postscript,* trans. by David F. Swenson (Princeton：Princeton University Press, 1963), p. 182.】

實在主義

　　最後一個觀點是我們可以知道一些有關神的事。其他的觀點不是不一致就是自相矛盾，這個觀點可以成立。我們無法知道每一件事（理性主義），因為一個有限的頭腦無法理解一個無限存有的全部。但我們的確知道一些事情，因為不可知論自相矛盾。這是合理且實在的觀點。但問題仍然存在，我們如何知道我們知道有關神的某些事呢？這是我們要在本章討論的最後一個問題。

真理是可知的嗎？

不可知論(Agnosticism)自相矛盾——他們如何知道我們不能知道？

懷疑論(Skepticism)自相矛盾——他們是否會懷疑懷疑論？

理性主義(Rationalism)不一致——無法理性地證明有什麼是理性上無可避免的。

唯信論(Fideism)自相矛盾——不是無法證實信仰，就是非唯信

論。

實在主義(Realism)——我們可以知道一些事。

眞理是合邏輯的嗎？

我們可以知道我們知道神的某些事，因為思想適用於實體。在這情況下，知識是可能的。倘若思想並不適用於實體，則我們一無所知。邏輯是所有思想必要的前提。沒有邏輯（思想的定律），我們甚至不能思想。但邏輯是否只是一個前提？我們如何知道邏輯適用於實體？我們所以知道，因為那是無可否認的。

這將我們帶回剛才提到的那些不證自明的第一原則。不需要被這名詞嚇壞你。Winnie-the-Pooh(英國童話故事中的角色，這是一隻熊的名字)有次冒險奇遇，可以示範不證自明的原則如何運作。牠有一次行經森林去到白兔的家。

牠彎下腰來，把頭伸進洞裡，叫道：「有人在家嗎？」

洞裡面忽然傳出一陣格鬥的聲音，接著是一片寂靜。

「我說，『有人在家嗎？』」Pooh大聲地呼叫。

「沒有！」有一個聲音說，「你不需要如此大叫。我第一次已經聽得很清楚了。」

「打擾您！」Pooh說：「有沒有任何人在這裡？」

「沒有人！」

Winnie-the-Pooh把牠的頭從洞裏伸出來，想了一會兒，自己對自己說：「一定有某一個人在這裡，因為說『沒有人』的那位必定是某一個人。」（註2）

就是這麼簡單。我們在這本書中由頭到尾一直在用這個原則。不證自明的原則便是無可否定的原則，就算有人要否定它，

在這否定的過程中已無法不證明它是真實的。兔子的話則正好相反，是自相矛盾的（你在本書中已數度見到這個字眼）。如果你必須先竊用某陳述，才能夠進行對它的否定，就顯示：它實際上是無可否定的。第一原則是所有真理的起點、所有思想的基礎，它們便是這種無可否定的陳述。

　　邏輯適用於實體便是最重要的例子。所有的邏輯都可以簡化成一個定理：非矛盾定律(the law of noncontradiction)。這個定律是說：沒有兩個互相矛盾的陳述可以同時間、以相同的意義同為真實。邏輯學家將此簡化為「A不是非A」。如果我們想要否定它，可得「兩個矛盾的陳述可以同時為真」或「A不是『非非A』」。這兩個陳述都有問題，因為它們已無形承認它們所想要否認的陳述為真。前者說：沒有不矛盾的定型，也可以有真理。但倘若正反陳述同時為真，則真與假之間完全沒有分別，因此這個聲明不可能如它所自稱的是真的。以符號表示的那陳述：A可與任何其他非A的東西相等，也有同樣的問題。不矛盾的定型是無法被否定的，因為任何的否定都要先假設它的對立面不成立，而這正是它所企圖否定的。因此我們發現，邏輯的基礎是一個無可否定的第一原則。

　　「邏輯適用於實體」也是無可否定的。為了說邏輯並非適用於實體，則你必須作一邏輯的陳述。但如果你必須以邏輯陳述來否定邏輯，則你的行動已挫敗你行動的目的。不論怎麼說，邏輯必定適用於實體。邏輯適用於實體，則我們可以用邏輯來查驗與實體有關的真理宣告。

　　讓我們退一步想，為什麼必須要有一些不證自明的、無可否定的第一原則呢？正如前述，不可知論是自相矛盾的。我們的確知道一些事情。我們知道：每一個真理的宣告不可能都必須倚賴另一個真理，因為那將形成無窮回溯。因此，必定有一些真理是

獨立存在，不需要任何進一步的證明。我們不能繞到它後面，也不能「看穿」它們，好找出它們為何是那樣，這是為什麼它們被稱為第一原則的原因，在它們之先沒有其他的原則。這並非是說它們缺乏證明；相反的，它們因為是無可否定的而自己證明自己。

我們通常藉著本能便可以認出那些是不證自明的原則，不需要經由企圖否定它們、試驗它們，才辨識得出來。有時我們不明白它們到底是什麼意思，則企圖否定它的試驗可以鉤玄闡隱。換句話說，有時它們本身是不證自明的，但對我們而言卻不是，因為我們對它們所知不多。這便可以解釋：為什麼真理並非普遍地被人接受，這也可以解釋：為何我們有時也需要檢驗它們，看它們是否無可否定。

什麼是這些不證自明的真理？我們在每一個思想領域中都可以找到一些例子，以下便是一些未經解釋的例子，它們在本書裏都至少被使用過一次。不妨試試看你是否能夠在使用本書時認出它們來。

　　　　　Ⅰ.有關邏輯的不證自明前提
　　　　　　A.非矛盾律(A不是非A）
　　　　　　B.同一律（A是A）
　　　　　　C.排中律（若不是A就是非A）
　　　　　　D.有效推論原理
　　　　　Ⅱ.有關知識的不證自明前提
　　　　　　A.有些東西是可知的。
　　　　　　B.正反命題不可能同時爲眞。
　　　　　　C.所有的東西不可能同時爲假。
　　　　　Ⅲ.有關存在的不證自明前提

A.有些東西存在（例如我存在）。

B.無中不能生有。

C.所有有開始的東西都有成因。

　　這些原則成為所有知識的基礎。由此出發，邏輯和證據可以證實神存在、基督是祂的兒子。真理有無可否定的第一原則作為它絕對的基礎，也可以藉邏輯的方法來檢驗，因為它最終是與實體相呼應的。基督教的宣稱是真的，它邀請所有的人都進來，共享真理的筵席。

附註

1. C.S. Lewis, *The Abolition of Man* (New York: MacMillan Co., 1947), p. 91.

2. A.A. Milne, *Winnie-the-Pooh* (New York: Dutton, 1961), p. 24.

第十三章

有關道德的問題

墮胎⋯⋯同性戀者權利⋯⋯性教育⋯⋯毒品濫用⋯⋯黃色書刊⋯⋯這些基本上都是道德問題,基督徒面對這些問題,所持的立場相當分明。當基督徒呼聲愈清楚時,外面的世界對我們立場的批評也愈尖刻。他們不大能明白:為何我們會相信我們是對的?這些價值從何而來?是來自一本古老的書?它有幾百種不同的解釋,寫這本書的作者們從未想像過現代的世界會是什麼樣子,所以怎麼可能當真相信:這些律例永遠、絕對是對的?基督教的道德觀似乎太黑白分明,難道沒有一些灰色地帶嗎?我們對美德的焦點愈來愈清晰,但世界其餘的人似乎急速地滑入黑暗、逃避光明。就像布倫博士所說:

絕對主義的危險不是錯誤,而是不容忍,學生被教導要亟力規避這點。相對主義對於心胸開放是不可或缺的,這就是美德,唯一的美德,過去五十多年來小學教育致力灌輸這個觀念。當面對不同種的人、不同的生活方式,以及不同的真理主張,相對主義高舉開放為唯一合理的立場。(開放成為我們這個時代最偉大的洞見。)真正的信徒是真正的危險。(註1)

　　信徒面對這樣的心態時，必須準備好本諸他的倫理基礎為他的倫理原則辯護。我們有什麼充分的理由可以相信道德是絕對的嗎？可以解釋我們為何對有關價值的事不保持「心胸開放」？我們如何才能向不信的人解釋這些事呢？

　　我們不需要替神的每一條誡命辯護，本書也沒有足夠篇幅去討論個別的問題。現在所需要的不過是：藉著顯示價值乃絕對的，它們有一個絕對的基礎，來表明：相信絕對的道德價值方為合理。我們也需要進一步去回答經常有人提出的質疑：當絕對價值之間出現衝突，以致一個人無法同時順從二者，該如何是好？

是否有任何絕對價值存在？

　　相對主義並無新意。遠在古代，希臘哲學家赫拉克利特(Heraclitus)就說：「沒有人踏入同樣的河兩次，因為在腳上奔流的總是新的水。」這指出我們的存在充滿了不斷的改變。如果每一件事物都在變遷，則沒有一件事物始終如一。萬物都是相對於它們在當時的情況。如此怎麼可能有絕對的價值？

　　由赫拉克利特的時代至今，另有其他的道德理論向道德誡命的絕對性質挑戰。有些人說：沒有嚴謹的律法。齊克果說：宗教責任超越所有的倫理誡命，就像亞伯拉罕必須因為「信心的跳躍」而超越所有的道德界圍，才能將以撒獻上為祭。愛以爾(A.J Ayer)說：所有有關價值的陳述都是不折不扣的廢話，因為它們無法藉經驗證實。有些人說：倫理只是為了建立社會的一般性原則。邊沁(Jeremy Bentham)和密勒(John Stuart Mill)同意：社會一般的規則應當遵守，這樣人才會快樂，但究極而論，它們並無約束效力，非遵守不可。有些人，像弗勒徹爾(Joseph Fletcher)認為：所有的標準都必須由在每一個環境中的當事人來裁量。

　　弗勒徹爾的情境倫理建立在「我們的責任乃相對於情境」的概念上（註2）。他說：愛是唯一的絕對，其他的道德誡命都相對於此。判斷是非唯一的方法是看結果。什麼「有效」、什麼「滿足」要求，什麼便是對的。因此，價值不是由神、也不是由社會決定的，乃是由個人決定。個人必須在每一特定的情境中決定：對他而言什麼是對的。當有人問弗勒徹爾說：「姦淫是否不對？」他回答說：「一個人只能夠回答：『我不知道。可能是的。給我一個個案，描述實際的情況。』」（註3）他相信這可以消除律法主義的殘酷，將焦點放在人身上，而非律例身上。

情境倫理(Situation Ethics)

弗勒徹爾 的書《情境倫理》(*Situation Ethics*)於一九六六年出版，並沒有包含什麼新的觀念，但將立場澄清，並使它通俗化。他明言他的前提是實用主義（Pragmatism，以目的來辯解手段的正當性）、相對主義（Relativism，只有愛是絕對的，其他價值都是相對的）、實證論（Positivism，道德原則無從證實，只能相信）、人格主義（Personalism，人比事物重要）。談到聖經他說：「如果我們忘記聖經是零散格言（好比登山寶訓）的彙編，最多只能給我們一些模範和建議，若把它變為守則，帶來的如果不是輕度憂鬱症（頁77），就是極度沮喪。」他為他的實用主義辯護：「如果目的不能用來辯解手段的正當性，還能用什麼來辯解呢？」（頁120）他至少尚能首尾一貫地承認：目的本身的正當性也有待辯解。愛是唯一能自我辯解的目的（頁129）。這導致一個問題：如果愛能夠成為具有本身價值的善，為何其他的德性不能也具有本身價值？若能，則它們不再是手段而是目的本身。

絕對不可能被否定的

儘管上段列舉的那些提議似乎很合理，但否定絕對本身實涵有基本的矛盾：為要否定絕對，在否定的過程中，你必須假設有絕對。要否定絕對，你必須作一個絕對的否定。就像說：「不要說不。」你剛剛已說了。或是「說『永遠』永遠是錯誤的。」你說的時候必須說它。你怎能絕對確定真的沒有絕對呢？

此外，假使相對主義是真的，則一定有某樣事物是其他事物所以為相對的，那事物本身不是相對的。換言之，有些事物必須是絕對的，然後我們才能看出其他一切對它而言都是相對的。這是關係的本質：它必須存在於兩個或兩個以上的事物中，沒有事物可以和自己相對。假使所有的事物都是相對的，則沒有其他的關係是真實的。必須有不變的某事物，我們才能以它為標準，衡量其他每一件事物的變化。甚至愛因斯坦(Albert Einstein)都看到這個事實，設置絕對的靈(absloute Spirit)當作其他萬物所以相對的樞軸。杜威(John Dewey)在他的進步主義(progressivism)中將進步視為絕對。赫拉克利特則有一個絕對的道(Logos)以衡量不斷變遷的河("river" of flux)。

肯定絕對價值

只是指出相對主義的錯誤，並不能證明：基督教的價值正確。相對主義者說：「有絕對的價值嗎？舉一個例子。」魯益師在其著作中舉了幾個例子。他指出：有許多被普遍認為錯的事，例如虐待兒童、強姦、無故謀殺等等。他同時在《消滅人類》(*Abolition of Man*)的附錄中指出：不同文化中的價值非但差異不大，

反而都非常類似。但我們面對的挑戰是舉一個為例。

　　有些思想家企圖將所有的道德原則簡化為一個絕對中心。康德得到一個「無上命令」(categorical imperative)，是不論在什麼情況下都應當遵守的。要想識別這個命令，可以在每次作決定時都問一個問題：「我是否希望這個行徑成為所有人都該做的？」如果你的回答是否定的，你自己就不要去做。你希望所有的人都向你說謊嗎？那麼不要說謊。你希望所有人都謀殺嗎？那麼不要謀殺。只做那些你希望全部的人都能做的事。

問題核心

如果你想掌握問題核心，知道某人對價值真正的信念，你應當去找出他的期望為何。一個人可以隨口說：人的價值不比物質高，但如果你把他像香煙頭一樣地看待，踩在他上面，他會立刻中止他的高見。雖然他在言談中否認人是具有價值的，但實際上仍然期望被當作一個有價值的人看待。縱使有人宣稱世上沒有價值，他仍看重他表達意見的權利，並且希望你同樣尊重他這份權利。這個事實相當能幫助我們肯定絕對價值的存在，因為它顯示出：價值實際上是無從否定的。不論何時，當有人否定絕對價值的時候，他們仍然期望得到一個有絕對價值的人所應得的尊重。

　　布伯說：最重要的道德原則是將人當人來對待，而非東西。他說：我們經歷一生時，可以把所有其他的都當作「它」(It)；也可以承認有些其他的與我們相似，應當稱之為「你」(Thou)。對布伯而言，是這個「我——你」(I-Thou)關係讓人生有意義，這個關係也是所有價值的基礎。人應被視為目的本身，而非達成其他目的的手段。人應當被愛，而非被利用。

　　由此不難看出，布伯和康德在原則上都同意，耶穌所說的一

項最重要價值。耶穌說：「所以無論何事，你們願意人怎樣待你們，你們也要怎樣待人。」（太七12）當有人問耶穌：舊約律法上最大的誡命為何的時候，祂回答說：「你要盡心、盡性、盡意，愛主你的神。這是誡命中的第一，且是最大的。其次也相倣，就是要愛人如己。這兩條誡命，是律法和先知一切道理的總綱。」（太二十二37～39）康德的「無上命令」豈不正是基督「黃金律」(Golden Rule)的另一種表述法嗎？最大的誡命豈不正是要與所有的人，特別是與那最終的你(the Ultimate Thou)都維持一個「我——你」關係嗎？在這最大命令的根基上，建立了其他一切的倫理標準：也就是基督教愛的倫理。

我與你

馬丁布伯(Martin Buber，1878～1965)是著名的猶太裔存在主義者，他在《我與你》(*I and Thou*)這本書中探討關係領域。他用人所熟悉的字：「你」來表達親密關係。他說我們在人生中有三個層面的經歷：「各種關係的線延伸下去，在永恆的你那裡相交。」（頁123）在界定愛時，他寫道：「愛是一個我願為一個你肩負起責任，這種素質不見於其他任何感受中，但對所有愛人的人——從最卑微的角色，到最偉大的人物；從住在象牙塔中，偏限於鍾愛一個對象的，到讓自己的生命釘在世界的十字架上，氣吞山河竟膽敢愛全人類的——他們的愛中共同具有這項素質。」【Martin Buber, *I and Thou* (New York: Charles Scribner's Sons, 1970), pp. 66-67】

愛是普世公認的絕對價值。甚至以寫《為什麼我不是一個基督徒》*(Why I Am Not a Christian)* 著名的羅素都說：「這個世界所需要的，是基督式的愛或憐憫。」人文主義的心理學家佛洛姆

(Erich Fromm)說：所有的心理問題都源自缺乏愛。孔子也有相同的見解，但他用負面的形式來表達：「己所不欲，勿施於人。」誰會反對愛呢？

上述康德測試問題的核心在於一點：「我希望人怎樣待我？」當然我們都渴望被愛。如果我們想要被愛，則我們應當愛其他人。不愛其他的人便是否定他們的人格，因為我們愛人是在把人當人來看待。事實上，這豈不是我們期望被愛的原因嗎？因為我們是人，人應當被愛。如果我們應當被愛，則所有的人都應當被愛。任何其他的結論都是不一致、獨斷的。愛是一個絕對的道德價值，為普世公認，也是所有的人都期望得到的。

價值源自何方？

愛的源頭

人們表達愛，期望愛，但他們的本性並非愛。人的愛會改變，而且有限。愛是人們所有的(to have)，但並非他們所是的(to be)。然而如果愛是一個絕對價值，則某處必定有某個不變的、無限的愛，是所有其他的愛的源頭。所有道德上的絕對都必須有一個絕對的存有在指令，但人不是絕對的。那麼，愛是從哪裡來的？基督徒的答案是：所有的愛來自神。事實上，聖經說：「神是愛。」（約壹四16）因為神的本性是愛，祂可以將愛賜給祂所創造的人。我們有愛，祂是愛。神的本性是所有的愛的源頭，反映在祂按自己的形像所造的人身上。沒有任何有意義的愛的倫理可以撇開愛的源頭（神）不談。

神是愛

這句話聽來很偉大！有許多情感上吸引人的地方，令我們覺得真好。但這句話的真實意義究竟在哪裡呢？神是否是一個讓每個人都感到舒服的大型舞會？基督教愛的教義的關鍵點在三一論。神有一個本性，那本性激發成三個位格（不像我們乃一個本性一個位格）。父主動去愛，子是被愛的，聖靈是由祂們而出的愛的靈。愛的本身便是三位一體。每一位與其他兩位都有全然美好的親密關係。祂們彼此相愛。因此，神的本性是愛。假使神只有一個位格，這便不成立了。創造其實便是三位一體的神宣告：「讓我們開放我們的交通，使更多人可以享受我們的愛。」當人犯罪時，交通的門關閉了。但是在基督死時，將人與神分隔開的幔子裂開了（路二十三45；來十19～20），神再度宣告：「讓我們開放我們的交通，使所有人可以享受我們的愛。」

如果我們要愛，則我們必須知道愛有何意義。如果神是愛，則愛的誡命就是先去認識神的誡命，如此我們才能認識愛的性質。「對神的本性無知，意味著對絕對的愛無知。簡單地說：基督教的愛的倫理不會比它的源頭更確定可靠，也不會比對那源頭的知識更適用於生活。」（註4）那麼，我們如何才能知道愛呢？與我們知道神同樣的方法。

我們認識神有兩條途徑：藉著一般啟示（在自然界；詩十九1～6）以及藉著祂的特別啟示（在聖經中；詩十九7以下）。後者當然更明確，前者卻更易經驗。每一個人都可以、也應當藉著思想一般啟示而得知神是愛。

保羅告訴異教的呂高尼人說：神「為自己未嘗不顯出證據來，就如常施恩惠，從天降雨、賞賜豐年，叫你們飲食飽足，滿心喜樂」（徒十四17）。這些單純的祝福豈不是向我們顯示：有

一個關懷我們的神嗎？「祢張手，使有生氣的都隨願飽足。」
（詩一四五16）僅憑我們有喜樂這個事實，便已足夠告訴我們：
神是良善的、慈愛的。但保羅同時也告訴亞略巴古的哲學家們
說：神賜下「生命、氣息、萬物」這些更基本的恩賜（徒十七
25）。因此神在我們所住的世界中留下祂關愛的見證，幫助我們
認識祂的愛。

　　但我們同時可藉著神所造的人認識祂的愛。「因為愛是從神
來的；凡有愛心的，都是由神而生，並且認識神。」（約壹四
7）我們每逢愛的時候，都在彰顯由神而來的愛。這個愛的本身
顯示：我們知道有關神的一些事，並能向其他的人彰顯神的愛。
就像前面所說的，人那有限、會改變的愛必得有一絕對的源頭，
才能得到絕對的價值。人是按神的形像被造的，按著祂愛的形像
而愛。

　　對於神的愛最明確的知識來自聖經。在舊約中，甚至在頒佈
律法時都承認神是「發慈愛直到千代」的（出二十6）。約拿見
到神拯救尼尼微免於滅亡時，他抱怨神太慈愛了：「我知道祢是
有恩典、有憐憫的神，不輕易發怒，有豐盛的慈愛。」（拿四
2）詩篇第一三六篇重複地歌頌：「因祂的慈愛永遠長存。」在
新約中，神的愛更進一步地在耶穌基督身上啟示出來。「神愛世
人，甚至將祂的獨生子賜給他們。」（約三16）「人為朋友捨
命，人的愛沒有比這個大的。」（約十五13）「惟有基督在我們
還作罪人的時候為我們死，神的愛就在此向我們顯明了。」（羅
五8）我們在這裡看到神的愛。

愛的特質

為愛下定義絕非易事。保羅在哥林多前書第十三章4至7節中描述愛，但那並非定義。不過，他也確實告知我們愛的一些基本特質：愛是為他人求益處。就像神願意使所有受造之物受惠，賜給他們生存，供應他們的需要；人的愛也應當效法祂「不求自己的益處」，只為他人謀福利。耶穌可以永遠與神同在，絕對不需要受苦受死，但祂以我們得益為念。

愛的另一個特質是付出而不求回報。人的愛有三種：(1)只拿而不付出的愛（利己的，egoistic），(2)付出但求回報的愛(互助的，mutualistic)，(3)付出但不求任何回報的愛（利他的，altruistic）。希臘文對這三種愛有三個不同的字：*eros*、*philia*、以及*agape*。*eros*式的愛按定義而言是求自己的利益，只關心自己的慾望。*philia* 是兄弟愛，好像友誼，是一種有來有往的關係，回報令犧牲顯得更值得。但是*agape*式的愛是完全無條件的，付出、付出、再付出的，但從不要求任何回報。耶穌付出祂所有的時間和精力，為了要幫助那些無法回報祂的人。接著祂付出祂的生命，沒有要求任何人一定要相信祂。這便是神所有的那種愛，也是我們應當效法的愛。

愛的另一個更大的特質，乃聖經提醒我們不可忽略的，那就是：愛是堅強、有原則的。祂提到祂的子民時說：「因為主所愛的祂必管教，又鞭打凡所收納的兒子。」（來十二6）對需要受管教的人而言，你愛他的唯一方法便是管教他。神的愛是有原則的，以致祂要在不違反我們自由的前提下，管教我們頑梗的意志。愛是有立場的。耶穌絕非毫無原則的人：祂自己製作鞭子將聖殿中所有的商人都趕出去（約二12～16）。祂與宗教領袖對話

時也絕不客氣，祂稱呼他們為假冒為善的、無知的、瞎眼領路的、粉飾的墳墓、毒蛇的種類（太二十三）。愛絕非止於浪漫縈懷，而是委身去做於他人有益的事，就算執著到令人難以忍受，都不退縮。上十字架的決定絕非易事，因為耶穌的人性也有柔弱的一面。要神尊重那些拒絕回應祂所愛之人的願望，也絕非易作的決定。

> 假使神可以准許任何不信的人都進天堂，對他們而言那比進地獄還糟。那些厭惡禱告和讚美神的人，如何能忍受永遠停留在一處繼續不斷禱告和讚美的地方？如果他們在教會待一個鐘頭已坐立不安，則設想他們如果必須永遠地敬拜神，那將是何等可怕的永恆折磨？說得再重點，天堂是人敬拜神的地方，神怎能強迫那些不願敬拜祂、而且恨祂的人進去呢？不違反人的意願、不強迫人去愛祂，顯然更合乎神愛的本性。（註5）

當然沒有人希望進地獄，但有些人確實選擇進去。神拒絕強迫任何人愛祂，因為強迫的愛是強姦。但祂彰顯一個堅強的愛，准許人們走上他們自己選的路。如果神完美、堅定不移的愛都不能贏回他們，還有什麼能改變他們的心意呢？說穿了，地獄不過是那些厭煩再受到神的愛干擾的人的去處。

絕對性的價值相衝突時何去何從？

我們說我們有絕對的價值可能會惹來麻煩。天上主動去愛的父、被愛的子、愛的靈有完全和諧的關係，但是當愛來到地上時，有些責任會起衝突。責任重疊時，我們在兩個絕對誡命間左

右為難。有時兩方面看來都不像是在履行愛。

亞伯拉罕必須作這樣的抉擇。他應當獻上以撒為燔祭？還是違背神？（創二十二）希伯來的收生婆得決定他們要順服法老的命令，還是拯救出生的以色列嬰孩？（出一）聖經吩咐我們順從父母，但如果我們的父母反對我們事奉神呢？（太十37）或者一個人擔心他妻子的安全時，是否應當撒謊來保護她？（創二十12）

基督徒就這問題有三個不同的答案。每一個都有它的長處，有些不無問題。我們會一一加以檢視並評估。

沒有衝突

第一種立場說：並沒有真的衝突。絕對價值看來像是重疊了，事實上卻不是。衝突只是表面的，實際上只有一個絕對的責任，那便是愛。其他所有的誡命都不過是愛的一般原則。它們通常都是對的，但有時我們只能讓愛帶領我們。當然有些狀況下履行愛就意謂說謊或姦淫，那時一般的原則可以打破。這個立場主張愛的絕對性，很簡單，也不會要任何人為困難環境下盡力而為時所犯的錯負咎。

這個立場有它的問題。首先，愛的責任並非只有一個，它最少有兩個層面：愛神和愛鄰舍。有時雙方真的會有衝突。試看以撒和亞伯拉罕。愛豈不是會帶領你放過以撒？這兩層面的愛都來自神的本性，不能輕忽。同時，箴言好像是一般性原則，但十誡是否只是十項建議？耶穌似乎並未認為愛可以與其他明確的誡命分開。祂說：「你們若愛我，就必遵守我的命令。」（約十四15）。第三，如何界定愛呢？一個人如何得知做什麼才算愛？只叫人去「愛」，就像叫一個人去做「甲」或去「丁」一樣，那到

底是什麼意思呢？除非有一套詳細的律法來界定愛，人無法知道
什麼是真愛。

兩個層面的愛

耶穌提出兩個誡命：愛神和愛人。這使得愛被分成兩個層面。就
縱切面來說，我們當以全人去愛神；就橫切面來說，我們當愛人
如己。摩西也將律法分為兩個石碑。第一部分與我們對神的責任
有關，第二部分解釋我們對人的責任。請注意這裡的優先次序：
一個是「第一，且是最大的」，另一個是「其次」。我們要先愛
神，其次愛人。我們應當以我們全部的存有，至極地愛神；但對
人，則應當按照我們的人性去愛。愛分兩個層面，暗示第三層面
是事物。事物不是人，沒有本身價值。它們應當被使用，不是被
愛。但當我們在不同層面的責任有衝突時，應當如何作？有時愛
神意謂我們應當愛人（太二十五40；約壹四20），但也有時我們
必須愛神超過愛人（路十四26）。

這立場的另一種說法是說沒有真的衝突，忠心順服的人永遠
不需要擔心，因為他們總會有第三個選擇，這是指哥林多前書第
十章13節所說的：神「總要給你們開一條出路」。他們看到亞伯
拉罕預備獻上以撒，神卻供應了第三個選擇。沒有真的衝突，總
會有一條出路的。如果人未能把握這出路（例如：他未能忍耐到
底，等候神來救他），則他要為他所犯的律法負責，因為律法是
絕對的。任何律法遭破壞，神必視為罪，進行懲處。這個立場主
張道德誡命是絕對的，對道德責任上的衝突持較實際的看法。它
同時鼓勵我們在採取任何行動前考慮所有的選擇。

這個答案的問題在於它並未真正地面對那衝突。它承認它們
存在，接著便忽視它們。因為並非總有第三個選擇。誠然，亞伯

拉罕並沒有被迫殺以撒，但他的確打算那麼做了。希伯來書第十一章19節告訴我們：他並非尋找出路，而是期望殺死以撒，讓神將他從死裡復活。耶穌指出順服父母和順服神之間真正的衝突，但祂的解決方案絕非第三個選擇。祂說：那時祂的門徒必須「愛我勝於愛自己的父母、妻子、兒女、弟兄、姊妹」（路十四26）。並非在困局中徬徨，而是選擇一端，勇往直前。

同時，有些持此觀點的人藉著重新定義律法來當作他們的出路。有一人曾寫道：「認為『確實』便是：在任何情況下，我們言行的準則都應當以當事人或那些會受我們言行影響的人，他們對那套準則的理解方式來理解，這實在是種錯誤的假定。」（註6）。但這樣豈不將使得絕對的誡命變得不再那麼絕對？環境情況是否真的可以為誡命的意義設限？若然，則這個立場會使得倫理變成情境倫理。

第三個反對的原因是它太過倚靠神的介入。並非說神不能介入幫助我們，但是我們不應當僭妄到認定祂必須如此做。如果祂就有一次選擇袖手旁觀，我們都會被迫在兩個誡命中選一個。我們未守全兩個誡命，是我們應負責任？還是因為神令我們失望，應由祂負責任？

最後，所以反對是因為這種立場通常高舉律法而忘了愛。它傾向律法主義，對身在困境中的人未存憐憫之心。康德說他不會為了救一生命而說謊，因為他絕對不希望說謊成為一個普世的常規。但他難道不希望救命成為所有人都參與的行動嗎？有時這個立場強調較不重要律法的絕對性，疏於考慮更高的憐憫的律法。同時，當神未介入提供出路時，這種立場會使得盡力而為的當事人被定為有罪。一個婦女離家出走，為了防止她酗酒的丈夫打她和她的孩子時，她真的需要為此負責嗎？

這又會引起一個新的問題：是否所有的絕對都是平等的？還

是有些比其他的更重要？這立場視所有的絕對都居於同一位階，但有些關係豈非比其他關係更加優先？我們知道最少愛有兩個層面，在重要性上，是否有一層高過另一層？下兩個立場便認為有這種階層，同時認為有些律法比其他律法重要。

兩害相權取其輕

　　這個立場是說：的確會有衝突，有時可能沒有出路。當這種情況發生時，我們的責任是選較小的罪惡，也就是採取比較不是那麼沒有愛心的行為。兩個誡命既不可能都守，則應當干犯會導致較少傷害的那個，通常這被稱為兩害相權取其輕。當然，如果你犯了誡命，依舊要負責任。雖然罪是無可避免的，但你仍然有罪。只是當你選擇較小的罪惡時，至少會犯較少的罪。這保存了絕對，承認真有衝突，也不會特別要求神開路或巧妙地重新註釋律令。它同時引進一個新觀念，認為有些誡命較重要，順服這些比順服那些次要的誡命具優先性。

　　但怎麼能要人為無可避免的事負責任呢？一個人如果不能避免犯罪，判他有罪是否公平？道德上的罪暗示有行善的可能，若別無選擇，他怎能因此負責任呢？當我們來到「也曾凡事受過試探，與我們一樣，只是祂沒有犯罪」（來四15）的基督面前時，這會引起更大的問題。我們或者說：基督從未面對兩種絕對誡命間的衝突，如此祂就並未受到與我們一樣的試探；否則就得說：基督面臨衝突而犯了罪。罪如果是不可避免的，勢必逃不過這兩種結論，然而兩者我們都不能接受。基督必定有方法去面對真正的道德衝突，同時避免犯罪。此外，我們若說一個人在道德上有義務去做較小的惡是不合邏輯的。沒有人有義務去做惡。良善是

道德責任的唯一基礎。沒有人可以說他有道德上做惡的責任。

是否所有的絕對都是相等的？

基督徒常說「小罪」和「大罪」在神的眼裡都一樣有罪。的確所有的罪都是罪，但耶穌教導一個很不同的教義。祂說：公義和憐憫比起奉獻來說是「更重的」，雖然二者都是律法所規定的（太二十三23）。祂教導：謹守安息日比幫助有需要的人次要（太十二5；可二27）。基於這些原因，祂不但在安息日醫病，同時准許祂的門徒「掐起麥穗」，祂說：做這些事是「可以」、「無罪的」、是做「善事」（太十二7、12），並非較小的惡。基督甚至說：有「誡命中最小的一條」（太五19），罪的刑罰也有輕有重（太十一24；約十九11；啟二十12）；行善的獎賞也是如此（啟三11；林前三12～13）。將這些與我們應當愛神過於愛人（太二十二38～39）這個事實合併來看，再加上履行誡命有時的確顧此失彼，我們必須承認：誡命之間是有輕重差異。

最大可能的善

許多人將這立場與前一立場混淆不清，認為兩者僅有語義上的差異，但它們實際上非常不同。在上一種立場中，人應當選擇較小的惡，他因此有罪。但這裡的焦點是行最大的善，人不會因行善而有罪。前者，人因干犯無可避免的事被定罪；後者，人因盡力而為受稱讚。

有時這種立場被稱為等級絕對主義(graded absolutism)或層級主義(hierarchicalism)。這立場說：當衝突發生時，當事人只有責任去服從更高的誡命。他的責任是去遵循神所賜更高的誡命，那是最大的善。至於較低的誡命又如何呢？只要當事人在服

從更高誡命的時候，較低的就暫被凍結擱置。聖經中的每一條誡命都是絕對的，沒有例外；但當衝突發生時，較大的責任是去實行較高的律法。藉著行更大的善，得以豁免實行較小的善的責任。較低的被較高的勝過。

但我們如何知道何為較大的善？聖經中有些線索可以幫助我們建立一個價值層級，指出那些關係是更重要的。首先，愛神永遠高於愛人。亞伯拉罕愛神超過愛他的兒子（創二十二）。耶穌呼召祂的門徒在必要時衝破家庭繫絆，順服神（太十37）。神永遠居於第一優先。其次，人比事物重要。耶穌說：我們不應當「為自己積儹財寶在地上……你們不能又事奉神，又事奉瑪門」（太六19～24）。事物不但次於神，也次於人，「人就是賺得全世界，賠上自己的生命，有什麼益處呢？」（可八36）保羅甚至說：「貪財是萬惡之根」（提前六10）。人是要愛的，事物是要用的。這個清單雖然不完全，但可顯示：較高或較低的律法不是主觀感覺決定的，神已建立一個真實且絕對的價值層級。

當兩個層級間產生無可避免的衝突時，較高的比較低的有優先履行的義務。當然，有時情況較複雜，例如人與人之間的衝突。如果我們的鄰居要用槍殺他妻子，我們是否應該把借來的槍歸還給他？不！我們的責任是救一個無辜者的性命，這個責任高於我們將一個可能作謀殺者的財物歸還給他的責任。

價值的金字塔可以描繪如下：

神與政權

神的意思無疑是要我們服從政府。羅馬書第十三章1節以下、提多書第三章1節、彼得前書第二章13至14節都將這點說得很清楚。但是如果政府的命令與神的律法衝突時應如何呢？我們在聖經裡有幾處這樣的例子。但以理受命吃不潔的肉（但一8）以及停止禱告（六7以下），但他兩次選擇順服更高的權威。同樣的，彼得和約翰受吩咐不可再傳福音，但他們的回答是：「順從神，不順從人，是應當的。」（徒五29）對他們而言，他們對於應當如何取捨、順服那一條誡命，毫無疑慮。愛神永遠超越我們對政府的責任。

這立場與上述其他幾個立場都不同。它與「無衝突」的立場不同處在於：它正視到絕對誡命間真的有衝突。有時沒有第三個選擇，必須正面面對衝突。與「兩害相權取其輕」的立場相同處在於：承認誡命間有等級輕重，但它不因一個人行最大可能的善，仍定他在道德上有罪。

「但等級絕對主義豈不是化了妝的相對主義？」不然，從三方面而言它都是絕對主義。首先，它相信所有的價值都是基於神絕對的本性。道德不會改變，正如神不會改變一樣。第二，每一個誡命都是絕對的，因此都應當絕對地順服。通常我們應當按道德律的要求來作，這是毫無疑問的。惟有當絕對的道德律之間有衝突時，等級才會被用來決定那一個關係應優先。第三，價值等級本身是絕對的。解決衝突的方法不是主觀的，而是藉著一個絕對的結構，看出那一個價值更重要。同時，這個等級根植於神的本性，祂創造時使人比物有更高價值，而神則居首位，且囊括所有價值。

所以基督徒世界觀的絕對價值應被肯定、護衛並解釋清楚。

我們必須肯定它們，因為它們是無可否定的。那些否定所有價值
的人肯定了他們否定的價值。我們可以護衛價值，因為它們來自
神的本性，而神就是愛。我們可以把它們解釋清楚，因為神已經
在自然和聖經中向我們啟示祂自己了。

倫理的選擇

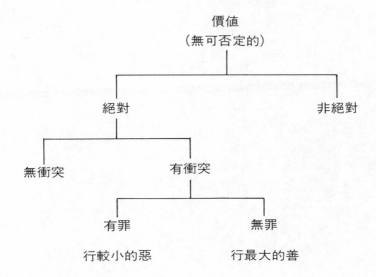

附註

1. Allan Bloom, *The Closing of the American Mind* (New York: Simon amd Schuster, Inc., 1987), pp.25～26.

2. Joseph Fletcher, *Situation Ethics: The New Morality* (Philadelphia: Westminster Press, 1966), p. 27.

3. Ibid., pp. 142～143.

4. Norman L. Geisler, *The Christian of Love* (Grand Rapids: Zondervan, 1973), p. 16

5. Ibid., P. 22.

6. John Murray, *Principles of Conduct* (Grand Rapids: Wm. B. Eerdman's Publishing Co., 1975, 1971) p. 145.

附　　錄

基督教護教──由零開始

1. 有不證自明的真理（例如：「我存在」、「邏輯適用於現實」）。
2. 真理與現實相呼應。
3. 真理是可知的（其他各種觀點均為自相矛盾，參第十二章）。
4. 可由不證自明的真理證明神存在。
   a. 創造論證（由「我存在」而來）
   b. 道德論證（由「價值為無可否定的」而來）
   c. 設計論證（由「設計暗示有一位設計者」而來）
5. 神是一位必然的存有（存有的論證，參第二章）。
6. 我的存在不是必然的（由必然存有之定義顯然可知）。
7. 因此，有神主義是真實的（有一位超越世界的必然的存有，祂創造世界中的萬物、介入世界，參第三章）。
8. 聖經是一本可靠的歷史文件。
   a. 歷史是客觀地研究過去。
   b. 有許多歷史、考古、科學證據印證聖經的可靠性（第九至十章）。
   推論：聖經提供耶穌基督教導之可靠記錄。
9. 耶穌宣稱祂是百分之一百的人又是百分之一百的神。

10.祂提出證據支持這宣告。

　　a.預言的實現

　　b.祂神蹟及無罪的一生

　　c.祂的復活（第六章）

11.因此，耶穌是百分之一百的人又是百分之一百的神。

12.神所教導的都是真的。

13.耶穌（神）教導說舊約是神所黙示的。

14.因此，新約及舊約都是神所黙示的神的話語（第七章）。

英漢名詞對照表

a posteriori 後天的
從經驗而來的，與先驗的(a priori)相反。

a priori 先驗的
在經驗之先，獨立於經驗之外的。

abstract 抽象
存在於心中而非外在世界中的；觀念的而非物體的；一般的而非個別的。

absurd 不合理的
就邏輯而言，指矛盾，例如「圓的正方形」；就存在主義而言，指不可能
有客觀或終極意義。

accidental 偶然性、附質的
在形上學中指某事物非必然的特性。

agnosticism 不可知論
主張人不可能知道（最少實際上是不知道）實體（特別是神）。

analogy 類比
在其它方面相異的事物但在某些方面具有相稱一致性。

apologetics 護教學
字面的意思是「防衛」；在哲學上，指理性地辯論信仰的學術。

atheism 無神論
否定神存在的世界觀，認為宇宙便是全部所有。

being 存有、實存
實際存在的；真實存在者。

bipolar 兩極
「萬有神在論」(panentheism)中神存有的兩極。

Brahman 梵天
印度教中表示存有元始的詞彙，乃與萬有合而為一的終極實體。〔參泛神論 (pantheism)〕。

cause 成因
造成成果的必要和充要條件。

causality, law of 因果律
邏輯和科學的基本原則，主張「任何事件必有成因」。

Christian Science 基督教科學派
現代泛神論教派(cult)，由艾迪女士(Mary Baker Eddy)創立，否定罪惡、疾病、死亡的真實性，否認耶穌基督獨特的神性。

Church of Jesus Christ of Latter-day Saints (Mormons) 耶穌基督
末世聖徒教會（摩門教）
史密斯約瑟二世於一八三〇年創立的教派，否定聖經的權威和教義，信奉
多神教(polytheism)。

clairvoyance 透視、天眼通
能夠透過心靈或精神看見人或物體的玄秘作為或能力。

coherence theory of justification 真理的依附觀
一種認識論(epistemology)的觀點，認為沒有當下可證明合理的信仰，所
謂合理是信仰之間的關係，在認識論中沒有一種信仰是較優越的。

coherence theory of truth 真理的連貫觀
對於真理的一項界定：真理必具有系統的一致性。

contingent 非必然性的
依附他物才能存在或具有功能。

correspondence theory of truth 真理的相應觀
對真理的一項界定：真理必與事實相應。

cosmological argument 宇宙論論證
從非必然存在和變化的世界（宇宙）來證明神的存在。

deduction 演繹法
由一般到特殊的論證；也是種由一個或數個前提必然導出某項斷案的邏輯
論證。

deism　自然神論
相信神創造這個世界，並且超越這個世界之上；否認神內在世界中，特別是否認神在世界中有任何超自然的作為。

demiurge　創造神（靈智派）、得繆哥、造化神（柏拉圖哲學）
柏拉圖的概念，認為一位有限的創造者或神明自混沌（原始物質）中形成世界。

determinism　命定論、決定論
相信宇宙中所有的事件（包括人的動作）都受先前的條件支配。

Docetism　幻影說、假現說
古代的異端(heresy)，主張耶穌基督在世生活不過看似人，實際上是一個靈體。

dualism　二元論
教導有兩個終極實體（例如神和惡、靈和物質）並存的世界觀。

efficient cause　形成因
賴以達成果效的媒介。

emanation　發散論
普羅提諾(Plotinus)的泛神論所主張的，宇宙必然是由神那裡流衍而出，好像光線由太陽、或是半徑由圓心散發出來一樣。

empiricism　經驗主義

主張所有的知識始於感官經驗的知識論。

epistemology　認識論

研究知識的性質、我們如何知道的學問。

equivocation　一語雙關

使用同一詞彙卻有兩種不同的意義。

essence　本質

事物必然具有的特質或屬性；事物的本性。

essentialism, ethical　倫理本質論

這種倫理學(ethics)的觀點認為：神定意道德規則，因為它們是正當的，源自祂的本質或屬性。〔參意志論(voluntarism)〕

eternal　永恆

無始、無終、無轉變地存在著；不僅只是無止境地延續，時間概念根本不適用。

ethics　倫理學

關於是非對錯、何為應然行為的研究。

ex nihilo　從空無中（創造）

基督教相信：神從空無中創造出這個宇宙。

exemplar cause　範本因

造出某一事物所依據的模式或藍圖。

existentialism 存在主義
一哲學思潮，強調存在先於本質；具體和個體高於抽象和普遍。

fallacy 謬誤
推論、關係或結論的邏輯性錯誤。

fideism 唯信論
主張人無法用理性的方式來證明他的信仰，惟獨信心是必須的。

final cause 最後因
引發行動結果或目的；終極的。

finite 有限性
具有特定的界域或限制。

finite godism 有限神論
這種理論的世界觀肯定有一位神，但祂的權能和愛是有限的。〔參有神論 (theism)〕

first principle 第一原則
基本定理或命題；不證自明的假設。

formal cause 形式因
構成某事物的架構或形式。

foundationalism 根本主義

認識論上的信念，認為知識是根據第一原則(first principle)或立即可證實的信念而來。

gnosticism　諾斯底主義、靈智派

早期的異端，認為神是善，物質是惡，人得救基於認識特別隱藏的真理。

hedonism　快樂主義

一種倫理學上的觀點，主張快樂是最大的善。

humanism　人文主義

認為宇宙間人是最高價值的信念。

Hyksos　許克索斯人

統治古埃及一段時期的外來入侵者。維利克斯奇(Velikovsky)認為他們就是聖經所說的亞瑪力人。

hypnotherapy　催眠治療

使用催眠術的心理治療。

hypnotic regression　催眠回歸

據說藉著催眠人可追憶起前生的過程。

idealism　唯心論

這種哲學主張實體由心和觀念構成，而非由物質構成。

identity, principle of　同一律

邏輯定律，指一物恆等於它本身，好比A就是A。

immanent 內在的

又稱潛在、內住。神的內在是指祂臨在這宇宙中。〔參超越性〕(transcendent)

immortality 不朽性

人會永遠活著的學說。

indeterminism 未定論

主張最少有些事件（特別是人的行為）是自主的。

induction 歸納法

由特殊到一般的論證。

inerrancy 無誤

這個詞彙用來指聖經原稿中所有的信息沒有任何錯誤。

infallible 可靠

這個詞彙用來指聖經僅在信仰和行為（非在科學、歷史等）方面是可靠的準則。

infinite 無限

沒有限制，沒有界域。

infinite regress 無限回歸

主張沒有可能找到第一原則或第一因，所有的因都依賴其它非獨立自有的因而存在。

instrumental cause　工具因
動力憑藉的途徑或工具。

intuitionism　直覺說
一種倫理學的觀點，認為在任何情況下，正確的行為都是不證自明的。

jiva, jivatman　個人我、個我
通常被譯為「靈魂」，指經歷輪迴的那個部分。

karma　業
這種因果定律認為今生的每一言行都會有來生的報應。今生所種的便是來生所收的。

liberation theology　解放神學
以萬有神在論中的神觀來證明馬克思主義者造反有理。

logic　邏輯
正確思想和論證的研究。

logical positivism　邏輯實證論
一種哲學，主張所有形上(metaphysics)或神學的命題除非是經驗上可證實的，否則都無意義。

material cause　物質因
造成某成果的材料或物質。

materialism 唯物論
主張所有的實體都是物質的，沒有任何精神體（例如靈魂或神）存在。

metaphysics 形上學
對存有或實體的研究。

metempsychosis 輪迴、轉生
古希臘字，基本意義與輪迴(reincarnation)相同。

moksha 解脫
由輪迴不息的負累中最終得「釋放」的境界。

monism 一元論
一種形上學觀點，主張只有一個實體。

mysticism 神秘主義
相信有超越感官或理性的心靈或實體境界。

natural law 自然律
在倫理學上，指所有的人與生俱有的或內在的道德律。在物理學上，指描述宇宙正常運轉的原則。

naturalism 自然主義、自然論
主張宇宙便是全部的實體，一切都按自然律運作（因此沒有神蹟）。

necessary being 必然的存有
一位不能夠不存在的存有，它的本質就是存在。

necessity 必然性
必須是或不可能不是的。

nirvana 涅槃、寂滅
字面的意思是「終止」或「滅絕」，這個詞彙在佛教中有許多不同的解釋，但最起碼它意謂不再陷於生死和七情六慾的輪迴中。

noncontradiction, law of 非矛盾律
一命題不可能在同一意義下同時是真又是假。

noumena 本體
康德(Kant)理論中的「物自身」或實體世界，與這世界的表相相對。〔參現象(phenomena)〕

objectivism 客觀主義
意識之外，有外在客體存在的信念。

ontological argument 本體論論證
安瑟倫(Anselm)所提出神存在的論證，主張從我們對神本質的觀念中，即可導出神必然存在。

ontology 本體論、存有學
對存有的研究。

panentheism 萬有神在論
主張「萬物在神之中」的世界觀，認為神與世界的關係就像靈魂與身體的

關係一樣。

pantheism　泛神論
否認神超越性的世界觀，認為神與祂臨在的宇宙為一。

parapsychology　超心理學
科學研究領域之一，旨在研究傳統心理學理論無法解釋的現象。

phenomena　現象
根據康德的說法，指世界的表象，與實體相對。〔參本體(noumena)〕

phenomenology　現象學
一哲學思潮，企圖避免所有的預設，以人意識對象的純資料為著手點。

pluralism　多元論
一種形上學觀點，主張有兩個或兩個以上的實體。〔參一元論(monism)〕

polytheism　多神論
相信有許多神明。

positivism　實證論
棄絕形上學，企圖專以科學方法認識世界的哲學。

pragmatism　實用主義、實驗主義
以實用果效作為檢驗真理的標準的哲學。

privation　缺乏

一客體缺少某些應當具備的優良質素（例如：一人失去視力）。

proposition 命題

一個句子表達的意義。有些哲學家聲稱：一命題等同一句子。

rationalism 理性主義

一種認識論，強調理性或合理解釋。以理性為最高準則，有時反對經驗性的資料。

reincarnation 再生、輪迴

有關死後靈魂取得新的軀殼再度入世的信仰。

relativism 相對主義

主張世上無絕對的信念，一個命題的真實性或價值是比照另一命題的真實性或價值而成立的。

samsara 生死輪迴

不斷再生的循環。

self-defeating or self-stultifying 自相矛盾

任何陳述，或在內容上，或在肯定的過程中，作了與它所欲肯定相反的假設。

skepticism 懷疑論

主張人對哲學問題應當抱懷疑態度，或暫緩判斷。

solipsism 唯我論

就形上學而言，指「唯我獨存」的學說。就認識論而言，指人除了自己其他都不可知的觀點。

specified complexity　特定的複雜
任何多樣化，但有秩序、帶有資訊的模式（例如：語言、DNA等）

subjectivism　主觀主義
倫理學上的信念，認為沒有客觀、普遍的(universal)行為準則。在認識論中，則指：唯有當一個人相信某陳述為真實時，該陳述才為真實的。

substance　實質
根據亞里斯多德的說法，指現象下的本質，涵具一事物所有的品質。

sufficient reason　充分理由
萊布尼茲(Leibniz)提出的原則，主張每一件事都必定有合理的解釋或原因。

syllogism　三段論法
精確的演繹論證，包括兩個前提和一個結論。

syncretism　混合主義
調停、揉合互相衝突的信念。

tautology　異辭同義
邏輯上按定義恆真的陳述，例如「三角形有三個邊」。因此是種空洞的陳述，對真實世界並無任何斷言。

teleological argument　目的論論證
由宇宙萬物的設計或匠心來說明有位設計者（神）存在。

teleology　目的論
倫理學上的觀點，強調我們行動所帶來的目的、後果、結局。

theism　有神論
肯定有一位有位格的、無限的創造主存在的世界觀，該創造主可內在這世界中，有無限的權能和愛。

transcendent　超越的
在我們的經驗或這個世界以外的。有神論者主張：神是超越的，因為祂在自然之外，在自然之上。〔參內在的(immanent)〕

transmigration　轉生、輪迴
靈魂由一身軀轉移到另一身軀。通常指以另一種生命形態，例如動物、植物、礦物以及人類，再生。

uniformity　一致原理
科學上的原則，主張在現在能造成某種效果的成因，在過去必定也造成同樣的效果。

undeniability　無可否認性
有些陳述乃無可否定的，因為在否定的過程中必須先假定該陳述的真實性。

universal　普遍的

無論何時、何地都為真實；為一事的一般概念或觀念，與某一特定的事件或例子相對。

utilitarianism 功利主義

倫理學上的觀點，認為人的作為應替最大多數人帶來最大福利。

vinnana 識

佛教中描述已死者再生後的「無意識性向」，與有意識的自我、靈魂或心相對。

voluntarism, ethical 倫理意志論

倫理學上的觀點，將所有的道德原則都追溯到神的意志；任何事物所以為正當的，是因為神的旨意如此。〔參倫理本質論(ethical essentialism)〕

yin/yang 陰陽

佛教的觀念，認為萬有，特別是相對者（例如光和暗、善和惡），就終極境界而言，是一體。

主題索引

〔索引部分由豪威(Thomas A. Howe)編輯〕

EVID（惡）

EXODUS OF ISRAEL FROM EGYPT（以色列人出埃及）

MEDIUMS（交鬼）

MESSIAH（彌賽亞）

MIRACLES（神蹟）

PRIMORDIAL POLE（根本極）

PROCESS THEOLOGY（進程神學）

PSEUDEPIGRAPHA（偽經）

RATIONALISM（唯理主義）

REALISM（實在主義）

REINCARNATION（轉世）

SKEPTICISM（懷疑論）

懷疑論者對神存在的看法？　39

懷疑論者對真理的看法？　299

SOCRATES（蘇格拉底）

誰是蘇格拉底？　153

SUBSTITUTIONARY ATONEMENT（代贖）

代贖合乎公義嗎？　280

SUPREME COURT（最高法院）

最高法院對無神論的宗教有何看法？　40

最高法院對道教有何看法？　40

THEISM（有神論）

有神論和泛神論的區別？　282

TIME（時間）

何謂時間是真實的？　17

神何時創造世界？　34～35

TRUTH（真理）

道教對真理的看法？　48

真理全都是某一觀點下的真理？　289～290

基督徒的心胸閉塞嗎？　292

真理是相對的或絕對的？　288～293

WORLDVIEWS（世界觀）

人名索引

經文索引

創世記

馬可福音

推薦書目

第一章

Edward J. Carnell. *An Introduction to Christian Apologetics* (Grand Rapids: Eerdmans, 1950).

William Lane Craig. *Apologetics : An Introduction* (Chicago: Moody Press, 1984).

Fredrick Howe. *Challenge and Response: A Handbook of Christian Apologetics* (Grand Rapids: Zondervan Publishing House, 1982).

第二章

Reginald Garrigou-Lagrange. *God: His Existence and His Nature* (St. Louis: B. Herder Book Co., 1934).

Norman L. Geisler. *Philosophy of Religion* (Grand Rapids: Zondervan Publishing House, 1974), Part 2.(賈詩勒,《宗教哲學》,種籽,1983)

Stuart Hackett. *The Resurrection of Theism* (Chicago: Moody Press, 1957).

（路易士,《如此基督教》,東南亞神學院,1986 ）

C.S. Lewis. *Mere Christianity* (New York: MacMillan,1957).

____. *God in the Dock* (Grand Rapids: Eerdmans, 1970).

Eric Mascal. *He Who Is* (New York: Longmans, Green, 1943).

J.P. Moreland. *Scaling the Secular City* (Grand Rapids: Baker Book

House, 1987), Chapters 1-4.

R.C. Sproul. *Classical Apologetics* (Grand Rapids: Zondervan Publishing House, 1984).

第三章

Norman L. Geisler and William D. Watkins. *Worlds Apart: A Handbook on World Views* (Grand Rapids: Baker Book House, 1989).

James W. Sire. *The Universe Next Door: A Basic World View Catalog* (Downers Grove, Ill: Inter-Varsity Press, 1976).

第四章

Norman L. Geisler. *The Roots of Evil* (Grand Rapids: Zondervan Publishing House, 1978).

C.S. Lewis. *The Problem of Pain* (London: G. Bles, 1942).（魯益師,《痛苦的奧秘》,基督教文藝出版社,1956）

____. *A Grief Observed* (London: Faber and Faber,1964).

Phillip Yancey. *Wherer is God When it Hurts?* (Grand Rapids: Zondervan Publishing House, 1977).（楊菲臘,《痛苦的疑惑》,種籽,1985）

第五章

Augustine. *City of God* (New York: Random House, 1950), Book X.（奧斯定,《天主之城》,台灣商務印書館,1971）

Norman L. Geisler. *Miracles and Modern Thought* (Grand Rapids: Zondervan Publishing House, 1982).

C.S. Lweis. *Miracles* (New York: MacMillan, 1966).

Danny Korem. *The Fakers* (Grand Rapids: Baker Book House, 1980).

____. *Powers: Testing the Psychic and Supernatural* (Downers Grove, Ill.: Inter-Varsity Press, 1988).

第六章

William Lane Craig. *The Son Rises* (Chicago: Moody Press, 1981).

Norman L. Geisler. *Christian Apologetics* (Grand Rapids: Baker Book House, 1976), Chapter17.

Peter Kreeft. *Socrates Meets Jesus* (Downers Grove, Ill.: Inter-Varsity-Press, 1987).

Josh McDowell. *Evidence that Demands a Verdict* (San Bernardino: Here's Life Publishers, Inc., 1972), Section 2.（麥道衛，《鐵證待判》，學園，1978）

____. *More Than a Carpenter* (Wheaton, Ill.: Tyndale, 1977).（麥道衛，《千載懸疑》，天道，1980）

Frank Morrison. *Who Moved the Stone?* (London: Faber and Faber, 1958).（莫理遜，《歷史性的大審判》，證主，1988）

J. P. Moreland. *Scaling the Secular City* (Grand Rapids: Baker Book House, 1987), Chapters 5 and 6.

John Warwick Montgomery. *Christianity and History* (Downers Grove, Ill.: InterVarsity Press, 1964).（孟沃偉，《歷史與基督教》，校園，1977）

第七章

Gleason Archer. *A Survey of Old Testament Introduction* (Chicago: Moody Press, 1964).

Norman L. Geisler and William E. Nix. *A General Introduction to the Bible* (Chicago: Moody Press, 1968).

Norman L. Geisler, ed. *Inerrancy* (Grand Rapids: Zondervan Publishing House, 1979).

Josh McDowell. *Evidence that Demands a Verdict* (San Bernardino: Here's Life Publishers, Inc., 1972), Section 1.

John D. Woodbridge. *Biblical Authority: A Response to the Rogers/McKim Proposal* (Grand Rapids: Zondervan Publishing House, 1982).

第八章

Gleason L. Archer. *Encyclopedia of Bible Difficulties* (Grand Rapids: Zondervan Publishing House, 1982). （艾基新，《聖經難題彙編》，角聲，1987）

J.W. Haley. *Alleged Discrepancies of the Bible* (Nashville: Goodpasture, 1951).

第九章

Gleason L. Archer. *A Survey of Old Testament Introduction* (Chicago: Moody Press, 1964).

F. F. Bruce. *The New Testament Documents: Are They Reliable?* (Grand